펼쳐 보면 느껴집니다

단 한 줄도 배움의 공백이 생기지 않도록
문장 한 줄마다 20년이 넘는
해커스의 영어교육 노하우를 담았음을

덮고 나면 확신합니다

수많은 선생님의 목소리와
정확한 출제 데이터 분석으로 꽉 찬
교재 한 권이면 충분함을

해커스북 중·고등
HackersBook.com

해커스 보카

고등 기본이 특별한 이유!

꼭 알아야 할 **고등 필수** 어휘가 모두 있으니까!

1 수능·학평·교과서
EBS에서 엄선한
고등 필수 어휘

2 어휘력을 폭넓게
향상시키는
혼동어 · 다의어

단어 하나를 외워도 **전략적**으로 외우니까!

3 쓰임새를 같이 익혀
실전에 더욱 강해지는
진짜 기출 예문

4 편리하고 효과적인
복습을 위한
**미니 암기장 &
REVIEW TEST**

수능·내신 한 번에 잡는 **고교 기본 영단어**

해커스
보카

고등 기본

해커스 어학연구소

목차

이 책의 **구성과 특징**

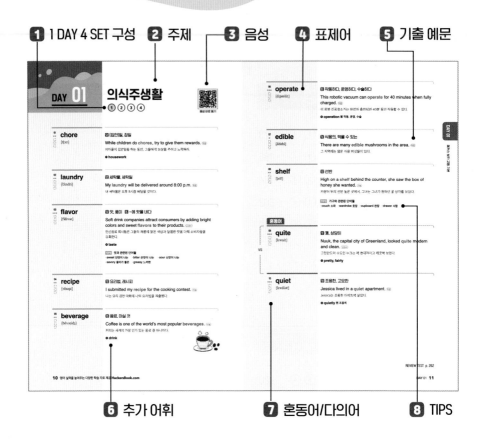

1 1 DAY 4 SET 구성 — 자신의 목표에 따라서 자유롭게 학습 분량을 설정할 수 있도록 1 Day는 4개의 SET로 나누어져 있고, 모든 SET는 혼동어 또는 다의어를 포함한 10개의 표제어로 구성되어 있어요.

2 주제 — 표제어를 수능 지문에 자주 등장하는 주제별로 묶어서 외우면서 수능 지문 주제에 익숙해질 수 있어요.

3 음성 — 모든 표제어, 표제어 뜻, 예문에 대한 음성을 QR 코드로 쉽게 들을 수 있어요.

4 표제어 — 수능, 학평, 교과서, 교육부, EBS 교재에서 엄선된 고등 필수 어휘 1,200개를 학습할 수 있어요.

5 기출 예문 — 표제어가 실제 기출에서 어떻게 쓰였는지 확인하며 학습할 수 있어요.

6 추가 어휘 — 표제어의 파생어, 유의어, 반의어를 효율적으로 함께 학습할 수 있어요.

7 혼동어/다의어 — 혼동어와 다의어를 암기하면서 어휘력을 폭넓게 향상시킬 수 있어요.

8 TIPS — 표제어의 어원, 시험에 함께 자주 출제되는 표현을 학습할 수 있어요.

해커스 보카 고등 기본

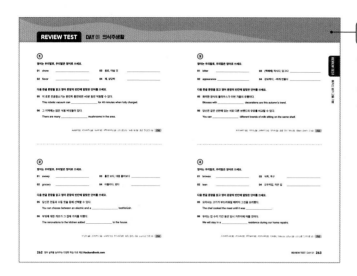

REVIEW TEST

각 SET별로 제공되는
REVIEW TEST를 통해
학습한 내용을 복습할 수
있어요.

추가 학습 자료로 어휘 실력 업그레이드!

미니 암기장

미니 암기장을 가지고
언제 어디서나 간편하게
단어를 학습할 수 있어요.

단어가리개

단어가리개를 이용한 셀프테스트
로 단어의 암기 여부를 쉽고 빠르
게 확인할 수 있어요.

교재에 사용된 약호

명 명사　　동 동사　　형 형용사　　부 부사　　전 전치사　　접 접속사

+ 파생어　　⊖ 유의어　　⊟ 반의어

이 책의 구성과 특징 **5**

3회독 학습 플랜

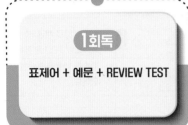

1회독
표제어 + 예문 + REVIEW TEST

— 표제어를 학습하고 예문을 통해 어휘의 쓰임을 학습하세요.

— REVIEW TEST로 배운 내용을 복습하세요.

2회독
표제어 + 예문
+ 파생어 + 유의어 + 반의어
+ TIPS

— 1회독 때 외웠던 표제어를 복습하세요. 잘 외워지지 않는 단어는 따로 체크하세요.

— 표제어의 파생어, 유의어, 반의어, 그리고 TIPS도 꼼꼼하게 학습하세요.

3회독
잘 외워지지 않는 단어

— 1~2회독 때 잘 외워지지 않았던 단어를 복습하며 다시 암기하세요.

 단어암기 TIP

- 미니 암기장을 이용하면 언제 어디서나 간편하게 복습할 수 있어요.
- 해커스북(HackersBook.com)에서 부가물로 제공되는 나만의 단어장 양식을 활용해서 단어장을 만들면, 잘 외워지지 않는 단어를 더 효율적으로 학습할 수 있어요.

■ 하루에 암기할 단어의 분량을 정한 후, 학습을 완료한 SET에 체크표시 하세요.

1 Day는 4개의 SET(①~④)로 나누어져 있고, SET마다 10개의 표제어가 나와요.

목표	1회독 하루에 ___ 개 SET	2회독 하루에 ___ 개 SET	3회독 하루에 ___ 개 SET
DAY 01	✔ ② ③ ④	① ② ③ ④	① ② ③ ④
DAY 02	① ② ③ ④	① ② ③ ④	① ② ③ ④
DAY 03	① ② ③ ④	① ② ③ ④	① ② ③ ④
DAY 04	① ② ③ ④	① ② ③ ④	① ② ③ ④
DAY 05	① ② ③ ④	① ② ③ ④	① ② ③ ④
DAY 06	① ② ③ ④	① ② ③ ④	① ② ③ ④
DAY 07	① ② ③ ④	① ② ③ ④	① ② ③ ④
DAY 08	① ② ③ ④	① ② ③ ④	① ② ③ ④
DAY 09	① ② ③ ④	① ② ③ ④	① ② ③ ④
DAY 10	① ② ③ ④	① ② ③ ④	① ② ③ ④
DAY 11	① ② ③ ④	① ② ③ ④	① ② ③ ④
DAY 12	① ② ③ ④	① ② ③ ④	① ② ③ ④
DAY 13	① ② ③ ④	① ② ③ ④	① ② ③ ④
DAY 14	① ② ③ ④	① ② ③ ④	① ② ③ ④
DAY 15	① ② ③ ④	① ② ③ ④	① ② ③ ④
DAY 16	① ② ③ ④	① ② ③ ④	① ② ③ ④
DAY 17	① ② ③ ④	① ② ③ ④	① ② ③ ④
DAY 18	① ② ③ ④	① ② ③ ④	① ② ③ ④
DAY 19	① ② ③ ④	① ② ③ ④	① ② ③ ④
DAY 20	① ② ③ ④	① ② ③ ④	① ② ③ ④
DAY 21	① ② ③ ④	① ② ③ ④	① ② ③ ④
DAY 22	① ② ③ ④	① ② ③ ④	① ② ③ ④
DAY 23	① ② ③ ④	① ② ③ ④	① ② ③ ④
DAY 24	① ② ③ ④	① ② ③ ④	① ② ③ ④
DAY 25	① ② ③ ④	① ② ③ ④	① ② ③ ④
DAY 26	① ② ③ ④	① ② ③ ④	① ② ③ ④
DAY 27	① ② ③ ④	① ② ③ ④	① ② ③ ④
DAY 28	① ② ③ ④	① ② ③ ④	① ② ③ ④
DAY 29	① ② ③ ④	① ② ③ ④	① ② ③ ④
DAY 30	① ② ③ ④	① ② ③ ④	① ② ③ ④

PART 1

일상생활

DAY 01

의식주생활

음성 바로 듣기

01
★★
chore
[tʃɔːr]

📖 (집안)일, 잡일

While children do **chores**, try to give them rewards. (학평)

아이들이 집안일을 하는 동안, 그들에게 보상을 주려고 노력해라.

🔵 housework

02
★★
laundry
[lɔ́ːndri]

📖 세탁물, 세탁일

My **laundry** will be delivered around 8:00 p.m. (학평)

내 세탁물은 오후 8시쯤 배달될 것이다.

03
★★★
flavor
[fléivər]

📖 맛, 풍미 📘 ~에 맛을 내다

Soft drink companies attract consumers by adding bright colors and sweet **flavors** to their products. (교과서)

탄산음료 회사들은 그들의 제품에 밝은 색상과 달콤한 맛을 더해 소비자들을 유혹한다.

🔵 taste

> **TIPS** 맛과 관련된 단어들
> ·sweet 단맛이 나는   ·bitter 쓴맛이 나는   ·sour 신맛이 나는
> ·savory 풍미가 좋은   ·greasy 느끼한

04
★★
recipe
[résəpi]

📖 요리법, 레시피

I submitted my **recipe** for the cooking contest. (수능)

나는 요리 경연 대회에 나의 요리법을 제출했다.

05
★★
beverage
[bévəridʒ]

📖 음료, 마실 것

Coffee is one of the world's most popular **beverages**. (수능)

커피는 세계의 가장 인기 있는 음료 중 하나이다.

🔵 drink

---

06 ★★★ operate
[á:pərèit]

동 작동하다, 운영하다, 수술하다

This robotic vacuum can **operate** for 40 minutes when fully charged. (학평)

이 로봇 진공청소기는 완전히 충전되면 40분 동안 작동할 수 있다.

➕ **operation** 명 작동, 운영, 수술

07 ★ edible
[édəbl]

형 식용의, 먹을 수 있는

There are many **edible** mushrooms in the area. (학평)

그 지역에는 많은 식용 버섯들이 있다.

08 ★★ shelf
[ʃelf]

명 선반

High on a **shelf** behind the counter, she saw the box of honey she wanted. (수능)

카운터 뒤의 선반 높은 곳에서, 그녀는 그녀가 원하던 꿀 상자를 보았다.

TIPS 가구와 관련된 단어들
·couch 소파 ·wardrobe 옷장 ·cupboard 찬장 ·drawer 서랍

혼동어

VS

09 ★★★ quite
[kwait]

부 꽤, 상당히

Nuuk, the capital city of Greenland, looked **quite** modern and clean. (교과서)

그린란드의 수도인 누크는 꽤 현대적이고 깨끗해 보였다.

➖ **pretty, fairly**

10 ★★★ quiet
[kwáiət]

형 조용한, 고요한

Jessica lived in a **quiet** apartment. (학평)

Jessica는 조용한 아파트에 살았다.

➕ **quietly** 부 조용히

REVIEW TEST p. 262

DAY 01 의식주생활

01
sweep
★★
[swiːp]

图 쓸다, 청소하다 图 쓸기, 청소

Mrs. Smith saw Brian **sweeping** the snow in front of her house. (수능)

Mrs. Smith는 Brian이 그녀의 집 앞에서 눈을 쓸고 있는 것을 봤다.

➕ sweeper 图 청소부
➖ brush, clean

02
glance
★★
[glæns]

图 흘끗 보다, 대충 훑어보다 图 흘끗 봄

Matt suddenly awakened and **glanced** at his clock. (학평)

Matt는 갑자기 깨어나서 그의 시계를 흘끗 보았다.

➖ peek, glimpse

03
match
★★★
[mætʃ]

图 어울리다, 맞다 图 경기, 시합

Those earrings **match** your dress perfectly. (학평)

그 귀걸이는 당신의 드레스와 완벽하게 어울린다.

➕ matching 图 어울리는

04
furniture
★★
[fɔ́ːrnitʃər]

图 가구, 비품

There are many websites dealing with secondhand **furniture**. (학평)

중고 가구를 취급하는 많은 웹사이트들이 있다.

05
manual
★★
[mǽnjuəl]

图 수동의, 손으로 하는 图 설명서, 소책자

You can choose between an electric and a **manual** toothbrush. (학평)

당신은 전동과 수동 칫솔 중에 선택할 수 있다.

➕ manually 图 수동으로
➖ automatic 图 자동의

TIPS manu 손 + al 형·접 → 손으로 하는; 방법을 알려주는 설명서

---

06 ★★★ value
[vǽljuː]

☐ ☐ ☐

명 가치, 중요성 **동** 가치 있게 여기다

The renovations to the kitchen added **value** to the house.
부엌에 대한 개조가 그 집에 가치를 더했다.

➕ **valuable** 휑 가치 있는, 소중한   **invaluable** 휑 귀중한
➖ **worth**

TIPS value와 관련된 표현들
·face value 액면가 ·market value 시장 가치 ·value added tax 부가가치세

07 ★★★ pot
[pɑːt]

☐ ☐ ☐

명 냄비, 솥

Put cooking oil and uncooked rice into a **pot** and stir. 교과서
냄비에 식용유와 익히지 않은 쌀을 넣고 저으세요.

08 ★★ grocery
[gróusəri]

☐ ☐ ☐

명 식료품, 잡화

A trip to the **grocery** store is a fun break in the day. 학평
식료품점으로의 외출은 그날의 즐거운 휴식이다.

09 ★★ striped
[straipt]

☐ ☐ ☐

형 줄무늬의, 줄무늬가 있는

He looks good in his **striped** jacket. 학평
그는 그의 줄무늬 재킷이 잘 어울린다.

다의어

10 ★★★ mind
[maind]

☐ ☐ ☐

명 마음, 정신

마음에 새기다
동 유의하다, 주의하다

마음을 쓰다
동 신경 쓰다, 걱정하다

At last, my **mind** was at peace. 수능
마침내, 내 마음은 평화로웠다.

Mind your safety! 교과서
당신의 안전에 유의하세요!

Never **mind**. It was my pleasure to help your mother. 학평
신경 쓰지 마세요. 저는 당신의 어머니를 도와드려서 기뻤어요.

➕ **mindful** 휑 염두에 두는

REVIEW TEST p. 262

DAY 01 의식주생활

---

01 receipt
★★
[risíːt]

명 영수증, 수령

You can get a refund without a **receipt**. 〔학평〕

당신은 영수증 없이 환불을 받을 수 있다.

---

02 bitter
★★
[bítər]

형 쓴, 쓰라린, 지독한

I don't like the **bitter** taste and roughness of fruit peels. 〔수능〕

나는 과일 껍질의 쓴맛과 꺼칠꺼칠함을 좋아하지 않는다.

⊕ bitterness 명 쓴맛   **bitterly** 부 지독하게

---

03 appearance
★★★
[əpíərəns]

명 외모, 모습, 출현

According to psychologists, your physical **appearance** makes up 55 percent of a first impression. 〔수능〕

심리학자들에 따르면, 당신의 신체적 외모는 첫인상의 55퍼센트를 차지한다.

⊕ appear 동 나타나다, 출현하다   **apparent** 형 분명한

---

04 iron
★★
[áiərn]

명 다리미, 철   **동** 다리미질을 하다

A steam **iron** makes it easy to remove wrinkles from clothes.

스팀다리미는 옷의 주름을 제거하는 것을 쉽게 만든다.

TIPS 'iron out'의 형태로 쓰일 경우 '(주름을) 다리미질로 펴다', '(문제를) 바로잡다'의 의미를 나타내요.

---

05 palm
★★
[pɑːm]

명 손바닥, 야자나무

My **palms** were sweating. 〔학평〕

내 손바닥은 땀이 나고 있었다.

---

06 ★★ fancy
[fǽnsi]

휑 화려한, 값비싼

Blouses with **fancy** decorations are this autumn's trend. 〔학평〕

화려한 장식의 블라우스가 이번 가을의 유행이다.

07 ★ soak
[souk]

⑤ [액체에] 적시다, 담그다

For dinner we had ceviche, a dish of fish **soaked** in lime juice. 〔교과서〕

저녁으로 우리는 라임 주스에 적신 생선 요리인 세비체를 먹었다.

● wet

08 ★★★ appeal
[əpíːl]

휑 매력, 호소 **⑤** 관심을 끌다, 호소하다, 항소하다

The department store's **appeal** is its wide selection of women's clothing.

그 백화점의 매력은 여성복의 폭넓은 선택권이다.

⊕ **appealing** 휑 매력적인
● charm

혼동어

09 ★★★ compare
[kəmpέər]

⑤ 비교하다, 비유하다

You can **compare** different brands of milk sitting on the same shelf. 〔교과서〕

당신은 같은 선반에 있는 서로 다른 브랜드의 우유를 비교할 수 있다.

⊕ **comparison** 휑 비교, 비유 **comparable** 휑 비교할 만한, 비슷한

TIPS 'compared with/to ~'의 형태로 쓰일 경우 '~과 비교하여'라는 의미를 나타내요.

VS

10 ★ compel
[kəmpél]

⑤ 강요하다, ~하게 만들다

The laborers were **compelled** to do tough work all day long.

노동자들은 하루 종일 힘든 일을 하도록 강요받았다.

⊕ **compelling** 휑 강력한, 강렬한

REVIEW TEST p. 263

DAY 01 의식주생활 ① ② ③ ④

---

01 ★ browse
[brauz]

⑧ 둘러보다, 훑어보다

The woman told the shoe salesperson that she was just **browsing**.

그 여자는 신발 판매원에게 그녀가 그냥 둘러보는 중이었다고 말했다.

---

02 ★ appetite
[ǽpətàit]

⑲ 식욕, 욕구

I don't have much of an **appetite** now.

나는 지금 식욕이 별로 없다.

➕ **appetizer** ⑲ 식욕을 돋우는 음식, 전채 요리

TIPS appetite와 관련된 표현들
· have no appetite 식욕이 없다 · increase one's appetite ~의 식욕을 증진시키다

---

03 ★★★ attach
[ətǽtʃ]

⑧ 붙이다, 첨부하다

Carefully **attach** the address label to the package.

주소 라벨을 소포에 조심스럽게 붙이세요.

➕ **attachment** ⑲ 부착, 애착
➖ **detach** ⑧ 떼다, 분리하다

---

04 ★ shut
[ʃʌt]

⑧ (문을) 닫다, (눈을) 감다 ⑳ 닫힌, 감긴, 잠긴

He came into the room to **shut** the windows while we were still in bed. (교과서)

우리가 아직 침대에 있을 때 그는 창문을 닫으려고 방으로 들어왔다.

⊖ **close**

---

05 ★ tender
[téndər]

⑳ 부드러운, 상냥한

The chef cooked the meat until it was **tender**. (학평)

요리사는 고기가 부드러워질 때까지 그것을 요리했다.

➕ **tenderly** ⑨ 상냥하게
⊖ **gentle**

---

06 ★ pour
[pɔːr]

⑧ 붓다, 따르다, 마구 쏟아지다

Let me find a bottle to **pour** the sauce into. (학평)
내가 소스를 부을 병을 찾을게.

➕ **pouring** ⑲ 퍼붓는 듯한

07 ★ lean
[liːn]

⑧ 기대다, 의지하다, 기울이다

She is looking out at the beach, **leaning** against the window frame. (학평)
그녀는 창틀에 기대어, 해변을 바라보고 있다.

08 ★ temporary
[témpərèri]

⑲ 임시의, 일시적인

We will stay in a **temporary** residence during our home repairs.
우리는 집 수리 기간 동안 임시 거주지에 머물 것이다.

➕ **temporarily** ⑨ 임시로, 일시적으로
➖ **permanent** ⑲ 영구적인

TIPS tempo(r) 시간 + ary 형·접 → 잠시의 시간 동안의, 즉 일시적인, 임시의

09 ★ cottage
[kátidʒ]

⑲ 오두막집, 작은 집

The lights in Mr. Brown's **cottage** have been off for a long time. (교과서)
Mr. Brown의 오두막집 안의 불은 오랫동안 꺼져 있었다.

⊜ **cabin**

다이어

10 ★★★ minute
⑲[mínit]
⑲[mainjúːt]

You have to arrive 10 **minutes** before the appointment. (수능)
당신은 약속 10분 전에 도착해야 한다.

My boss gave me an assignment at the last **minute**. (수능)
내 상사는 마지막 순간에 나에게 과제를 주었다.

Scientists discovered **minute** particles of an unknown mineral in the rocks.
과학자들은 암석에서 알려지지 않은 광물의 미세한 입자를 발견했다.

REVIEW TEST p. 263

학교생활

음성 바로 듣기

01
★★★
active
[金ktiv]

형 적극적인, 활동적인

Teachers take an **active** role in developing and deepening students' comprehension. (수능)

교사들은 학생들의 이해를 발달시키고 심화시키는 데 적극적인 역할을 맡는다.

➕ **actively** 튀 적극적으로　**activate** 통 활성화시키다

02
★★★
excellent
[éksələnt]

형 훌륭한, 우수한

Brian is an **excellent** sports player and an honor student at school. (학평)

Brian은 훌륭한 스포츠 선수이며 학교에서 우등생이다.

➕ **excellence** 명 훌륭함, 탁월함
➖ **outstanding**

03
★★★
lecture
[léktʃər]

명 강의, 강연　동 강의를 하다

We'll listen to special **lectures** from successful young CEOs. (학평)

우리는 성공한 젊은 CEO들로부터 특별한 강의를 들을 것이다.

➕ **lecturer** 명 강사
➖ **lesson**

04
★★★
academic
[ækədémik]

형 학문적인, 학업의

Working hard at school helped him achieve **academic** success.

학교에서 열심히 노력한 것이 그가 학문적 성공을 이루도록 도왔다.

05
★★★
encourage
[inkə́ːridʒ]

동 북돋아 주다, 장려하다

Our annual art contest will **encourage** students' artistic creativity. (학평)

우리의 연례 예술 대회는 학생들의 예술적 창의력을 북돋아 줄 것이다.

➕ **encouragement** 명 격려, 장려
➖ **inspire**　➗ **discourage** 통 낙담시키다

---

06 ★★★ debate
[dibéit]

명 토론, 논쟁 **동** 토론하다, 논의하다

I'm thinking of making an English **debate** club. (학평)
나는 영어 토론 동아리를 만드는 것에 대해 생각 중이다.

➕ **debatable** 혱 논란의 여지가 있는
➖ **discussion**

TIPS debate와 관련된 표현들
· debate on ~에 대한 토론
· political debate 정치적인 토론
· debate with oneself 혼자 숙고하다

07 ★★★ president
[prézədənt]

명 회장, 대통령

Jane is running for student council **president**. (수능)
Jane은 학생회 회장에 출마하고 있다.

➕ **presidential** 혱 대통령의, 대통령 선거의

08 ★★ assignment
[əsáinmənt]

명 과제, 임무, 할당

I'm very busy working on my social studies **assignment**. (학평)
나는 사회 과목 과제를 하느라 매우 바쁘다.

➕ **assign** 동 맡기다, 배정하다
➖ **task**

혼동어

VS

09 ★★★ principal
[prínsəpəl]

명 교장 선생님, 학장 **혱** 주요한, 주된

Parents are going to have a meeting with teachers and the **principal**. (학평)
학부모들은 교사들 및 교장 선생님과 회의를 할 것이다.

10 ★★ principle
[prínsəpl]

명 원칙, 원리

The website lists the company's **principles**. (학평)
웹사이트는 그 회사의 원칙들을 열거한다.

TIPS principle과 관련된 표현들
· basic principle 기본 원칙 · moral principle 도덕적 원칙 · in principle 원칙적으로

REVIEW TEST p. 264

DAY 02 학교생활

① ② ③ ④

01
★★★
graduate
통 [grǽdʒuèit]
명 [grǽdʒuət]

통 졸업하다 명 졸업생

She **graduated** from Stanford University in 1977. 학평

그녀는 1977년에 스탠포드 대학교를 졸업했다.

➕ **graduation** 명 졸업, 졸업식

02
★★★
sense
[sens]

명 감, 감각 통 느끼다, 감지하다

I like the **sense** of achievement. 학평

나는 성취감을 좋아한다.

➕ **sensible** 형 분별 있는, 합리적인   **sensitive** 형 예민한   **sensory** 형 감각의

TIPS sense와 관련된 표현들
· make sense 말이 되다, 타당하다   · come to one's senses 정신이 들다
· moral sense 도덕 관념

03
★★★
real
[ríːəl]

형 진짜인, 실제의

One of the students painted a painting of grapes that looked **real**. 교과서

학생들 중 한 명은 진짜인 것처럼 보이는 포도 그림을 그렸다.

➕ **realize** 통 깨닫다, 알아차리다   **reality** 명 현실, 실제

04
★★★
annual
[ǽnjuəl]

형 연례의, 매년의

Our **annual** school talent show is coming soon. 학평

우리 학교 연례 장기 자랑 대회가 곧 다가온다.

➕ **annually** 부 일 년에 한 번

TIPS 연도와 관련된 단어들
· biannual 연 2회의   · biennial 2년마다의   · centennial 100년마다의

05
★★★
collect
[kəlékt]

통 모으다, 수집하다

The library is doing a campaign to **collect** used books. 학평

도서관은 중고 서적을 모으기 위해 캠페인을 하고 있다.

➕ **collection** 명 수집(품), 모음집   **collective** 형 집단의, 단체의
➖ **gather**

---

06 ** deadline
[dédlàin]

명 마감일, 기한

The application **deadline** is November 23. (학평)

신청 마감일은 11월 23일이다.

07 *** confident
[kɑ́ːnfidənt]

형 자신감이 있는, 확신하는

I became more **confident** about studying. (학평)

나는 공부하는 것에 대해 더욱 자신감이 있게 되었다.

⊕ **confidence** 명 자신감, 신뢰

08 *** include
[inklúːd]

동 포함하다, 함유하다

The letter **includes** lots of information about school life. (학평)

그 편지는 학교생활에 대한 많은 정보를 포함한다.

⊖ contain, involve

09 *** shout
[ʃaut]

동 소리치다, 외치다 **명** 고함, 큰 소리

People ran out of the room when someone **shouted** "Fire!."

누군가가 '불이야!'라고 소리쳤을 때 사람들이 방에서 뛰쳐나갔다.

⊕ **shouting** 명 함성
⊖ **yell**

다의어

10 *** subject
동 [səbdʒékt]
명 [sʌ́bdʒikt]

누군가의 지배 아래에 들어가도록 하다

동 종속시키다, 지배하다

연구자들이나 대화하는 사람들 아래에 던져지는 것

명 주제, (실험) 대상

큰 분야 아래로 세분되어 있는 학문의 분류

명 과목

Napoleon **subjected** most of Europe to his rule.

나폴레옹은 유럽의 대부분을 그의 통치권에 종속시켰다.

The tiger was one of the most frequently painted **subjects** in ancient Korean paintings. (교과서)

호랑이는 고대 한국 그림에서 가장 자주 그려진 주제 중 하나였다.

Math is probably the most difficult **subject** for most students. (학평)

수학은 아마도 대부분의 학생들에게 가장 어려운 과목일 것이다.

⊕ **subjective** 형 주관적인

REVIEW TEST p. 264

01
★★★
participate
[pɑːrtísəpèit]

图 참여하다, 참가하다

Games make students want to **participate** more actively in class. 수능

게임은 학생들이 수업에 더 적극적으로 참여하고 싶도록 만든다.

➕ **participant** 명 참가자
➖ **take part, attend**

02
★★★
auditorium
[ɔ̀ːditɔ́ːriəm]

명 강당, 객석

Our club will hold a charity event in the **auditorium**. 학평

우리 동아리는 강당에서 자선 행사를 열 것이다.

➖ **hall**

03
★★
inform
[infɔ́ːrm]

图 알려주다, 통지하다

The cooking school in Italy just **informed** me that I've been accepted. 수능

이탈리아에 있는 요리 학교는 방금 나에게 내가 합격되었다고 알려줬다.

➕ **information** 명 정보   **informative** 형 유용한 정보를 주는

TIPS 'inform A of B'의 형태로 쓰일 경우 'A에게 B를 알려주다'라는 의미를 나타내요.

04
★★
duty
[djúːti]

명 의무, 임무, 세금

Schools have a **duty** to care for their students. 학평

학교는 그들의 학생들을 보살펴야 할 의무가 있다.

➖ **obligation**

05
★★
evaluate
[ivǽljuèit]

图 평가하다, 감정하다

College students **evaluate** their professors at the end of the term.

대학생들은 학기 말에 그들의 교수들을 평가한다.

➕ **evaluation** 명 평가
➖ **assess**

06 ★ minimum
[mínəməm]

명 최소 **형** 최소의

The essay must be a **minimum** of 5 pages. 수능

에세이는 최소 5페이지가 되어야 한다.

⊕ **minimize** 통 최소화하다
⊟ **maximum** 명 최고 형 최고의

07 ★★ introduction
[ìntrədʌ́kʃən]

명 도입, 소개

The **introduction** of antibiotics has made many previously dangerous diseases easily treatable. 수능

항생제의 도입은 이전에는 위험했던 많은 질병을 쉽게 치료할 수 있게 했다.

⊕ **introduce** 통 도입하다, 소개하다 **introductory** 형 도입의, 입문의

TIPS introduction과 관련된 표현들
· self introduction 자기소개 · by way of introduction 서론으로

08 ★★ photograph
[fóutəgræf]

명 사진 **통** 사진을 찍다

We're taking **photographs** for graduation today. 학평

우리는 오늘 졸업 사진을 찍을 것이다.

⊕ **photographer** 명 사진사 **photography** 명 사진(술)
⊜ **picture**

혼동어

VS

09 ★★ council
[káunsəl]

명 의회, 협회

I don't have any student **council** experience like most of the other candidates.

나는 다른 대부분의 지원자들처럼 학생 의회 경험이 없다.

⊜ **committee**

10 ★★ conceal
[kənsíːl]

통 숨기다, 은폐하다

It helps to **conceal** the financial status of children's parents. 수능

그것은 아이들 부모의 재정 상태를 숨기는 데 도움이 된다.

⊕ **concealment** 명 숨김, 은폐
⊜ **hide**

REVIEW TEST p. 265

01
★★
session
[séʃən]

명 시간, 기간

Now that we've heard from both teams, we are going to have a free debate **session**. (교과서)

양 팀으로부터 이야기를 들었으므로 우리는 자유 토론 시간을 가질 것이다.

02
★★
strict
[strikt]

형 엄격한, 엄밀한

The homeroom teacher looked very **strict**. (교과서)

담임 선생님은 매우 엄격해 보였다.

➕ strictly 📖 엄격히
➖ severe

TIPS strict와 관련된 표현들
·strict policy 엄격한 방침 ·in the strict sense 엄밀한 의미에서

03
★★
twist
[twist]

동 삐다, 비틀리다, 휘다 **명** 꼬임, 전환

When I fell, I **twisted** my ankle. (학평)

나는 넘어졌을 때 나의 발목을 삐었다.

04
★★
spill
[spil]

동 쏟다, 흘리다 **명** 유출

Somebody **spilled** juice all over the bench. (수능)

누군가가 벤치 전체에 주스를 쏟았다.

➖ shed

05
★★
union
[júːnjən]

명 연합회, 협회, 결합

Tickets can be purchased from the student **union** office. (수능)

티켓은 학생 연합회 사무실에서 구매할 수 있다.

➖ association

TIPS union과 관련된 표현들
·student union 학생회 ·labor union 노동조합 ·European Union 유럽 연합

---

06 ★★ maximum
[mǽksəməm]

형 최대의, 최고의　명 최대, 최고

The **maximum** number of students for each class is 30. 학평

각 반의 최대 학생 수는 30명이다.

✚ **maximize** 통 극대화하다
⊟ **minimum** 형 최소의 명 최소

07 ★★ semester
[siméstər]

명 학기

He got an A in math this **semester**. 학평

그는 이번 학기에 수학에서 A를 받았다.

⊜ **term**

08 ★ ceiling
[síːliŋ]

명 천장

The cafeteria will be closed because of a water leakage problem in the **ceiling**. 학평

천장의 누수 문제 때문에 구내식당은 문을 닫을 것이다.

09 ★ stationery
[stéiʃənèri]

명 문방구, 문구류

I went into a **stationery** store to buy two boxes of paper. 학평

나는 종이 두 상자를 사기 위해 문방구점에 들어갔다.

10 ★★★ term
[təːrm]

명 기간 ─── 한 학년을 일정한 기간으로 구분해놓은 것　명 학기

명 조건

명 용어

Going cash-free will affect the crime rate in the long **term**. 교과서

현금 없는 것으로 가는 것은 장기간으로 범죄율에 영향을 미칠 것이다.

Mike's grades for the **term** were lower than he had expected. 학평

Mike의 학기 성적은 그가 기대했던 것보다 낮았다.

Both companies agreed that the **terms** of the trade were fair.

두 회사 모두는 거래 조건이 공정했다는 데 동의했다.

The professor defined the technical **term**. 수능

그 교수는 기술적인 용어를 정리했다.

REVIEW TEST p. 265

01
journey
[dʒə́ːrni]

명 여행, 여정, 이동

We went to Kangerlussuaq, the final destination of our **journey.** 교과서

우리는 우리 여행의 최종 목적지인 Kangerlussuaq에 갔다.

⊜ **trip**

02
theater
[θíːətər]

명 극장, 영화관

Once you get into the **theater**, you have to be quiet all the time. 학평

일단 극장에 들어가면, 당신은 항상 조용해야 한다.

03
fee
[fiː]

명 요금, 수수료

Souvenirs are included in the admission **fee.** 학평

기념품은 입장 요금에 포함된다.

⊜ **charge**

TIPS 요금을 뜻하는 단어들의 의미
· fee (서비스의 대가로 내는) 요금, 수수료 · fare (버스 등을 이용하고 내는) 요금, 운임
· charge (상품, 서비스에 대한) 요금 · fine 벌금, 과태료

04
prepare
[pripέər]

동 준비하다, 대비하다

They **prepared** some food for the party. 학평

그들은 파티를 위해 약간의 음식을 준비했다.

⊕ **preparation** 명 준비, 대비
⊜ **arrange**

05
surprised
[sərpráizd]

형 놀란, 놀라는

Many people would probably be **surprised** that stress can benefit your body. 학평

아마도 많은 사람들은 스트레스가 우리의 몸에 이로울 수 있다는 것에 놀랄 것이다.

⊕ **surprising** 형 놀라운, 놀라게 하는
⊜ **amazed**

---

06 ★★★ receive
[risíːv]

롱 받다, 얻다

Ticket holders will **receive** a free drink coupon. (학평)
티켓 소지자는 무료 음료 쿠폰을 받을 것이다.

⊕ **receiver** 몡 수령인
⊖ **get, accept**

07 ★★★ nervous
[nɔ́ːrvəs]

형 긴장한, 불안해 하는, 신경의

I was **nervous** because I had never traveled alone. (교과서)
나는 혼자 여행해 본 적이 전혀 없어서 긴장했다.

⊕ **nerve** 몡 신경, 용기, 대담함
⊖ **anxious**

08 ★★★ stage
[steidʒ]

몡 무대, 단계, 시기 **롱** 상연하다, 기획하다

At the **stage** door, the girl asked the violinist for his autograph. (수능)
무대 출입구에서, 그 소녀는 바이올리니스트에게 그의 사인을 요청했다.

혼동어

VS

09 ★★★ vacation
[veikéiʃən]

몡 방학, 휴가

I'm considering taking swimming lessons during the summer **vacation.** (학평)
나는 여름 방학 동안 수영 레슨을 받는 것을 고려하고 있다.

⊖ **holiday**

TIPS vacation과 관련된 표현들
· vacation spot 휴양지 · be on vacation 휴가 중이다 · go on a vacation 휴가를 가다

10 ★ vocation
[voukéiʃən]

몡 직업, 천직, 소명

Achieving financial success is often dependent on one's **vocation.**
금전적인 성공을 이루는 것은 종종 사람의 직업에 달려있다.

⊕ **vocational** 형 직업과 관련된
⊖ **profession**

REVIEW TEST p. 266

01 ★★★ pack
[pæk]

동 짐을 싸다, 포장하다

I will help you **pack** for the camping trip. (학평)
나는 네가 캠핑 여행을 위해 짐을 싸는 것을 도와줄 것이다.

➕ **package** 명 꾸러미, 소포

02 ★★★ host
[houst]

동 주최하다, 진행하다 **명** 주인, 주최자

The Natural History Museum **hosts** birthday parties for children ages four to twelve. (학평)
자연사 박물관은 4세에서 12세의 어린이들을 위한 생일 파티를 주최한다.

⊜ **organize**

03 ★★★ private
[práivət]

형 개인의, 사적인, 사립의

Some youth hostels have rooms with a **private** bathroom. (학평)
일부 유스호스텔에는 개인 욕실이 딸린 객실들이 있다.

➕ **privacy** 명 사생활
⊜ **individual, personal**

TIPS priv 떼어놓다 + ate 형·접 → 개인용으로 따로 떼어놓은, 즉 개인의 또는 사적인

04 ★★ craft
[kræft]

명 공예(품), 수공예 **동** 정교하게 만들다

They developed their **craft** skills over generations. (학평)
그들은 세대에 걸쳐 공예 기술을 발전시켰다.

➕ **craftsman** 명 공예가, 장인

05 ★★★ post
[poust]

동 게시하다, 발송하다 **명** 우편, 우체통

We will select the top 10 amazing pets and **post** them online. (학평)
우리는 상위 10마리의 놀라운 반려동물을 선정하여 그들을 온라인에 게시할 것이다.

➕ **postal** 형 우편의

해커스 보카 고등 기본

06 ★★★ relieve
[rilíːv]

동 풀다, 완화시키다

Taking a trip is a great way to **relieve** stress. (수능)

여행을 가는 것은 스트레스를 푸는 좋은 방법이다.

➕ **relief** 명 안도, 안심
➖ **ease, alleviate**

TIPS relieve와 관련된 표현들
· relieve the tension 긴장을 풀다 · relieve pain 고통을 완화시키다

07 ★★★ practice
[prǽktis]

동 연습하다 명 연습, 관행

I often **practice** the guitar with my dad. (학평)

나는 종종 아빠와 함께 기타를 연습한다.

➕ **practical** 형 실용적인, 현실적인 **practically** 부 실제로, 실질적으로
➖ **train**

08 ★★★ souvenir
[sùːvəníər]

명 기념품, 선물

You can buy various kinds of gifts at the **souvenir** shop. (학평)

당신은 기념품 가게에서 다양한 종류의 선물을 살 수 있다.

09 ★★★ decorate
[dékərèit]

동 꾸미다, 장식하다

I think this blog will be helpful when we **decorate** our room. (학평)

나는 우리가 우리 방을 꾸밀 때 이 블로그가 도움이 될 것이라고 생각한다.

➕ **decoration** 명 장식(품) **decorative** 형 장식이 된

다의어

10 ★★★ book
[buk]

동 예약하다

명 책, 서적, 도서

I'm trying to **book** a room at Wayne Island Hotel. (학평)

나는 Wayne Island 호텔에 방을 예약하려고 한다.

His office is full of **books** about all kinds of animals. (수능)

그의 사무실은 온갖 종류의 동물에 관한 책으로 가득 차 있다.

➕ **booking** 명 예약

REVIEW TEST p. 266

01
 ★★★ reserve
[rizə́ːrv]

통 예약하다, 남겨두다　명 비축, 예비

I'd like to **reserve** tickets for the game between the Tigers and the Lions. 학평

저는 타이거즈와 라이온즈 간의 경기 티켓을 예약하고 싶어요.

➕ **reserved** 형 예약한, 남겨 둔　**reservation** 명 예약, 보류
➖ book

TIPS re 뒤에 + serv(e) 지키다 → 지켜서 뒤에 따로 남겨두다, 즉 예약하다

02
 ★★ wrap
[ræp]

통 포장하다, 싸다　명 덮개, 포장지

I'm going to **wrap** the box with shiny paper. 학평

나는 반짝이는 종이로 상자를 포장할 것이다.

➕ **wrapping** 명 포장 재료, 포장지
➖ pack

03
 ★★ occasion
[əkéiʒən]

명 경우, 기회, 행사, 의식

People take pictures mostly on special **occasions**, such as weddings and graduations. 교과서

사람들은 주로 결혼식과 졸업식 같은 특별한 경우에 사진을 찍는다.

➕ **occasional** 형 때때로의　**occasionally** 부 가끔, 때때로

04
 ★★★ allow
[əláu]

통 허락하다, 용납하다

My parents didn't **allow** me to go skiing. 학평

부모님은 내가 스키 타러 가는 것을 허락하지 않으셨다.

➕ **allowance** 명 용돈, 할당량
➖ permit

TIPS to부정사를 목적격 보어로 쓰는 5형식 동사들
·advise 조언하다　·cause 야기하다　·require 요구하다　·force 강요하다

05 ★★ ensure
[inʃúər]

图 반드시 ~하도록 하다, 확실하게 하다

All travelers should **ensure** they have adequate travel insurance. (수능)

모든 여행자들은 반드시 적절한 여행 보험에 가입하도록 해야 한다.

● **assure, guarantee**

06 ★ agent
[éidʒənt]

圀 (대리) 판매 업체, 대리인, 중개상

She walked over to the ticket **agent** and offered to take a later flight. (수능)

그녀는 티켓 판매 업체에 걸어가서 나중의 비행기를 타겠다고 말했다.

➕ **agency** 圀 대리점

07 ★★★ argue
[á:rgju:]

图 주장하다, 말다툼하다

Some people **argue** that admission to museums should be free. (학평)

일부 사람들은 박물관 입장료가 무료여야 한다고 주장한다.

➕ **argument** 圀 논쟁, 언쟁
● **claim, debate**

08 ★★ confirm
[kənfə́:rm]

图 확인하다, 확정하다

I'm here to **confirm** my reservation for a flight to Singapore next week. (수능)

저는 다음 주 싱가포르행 항공편 예약을 확인하기 위해 왔어요.

➕ **confirmation** 圀 확인

혼동어

VS

09 ★★★ wonder
[wʌ́ndər]

图 궁금해하다 圀 놀라움, 경이

I **wonder** if I can join your conversation club. (수능)

제가 당신의 회화 동아리에 가입할 수 있는지 궁금해요.

➕ **wonderful** 圀 경이로운, 훌륭한

10 ★★ wander
[wá:ndər]

图 돌아다니다, 헤매다

Wandering around at night is especially dangerous. (교과서)

밤에 여기저기 돌아다니는 것은 특히 위험하다.

➕ **wanderer** 圀 방랑자

REVIEW TEST p. 267

DAY 03 여가와 취미

① ② ③ ④

01
★★
capital
[kǽpətl]

명 수도, 자본금

Our next destination is Canberra, the **capital** city of Australia. 교과서
우리의 다음 목적지는 호주의 수도인 캔버라이다.

➕ **capitalist** 명 자본주의자   **capitalism** 명 자본주의

02
★★
absolute
[ǽbsəlùːt]

형 절대적인, 완전한, 확고한

Traditionally, FIFA allowed the referees **absolute** authority over the administration of the game. 교과서
전통적으로, FIFA는 심판들에게 경기의 운영에 대한 절대적인 권한을 허용했다.

➕ **absolutely** 부 전적으로

03
★
anticipate
[æntísəpèit]

동 예상하다, 예측하다

You will be faced with problems that you didn't **anticipate**. 교과서
당신은 당신이 예상하지 않았던 문제들에 직면하게 될 것이다.

➕ **anticipation** 명 예상
➖ **expect, predict**

TIPS anti 전에 + cip 잡다(cap) + ate 동·접 → 일이 일어나기 전에 미리 감을 잡다, 즉 예상하다

04
★
leisure
[líːʒər]

명 여가, 레저

People with sufficient **leisure** time tend to be relaxed and happy.
충분한 여가 시간을 가진 사람들은 여유롭고 행복한 경향이 있다.

➕ **leisurely** 형 한가한, 여유로운
➖ **recreation**

05
★
undergo
[ʌndərgóu]

동 받다, 겪다, 경험하다

Emergency workers should **undergo** a counseling process after traumatic events. 학평
응급 요원들은 외상적 사건 이후에 상담 과정을 받아야 한다.

➖ **receive, experience**

TIPS undergo와 관련된 표현들
·undergo a checkup 건강 진단을 받다   ·undergo treatment 치료를 받다

06 ★★ spare
[spɛər]

형 여가의, 남는, 여분의   동 (시간, 돈 등을) 내어 주다

He paints in his **spare** time as a hobby. 교과서
그는 취미로 여가 시간에 그림을 그린다.

● extra, additional

07 ★ aquarium
[əkwɛ́əriəm]

명 수족관

I'd like to buy tickets for the **aquarium**. 학평
저는 수족관 티켓을 구매하고 싶어요.

08 ★ applaud
[əplɔ́ːd]

동 갈채를 보내다, 박수를 치다

She **applauded** the passionate performance. 수능
그녀는 열정적인 공연에 갈채를 보냈다.

● clap

09 ★ insurance
[inʃúərəns]

명 보험, 보험금

Do you know if my **insurance** will cover the repairs? 학평
당신은 제 보험이 수리비를 보장해 줄지 아나요?

➕ insure 동 보험을 들다

다의어

10 ★★★ return
[ritə́ːrn]

동 반납하다, 되돌아오다

감사의 표시로 되돌려주는 것
명 답례

본래 있던 곳으로 되돌아오는 것
명 귀환

경제 활동의 대가로 되돌아오는 것
명 수익

I'm on my way to the library to **return** some books. 학평
나는 몇몇 책을 반납하러 도서관에 가는 길이다.

We'll give you a free ticket for the musical in **return**. 학평
우리가 당신에게 답례로 무료 뮤지컬 티켓을 드릴게요.

Legend says that a single coin thrown into Trevi fountain will ensure a **return** to Rome. 교과서
전설은 트레비 분수에 던져진 동전 하나가 로마로의 귀환을 책임져 줄 것이라고 말한다.

A high risk investment can lead to a high **return**.
고위험 투자는 고수익으로 이어질 수 있다.

REVIEW TEST p. 267

DAY 04

일과 직업

음성 바로 듣기

---

01 ★★★ career
[kəríər]

몡 경력, 직장 생활, 직업

Unfortunately, a car accident forced her to end her **career**. 〔학평〕

불행하게도, 자동차 사고는 그녀의 경력이 끝을 맺게 만들었다.

➡ profession

---

02 ★★★ skill
[skil]

몡 기량, 기술

Creative thinking is a **skill** that we can improve. 〔교과서〕

창의적인 사고는 우리가 발전시킬 수 있는 기량이다.

➕ **skilled** 혱 숙련된   **skillful** 혱 능숙한
➡ technique

---

03 ★★★ task
[tæsk]

몡 일, 과업

A job search is not a passive **task**. 〔학평〕

구직 활동은 수동적인 일이 아니다.

➡ job, assignment

TIPS task와 관련된 표현들
·task force (특정한 문제를 해결하기 위한) 대책 위원회, 프로젝트 팀
·perform a task 업무를 수행하다

---

04 ★★★ tend
[tend]

뙹 ~하는 경향이 있다

Successful people **tend** to keep a good bedtime routine. 〔학평〕

성공한 사람들은 건강한 취침 시간 루틴을 지키는 경향이 있다.

➕ **tendency** 몡 경향, 성향
➡ incline

---

05 ★★★ position
[pəzíʃən]

몡 직책, 자리, 위치

All applicants for the **position** will receive a prompt reply.

그 직책의 모든 지원자들은 즉각적인 회신을 받을 것이다.

➡ job

---

06 hire
★★
[haiər]

동 고용하다, 쓰다

A grandmother **hired** someone to help with gardening chores. 수능

한 할머니는 정원 가꾸는 일을 도울 누군가를 고용했다.

⊜ **employ**   ✖ **fire** 동 해고하다

07 quit
★★
[kwit]

동 그만두다

Carrie **quit** her old job because she was recruited by a rival company.

Carrie는 경쟁사에 채용되었기 때문에 예전 직장을 그만두었다.

⊜ **stop, resign**

08 proud
★★★
[praud]

형 자부심이 강한, 자랑스러운

The woman, encouraged by people's responses, is **proud** of her work. 학평

사람들의 반응에 용기가 북돋아진 그 여자는 자신의 일에 자부심이 강하다.

➕ **proudly** 부 자랑스럽게   **pride** 명 자부심, 긍지

TIPS proud처럼 전치사 of와 함께 쓰이는 관용 표현들
· be full of ~으로 가득 차 있다   · be short of ~이 부족하다   · be capable of ~을 할 수 있다

혼동어

09 labor
★★
[léibər]

명 노동, 업무, 분만

Employees must be fairly compensated for their **labor**.

직원들은 그들의 노동에 대해 공정하게 보상되어야 한다.

➕ **laborer** 명 노동자   **laborious** 형 힘든

VS

10 label
★★
[léibəl]

동 (표시, 라벨 등을) 붙이다 명 상표, 표시

Label everything with your child's full name and class. 학평

모든 물건에 당신의 자녀의 성명과 학급의 라벨을 붙이세요.

⊜ **tag, mark**

REVIEW TEST p. 268

01 familiar
★★★
[fəmíliər]

⑧ 익숙한, 친숙한

For the most part, we like things that are **familiar** to us. 수능
대부분, 우리는 우리에게 익숙한 것들을 좋아한다.

➕ **familiarity** ⑲ 익숙함   **familiarize** ⑧ 익숙하게 하다
➖ **unfamiliar** ⑲ 익숙하지 않은

02 spread
★★★
[spred]

⑧ 퍼뜨리다, 펼치다   ⑲ 확산, 전파

The employee who **spread** the rumor was fired.
그 소문을 퍼뜨린 직원은 해고되었다.

03 divide
★★★
[diváid]

⑧ 나누다, 분할하다, 분류하다

Photographers **divide** their frames into three-by-three sections. 수능
사진작가들은 그들의 프레임을 3x3 섹션으로 나눈다.

➕ **division** ⑲ 분할, 나눗셈
➖ **separate**

TIPS 연산과 관련된 단어들
·add 더하다 ·subtract 빼다 ·multiply 곱하다 ·square 제공하다

04 retire
★★
[ritáiər]

⑧ 은퇴하다, 퇴직하다

Alex **retired** from the company that he had spent 35 years working at. 학평
Alex는 그가 근무하며 35년을 보냈던 회사에서 은퇴했다.

➕ **retired** ⑲ 은퇴한   **retirement** ⑲ 은퇴, 퇴직

05 vision
★★★
[víʒən]

⑲ 시력, 시야, 환상

A baby's **vision** has not developed enough to focus on the screen. 학평
아기의 시력은 화면에 집중할 만큼 충분히 발달하지 않았다.

➕ **visible** ⑲ 보이는
➖ **sight**

06 ★★★ obstacle
[ɑ́:bstəkl]

명 장애물, 장애, 방해물

Bill encountered many **obstacles** that delayed his promotion.

Bill은 그의 승진을 지연시키는 많은 장애물에 부딪혔다.

⊜ **barrier**

07 ★★★ contrary
[kɑ́:ntreri]

형 반대인, 다른

Contrary to popular belief, multitasking only slows you down. (학평)

일반적인 생각과 반대로, 멀티태스킹은 당신을 느리게만 할 뿐이다.

TIPS 'on the contrary'의 형태로 쓰일 경우 '반면에'라는 의미를 나타내요.

08 ★★★ arrange
[əréindʒ]

동 준비하다, 정렬하다, 조정하다

After correcting the picture, the painter **arranged** a second preview. (수능)

그림을 수정한 후에, 화가는 두 번째 시연을 준비했다.

⊕ **arrangement** 명 준비, 조정   **rearrange** 동 재배열하다
⊜ **prepare, organize**

09 ★★★ attempt
[ətémpt]

동 시도하다 명 시도, 기도

The athlete will **attempt** to set a new Olympic record.

그 선수는 올림픽 신기록을 세우기 위해 시도할 것이다.

10 ★★★ board
[bɔ:rd]

Look at that menu **board** decorated with flowers. (학평)

꽃으로 장식된 메뉴판을 보세요.

He was the first to **board** the bus in the morning. (수능)

그는 아침에 버스에 탄 첫 번째 사람이었다.

I put the poster up on the **board**. (학평)

나는 게시판에 포스터를 붙였다.

She's in an editorial **board** meeting at the moment. (수능)

그녀는 지금 편집국 회의에 참석 중이다.

REVIEW TEST p. 268

DAY 04 일과 직업

01
★★★
presentation
[prèzəntéiʃən]

몡 발표, 제출

We don't have enough time to practice before the **presentation.** 학평

우리는 발표 전에 연습할 충분한 시간이 없다.

➕ **present** 통 나타내다, 제시하다

02
★★
accomplish
[əkáːmpliʃ]

통 해내다, 성취하다

Focus on one task at a time, and you'll **accomplish** each task better. 학평

한 번에 하나의 일에 집중해라, 그러면 당신은 각각의 일을 더 잘 해낼 것이다.

➕ **accomplishment** 몡 성취
⊜ **achieve**

03
★★
convince
[kənvíns]

통 설득하다, 확신시키다, 납득시키다

Suji **convinced** me to wait in line for over twenty minutes. 교과서

Suji는 내가 20분 넘게 줄을 서서 기다리도록 설득했다.

➕ **convincing** 몡 설득력 있는
⊜ **persuade**

TIPS 'convince A of B'의 형태로 쓰일 경우 'A에게 B를 납득시키다'라는 의미를 나타내요.

04
★★★
audience
[ɔ́ːdiəns]

몡 청중, 시청자

He performed wonderful card tricks in front of a huge **audience.** 교과서

그는 수많은 청중 앞에서 멋진 카드 묘기를 선보였다.

⊜ **listener**

05
★
wage
[weidʒ]

몡 임금, 급료

At most chains, employee **wages** are set by local managers. 학평

대부분의 체인점에서, 직원 임금은 지점 매니저에 의해 책정된다.

⊜ **salary**

---

06 ★★★ previous
[príːviəs]

형 이전의, 바로 앞의

Her **previous** position was sales manager.
그녀의 이전 직위는 영업 관리자였다.

⊕ **previously** 🖭 이전에
⊖ **former**

> **TIPS** previous와 관련된 표현들
> ·previous engagement 선약   ·previous experience 이전의 경험

07 ★★★ spend
[spend]

동 (시간, 돈 등을) 들이다, 쓰다

You need to **spend** more time practicing. (수능)
당신은 연습하는 데 더 많은 시간을 들일 필요가 있다.

⊕ **spending** 📛 지출

08 ★★ distinguish
[distíŋgwiʃ]

동 구분하다, 식별하다

Psychologists **distinguish** between good stress and bad stress. (학평)
심리학자들은 좋은 스트레스와 나쁜 스트레스를 구분한다.

⊕ **distinction** 📛 차이, 대조   **distinct** 📛 뚜렷한, 별개의
⊖ **differentiate**

혼동어

09 ★★ former
[fɔ́ːrmər]

형 전의, 과거의

Winston Churchill, the **former** British prime minister, was an amateur painter. (학평)
전 영국 수상인 윈스턴 처칠은 아마추어 화가였다.

⊕ **formerly** 🖭 이전에
⊖ **previous**   🔲 **latter** 📛 후자의

VS

10 ★★ formal
[fɔ́ːrməl]

형 공식적인, 정중한

Casual clothes such as jeans and T-shirts are unsuitable for **formal** occasions.
청바지와 티셔츠와 같은 캐주얼한 옷은 공식적인 행사에는 적합하지 않다.

⊕ **formality** 📛 형식적인 일
⊖ **official**   🔲 **informal** 📛 비공식의, 일상적인

REVIEW TEST p. 269

DAY 04

일과 직업

01
★★

envious
[énviəs]

휑 부러운, 선망하는

I'm **envious** of him, as he has a plan for his future dream. [교과서]
나는 그가 장래희망에 대한 계획을 가지고 있어서 부럽다.

➕ **envy** 동 부러워하다 명 부러움
➖ **jealous**

02
★★

vice
[vais]

휑 부의, 대리의 **명** 범죄, 악

The board recommended me for **vice** president. [학평]
이사회는 나를 부사장으로 추천했다.

03
★

architect
[áːrkətèkt]

명 건축가, 설계자

Giorgio Vasari, an **architect** and writer, was born in Arezzo. [수능]
건축가이자 작가인 조르조 바사리는 아레초에서 태어났다.

➕ **architecture** 명 건축학, 건축술   **architectural** 형 건축학의

TIPS arch(i) 우선 + tect 목수 → 목수보다 우선해 건물을 설계하는 건축가

04
★

relevant
[réləvənt]

휑 관련된, 적절한

Make sure you highlight your **relevant** work experience on your résumé.
반드시 당신은 이력서에서 당신의 관련된 업무 경험을 강조하세요.

➖ **related**   ⊟ **irrelevant** 형 관련 없는

05
★

enthusiasm
[inθúːziæzm]

명 열정, 열의, 감격

Her **enthusiasm** for ballet made her practice the moves hundreds of times. [교과서]
발레에 대한 그녀의 열정은 그녀가 그 동작들을 수백 번 연습하게 만들었다.

➕ **enthusiastic** 형 열정적인   **enthusiastically** 부 열정적으로
➖ **passion**

---

06 ★ desirable
[dizáiərəbl]

형 바람직한, 매력 있는, 탐나는

It is **desirable** that people keep trying even after a failure. 고과서
실패 후에도 사람들은 계속 노력하는 것은 바람직하다.

➕ **desire** 명 욕구, 갈망
➖ **undesirable** 형 바람직하지 않은

07 ★ dismiss
[dismís]

동 해고하다, 해산시키다

This letter is to confirm that you will be **dismissed** from the company. 수능
이 편지는 당신이 회사에서 해고될 것임을 확인하기 위한 것이다.

➕ **dismissal** 명 해고, 해산

TIPS dismiss와 관련된 표현들
· dismiss an employee 직원을 해고하다   · dismiss an appeal 항소를 기각하다

08 ★ competent
[káːmpətənt]

형 유능한, 능숙한

The managers judge employees as **competent** or incompetent. 학평
그 관리자들은 직원들을 유능하거나 무능하다고 판단한다.

➕ **competence** 형 능력, 역량
➖ **capable**

09 ★★ memorize
[méməràiz]

동 외우다, 암기하다

The arrangement by category will help you to **memorize** the store's layout. 학평
카테고리별 배열은 당신이 매장의 배치를 외우는 데 도움이 될 것이다.

➕ **memory** 명 기억(력)   **memorization** 명 암기

다의어

10 ★★★ fix
[fiks]

동 고치다

동 고정시키다 ── 뜻을 고정시켜 결정하다
동 (날짜, 시간 등을) 정하다

His job was to look into the pipe and **fix** the leak. 학평
그의 일은 파이프를 들여다보고 누수를 고치는 것이었다.

The upper stone is turned to mill the grain while the lower stone is **fixed**. 학평
위쪽의 돌은 곡식을 빻기 위해 돌려지고 더 아랫돌은 고정되어 있다.

We need to **fix** the date of the employee picnic.
우리는 직원 야유회 날짜를 정해야 한다.

➕ **fixed** 형 고정된   **fixation** 명 집착, 고정

REVIEW TEST p. 269

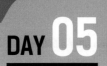

01
★★★
muscle
[mʌ́sl]

몡 근육, 근력

We have lots of **muscles** in our faces. 학평

우리는 우리의 얼굴에 근육을 많이 가지고 있다.

02
★★★
regular
[régjulər]

휑 정기적인, 규칙적인　몡 단골손님

Everyone over the age of 25 should have a **regular** physical examination. 수능

25세가 넘는 모든 사람들은 정기적인 건강 검진을 받아야 한다.

➕ **regularly** 뷔 정기적으로　**regularity** 몡 규칙적임

03
★★★
stretch
[stretʃ]

통 스트레칭을 하다, 늘이다, 뻗다

Yoga is a good way to **stretch** safely. 학평

요가는 안전하게 스트레칭을 하는 좋은 방법이다.

04
★★★
reduce
[ridjúːs]

통 줄이다, 낮추다

Wearing a helmet can **reduce** the risk of head injuries. 교과서

헬멧을 쓰는 것은 머리 부상의 위험을 줄일 수 있다.

➕ **reduction** 몡 감소, 축소
➖ **decrease, lessen**

TIPS　reduce와 관련된 표현들
·reduce costs 비용을 줄이다　·reduce waste 쓰레기를 줄이다

05
★★
opponent
[əpóunənt]

몡 적수, 상대(방), 반대자

His **opponent** was stronger and more experienced. 학평

그의 적수는 더 강했고, 더 노련했다.

➕ **oppose** 통 반대하다
➖ **enemy, rival**

---

06 ★★★ recommend
[rèkəménd]

圏 권하다, 추천하다

The doctor **recommended** that Phillip get enough rest.

의사는 Phillip이 충분한 휴식을 취할 것을 권했다.

⊕ **recommendation** 圐 추천
⊖ **propose**

07 ★ warn
[wɔːrn]

圏 경고하다, 주의를 주다

Doctors **warn** about the increasing number of overweight children. 수능

의사들은 증가하는 과체중 어린이의 수에 대해 경고한다.

⊕ **warning** 圐 경고
⊖ **alert**

08 ★★★ cause
[kɔːz]

圏 일으키다, 초래하다 圐 원인, 이유

A lack of sleep may **cause** mood problems. 학평

수면 부족은 기분 문제를 일으킬 수 있다.

⊖ **lead to**

TIPS cause와 관련된 표현들
·cause and effect 원인과 결과 ·cause damage 피해를 야기하다

혼동어

09 ★★★ lose
[luːz]

圏 지다, 잃어버리다, 뺏기다

His mistake caused his team to **lose** the game. 학평

그의 실수는 그의 팀을 경기를 지게 만들었다.

⊕ **loser** 圐 패배자
⊟ **win** 圏 이기다

VS

10 ★★ loose
[luːs]

圐 느슨한, 헐거운 圏 느슨하게 풀다

The flight attendant told the passenger that the seatbelt was too **loose**.

승무원은 그 승객에게 안전벨트가 너무 느슨하다고 말했다.

⊕ **loosen** 圏 느슨하게 하다

REVIEW TEST p. 270

01
★★★
☐ ☐ ☐
rather
[rǽðər]

🟦 차라리, 오히려

I'd **rather** choose a regular bike than a foldable one. (학평)

나는 접을 수 있는 자전거보다 차라리 보통 자전거를 선택하겠다.

02
★★★
☐ ☐ ☐
straight
[streit]

🟦 쪽, 일직선으로, 똑바로 🟩 곧은, 똑바른

Hold your arms **straight** in front of you, and keep your back **straight**. (수능)

당신의 팔을 앞으로 쭉 뻗고, 등을 일직선으로 유지하세요.

➕ straighten 🟩 똑바르게 하다

03
★
☐ ☐ ☐
meanwhile
[míːnwàil]

🟦 한편, 그동안에

In America, people prefer cold drinks. **Meanwhile**, the opposite is true in Europe. (학평)

미국에서, 사람들은 차가운 음료를 선호한다. 한편, 유럽에서는 그 반대가 사실이다.

04
★
☐ ☐ ☐
continuous
[kəntínjuəs]

🟩 지속적인, 끊임없는

A **continuous** lack of sleep increases the risk for developing serious diseases. (학평)

지속적인 수면 부족은 심각한 질병을 발생시킬 위험을 증가시킨다.

➕ continuously 🟦 지속적으로 **continue** 🟩 지속하다, 계속하다
⊖ constant, consistent

05
★★★
☐ ☐ ☐
ordinary
[ɔ́ːrdənèri]

🟩 보통의, 일상적인, 평범한

99 percent of **ordinary** people are affected by the feelings of people close to them. (학평)

보통 사람들의 99퍼센트는 그들에게 가까운 사람들의 감정에 영향을 받는다.

⊖ usual, common

TIPS ordinary와 관련된 표현들
· ordinary clothes 평상복 · ordinary life 평범한 생활 · ordinary citizen 평범한 시민

06 ★★★ relationship
[riléiʃənʃ̀ip]

명 관계, 관련성

There's a close **relationship** between sleep and exercise. 수능

수면과 운동 사이에는 밀접한 관계가 있다.

⊕ **relation** 명 관계

07 ★★ throat
[θrout]

명 목, 목구멍

I have a sore **throat** and a headache. 학평

나는 목이 아프고 두통이 있다.

08 ★★ encounter
[inkáuntər]

동 맞닥뜨리다, 부딪히다, 만나다 명 마주침, 만남

When humans **encounter** a dangerous circumstance, their breathing becomes faster. 학평

인간이 위험한 상황을 맞닥뜨리면, 그들의 호흡은 더 빨라진다.

⊖ **face**

TIPS encounter와 관련된 표현들
·close encounter (다른 천체·물체로의) 근접 ·encounter with ~와 만나다

09 ★★★ disturb
[distə́:rb]

동 방해하다, 어지럽히다

Drinking too many energy drinks can **disturb** your sleep. 학평

너무 많은 에너지 음료를 마시는 것은 당신의 수면을 방해할 수 있다.

⊕ **disturbance** 명 방해, 소란
⊖ **interrupt, bother**

10 ★★★ lead
동 [liːd]
명 [led]

┌─ 동 이끌다, 데리고 가다 ─── 어떠한 결과로 이끌다
│   동 [결과적으로] 이어지다
└─ 명 납

He is **leading** his discussion group. 학평

그는 그의 토론 그룹을 이끌고 있다.

This can **lead** to neck pain during the day. 교과서

이것은 낮 동안에 목의 통증으로 이어질 수 있다.

Lately, **lead** is most commonly used in car batteries.

최근에, 납은 자동차 배터리에서 가장 흔하게 사용된다.

⊕ **leader** 명 지도자 **leadership** 명 지도력

REVIEW TEST p. 270

운동과 건강

01
★★
capable
[kéipəbl]

형 ~할 수 있는, 유능한

Whoever has a healthy mind is **capable** of reading other people's minds. 교과서

누구든 건강한 마음을 가진 사람은 다른 사람들의 마음을 읽을 수 있다.

➕ **capability** 명 능력, 역량
➖ **able**

02
★★★
proper
[prá:pər]

형 올바른, 적절한, 고유의

Remember that **proper** posture is the first step to healthy computer use. 수능

올바른 자세는 건강한 컴퓨터 사용의 첫 단계라는 것을 기억해라.

➕ **properly** 부 적절하게
➖ **appropriate, correct**

03
★★
frequent
[frí:kwənt]

형 자주 발생하는, 빈번한

Headaches are more **frequent** when our brains lack water. 학평

두통은 우리 뇌가 수분이 부족할 때 더 자주 발생한다.

➕ **frequently** 부 자주, 흔히   **frequency** 명 빈도, 잦음

04
★★
symptom
[símptəm]

명 증상, 징후

Coughing is one of the most common **symptoms** of a cold. 학평

기침은 감기의 가장 흔한 증상 중 하나이다.

➖ **sign**

05
★
monitor
[má:nətər]

동 (추적) 관찰하다, 감시하다   명 화면, 감시 장치

They **monitor** the city's air quality by using sensors. 교과서

그들은 센서를 사용하여 도시의 공기 질을 추적 관찰한다.

➖ **check**

---

06 ★★ consume
[kənsúːm]

동 섭취하다, 소모하다, 먹다

The WHO recommends that people **consume** less than 25 grams of sugar a day. (교과서)

세계보건기구는 사람들이 하루에 25그램 미만의 설탕을 섭취할 것을 권고한다.

➕ **consumer** 명 소비자   **consumption** 명 소비, 섭취

TIPS con 모두(com) + sum(e) 취하다 → 어떤 것을 취해서 모두 소비하다, 먹다

07 ★★★ struggle
[strʌ́gl]

동 고생하다, 고군분투하다, 싸우다   명 투쟁, 분투

Billions of people around the world **struggle** with sleep disorders. (학평)

전 세계의 수십억 명의 사람들이 수면 장애로 고생한다.

⊖ **strive**

08 ★★ strengthen
[stréŋkθən]

동 강화시키다, 증강하다

Laughing prevents numerous diseases by **strengthening** the immune system. (수능)

웃음은 면역 체계를 강화시켜 수많은 질병을 예방한다.

➕ **strength** 명 힘, 기운
⊖ **fortify**   ⊠ **weaken** 동 약화시키다

혼동어

09 ★★ slide
[slaid]

명 미끄럼틀, 산사태   동 미끄러지다, 내려가다

The **slide** on the playground in summer was a hot stove. (교과서)

여름에 운동장의 미끄럼틀은 불가마였다.

VS

10 ★★ slice
[slais]

명 (얇게 썬) 조각, 일부분   동 (얇게) 썰다

To add flavor, put a **slice** of lemon in the water. (교과서)

풍미를 더하기 위해, 물에 레몬 한 조각을 넣으세요.

⊖ **piece**

REVIEW TEST p. 271

01
★★
sufficient
[səfíʃənt]

형 충분한, 흡족한

If you are getting **sufficient** sleep, you should feel refreshed. (학평)

만약 당신이 충분한 수면을 취하고 있다면, 당신은 상쾌함을 느낄 것이다.

⊕ **sufficiently** 憲 충분하게
⊜ **enough**　🔲 **insufficient** 憲 불충분한

TIPS sufficient와 관련된 표현들
· self-sufficient 자급자족할 수 있는　· sufficient amount 충분한 양

02
★★
fulfill
[fulfíl]

동 이루다, 실현하다

Usain Bolt **fulfilled** his dream of winning eight Olympic gold medals.

우사인 볼트는 8개의 올림픽 금메달을 따겠다는 그의 꿈을 이뤘다.

⊕ **fulfillment** 憲 실현

03
★★★
suggest
[səgdʒést]

동 제안하다, 암시하다

Experts **suggest** that people stretch in the morning. (교과서)

전문가들은 사람들이 아침에 스트레칭을 할 것을 제안한다.

⊕ **suggestion** 憲 제안, 암시
⊜ **recommend**

04
★
fatigue
[fətíːg]

명 피로, 피곤

Fatigue and pain are your body's ways of saying that it is in danger. (학평)

피로와 통증은 당신의 신체가 위험에 빠졌음을 말하는 그것의 방식이다.

⊕ **fatigued** 憲 피로한
⊜ **tiredness**

05
★
intake
[íntèik]

명 섭취(량), 흡입

You can increase your water **intake** by eating more fruits. (교과서)

당신은 더 많은 과일을 먹음으로써 수분 섭취를 늘릴 수 있다.

---

06 ★★ pace
[peis]

圀 (걸음, 달리기 등의) 속도

Be sure to go at the **pace** of the slowest person. (교과서)

반드시 가장 느린 사람의 속도로 가세요.

⊖ **speed**

07 ★★ disorder
[disɔ́ːrdər]

圀 장애, 무질서, 혼란

Sleeplessness is a type of sleep **disorder**. (학평)

불면증은 수면 장애의 한 종류이다.

⊖ **illness, disturbance**

08 ★★ flexible
[fléksəbl]

圀 유연한, 융통성 있는

Stretching is a natural way to keep your muscles **flexible**. (학평)

스트레칭은 당신의 근육을 유연하게 유지하는 자연스러운 방법이다.

09 ★ supplement
圀[sʌ́pləmənt]
图[sʌ́pləmènt]

圀 보충(제), 추가 图 보충하다, 추가하다

Most nutrients are better absorbed when consumed from a whole food instead of a **supplement**. (학평)

대부분의 영양소는 보충제 대신 자연 식품으로 섭취될 때 더 잘 흡수된다.

⊕ **supplementary** 圀 보충의, 추가의

TIPS supplement와 관련된 표현들

·vitamin supplement 비타민 보조제 ·dietary supplement 식이 보조제

다이어

10 ★★★ physical
[fízikəl]

圀 신체의, 육체의

圀 물리적인, 물리의

Doing certain **physical** activities puts stress on the joints. (학평)

특정한 신체 활동을 하는 것은 관절에 압력을 준다.

You won't have to chase **physical** balls if you use VR. (교과서)

만약 당신이 VR을 이용하면 당신은 물리적인 공을 쫓아가지 않아도 될 것이다.

⊕ **physically** 閈 신체적으로

REVIEW TEST p. 271

해커스북 _{중·고등}

www.HackersBook.com

PART 2
심리&관계

DAY 06

성격과 심리

 ① ② ③ ④

음성 바로 듣기

01
★★★
relax
[riléks]

图 긴장을 풀다, 안정을 취하다

Please take a deep breath and **relax**. (학평)

심호흡을 하고 긴장을 푸세요.

⊕ **relaxed** 휑 느긋한　**relaxation** 몡 휴식, 완화
⊜ **ease**

02
★★★
grateful
[gréitfəl]

휑 감사하는, 고맙게 여기는

I was very **grateful** to that man for saving my husband's life. (학평)

나는 나의 남편의 목숨을 구해준 것에 대해 그 남자에게 매우 감사했다.

⊕ **gratefully** 튄 감사하여, 기꺼이
⊜ **thankful**

03
★★★
complain
[kəmpléin]

图 불평하다, 항의하다

You should not **complain** about yourself. (학평)

당신은 스스로에 대해 불평하지 말아야 한다.

⊕ **complaint** 몡 불평, 항의

04
★★
delighted
[diláitid]

휑 기쁜, 아주 즐거운

I'm **delighted** you're fully recovered from your illness. (수능)

나는 네가 병에서 완전히 회복되어서 기쁘다.

⊕ **delight** 몡 기쁨 图 즐겁게 하다　**delightful** 휑 기쁨을 주는
⊜ **pleased**

05
★★★
express
[iksprés]

图 표현하다, 나타내다　휑 급행의, 신속한

I'd like to somehow **express** my thanks in person. (수능)

저는 어떻게 해서든 직접 제 감사를 표현하고 싶습니다.

⊕ **expression** 몡 표현　**expressive** 휑 (감정 등을) 나타내는
⊜ **represent**

해커스보카 고등기본

06 ★★★ reward
[riwɔ́ːrd]

圐 보상, 사례금 图 보상하다, 보답하다

Humans have a strong preference for immediate **reward**. 한평
인간은 즉각적인 보상에 대한 강한 선호가 있다.

➊ **rewarding** 圐 보람 있는, 수익이 많이 나는
➖ **prize**

TIPS reward와 관련된 표현들
·reward for ~에 대한 보상 ·financial reward 재정적 보상

07 ★★★ frustrated
[frʌ́streitid]

圐 좌절한, 실망한

I remember feeling very **frustrated** sometimes in my teens. 수능
나는 나의 10대 때 가끔 매우 좌절했던 것을 기억한다.

➊ **frustrate** 图 좌절시키다 **frustration** 圐 좌절감

08 ★★★ recognize
[rékəgnàiz]

图 인식하다, 인정하다

Positive thinkers **recognize** their limitations but focus on their strengths. 한평
긍정적인 사고를 하는 사람들은 그들의 한계를 인식하지만 그들의 강점에 집중한다.

➊ **recognition** 圐 인식 **recognizable** 圐 알아볼 수 있는
➖ **identify, notice**

혼동어

VS

09 ★★ temper
[témpər]

圐 성질, 성미

The boy's parents were concerned about his bad **temper**. 수능
그 소년의 부모는 그의 나쁜 성질을 걱정했다.

➊ **temperament** 圐 기질, 성질
➖ **anger, rage**

TIPS temper와 관련된 표현들
·keep one's temper 성질을 참다 ·have a quick temper 성질이 급하다

10 ★ temple
[témpl]

圐 사찰, 절, 사원

Take off your shoes when entering **temples**. 교과서
사찰에 들어갈 때는 당신의 신발을 벗으세요.

REVIEW TEST p. 272

DAY 06 성격과 심리

01
object
***
- 명 [á:bdʒekt]
- 동 [əbdʒékt]

명 물건, 물체, 대상 동 반대하다

Through upcycling, a seemingly useless **object** can be transformed into something useful. (교과서)

업사이클링을 통해, 겉보기에 쓸모없는 물건이 유용한 무언가로 바뀔 수 있다.

⊕ **objective** 명 목적 형 객관적인 **objectively** 부 객관적으로

02
disappointed
***
[dísəpɔ́intid]

형 실망한, 낙담한

Kevin was very **disappointed**, but he decided to accept the result of the election. (학평)

Kevin은 매우 실망했지만, 그는 선거의 결과를 받아들이기로 결심했다.

⊕ **disappointment** 명 실망

03
anxious
**
[ǽŋkʃəs]

형 불안한, 걱정하는

We are **anxious** because of new competition. (수능)

우리는 새로운 경쟁으로 인해 불안하다

⊕ **anxiety** 명 불안, 걱정
⊖ **worried, concerned**

04
insist
***
[insíst]

동 고집하다, 주장하다, 우기다

Nick **insisted** on giving a 40 percent tip for the wonderful service he received.

Nick은 그가 받은 굉장한 서비스에 대해 40퍼센트의 팁을 주겠다고 고집했다.

⊕ **insistence** 명 고집, 주장 **insistent** 형 고집하는, 끈질긴
⊖ **demand**

TIPS '주장'을 나타내는 동사 insist의 뒤에 오는 that절에는 '(should) 동사원형'이 사용돼요.
→ insist that + 주어 + (should) 동사원형

05
sudden
***
[sʌ́dn]

형 갑작스러운, 뜻밖의

While preparing to go out, he got a **sudden** call from Amy. (학평)

외출을 준비하는 동안, 그는 Amy로부터 갑작스러운 전화를 받았다.

⊕ **suddenly** 부 갑자기
⊖ **unexpected**

---

06 ★★ immediate
[imí:diət]

형 즉각적인, 직접의

People nowadays expect **immediate** results all the time. (학평)
요즘 사람들은 항상 즉각적인 결과를 기대한다.

➕ **immediately** 📖 즉시
➖ **instant**

07 ★★★ appreciate
[əprí:ʃièit]

동 감사하다, 진가를 알아보다, 감상하다

On behalf of our museum, we **appreciate** your donation. (수능)
우리 박물관을 대표하여, 우리는 당신의 기부에 감사드립니다.

➕ **appreciation** 📖 감사, 감상

08 ★★ pale
[peil]

형 창백한, 핼쑥한

Suddenly, Edna grew **pale**, ran into the bathroom and started crying. (학평)
갑자기, Edna는 창백해졌고, 욕실로 뛰어 들어가서 울기 시작했다.

09 ★★★ purpose
[pə́:rpəs]

명 목적, 의도, 용도

What causes a person to be inactive is a lack of **purpose**. (학평)
한 사람을 무기력하게 만드는 것은 목적의 결핍이다.

➖ **aim, object**

다의어

10 ★★★ race
[reis]

| **동** 경주하다, 경쟁하다 | **명** 경주, 경기 |
| **동** 급하게 하다, 서두르다 |
| **명** 인류, 인종 |

Most of the animals enjoy **racing**. (학평)
대부분의 동물들은 경주하는 것을 즐긴다.

A large crowd gathered together to watch the **race**. (교과서)
많은 군중이 그 경주를 보기 위해 함께 모였다.

Try not to **race** through your shopping. (수능)
당신의 쇼핑을 급하게 하지 않도록 하세요.

We read and write poetry because we are members of the human **race**. (수능)
우리는 인류의 일원이기 때문에 시를 읽고 쓴다.

REVIEW TEST p. 272

DAY 06

성격과 심리

① ② ③ ④

---

01 ★
discouraged
[diskə́:ridʒd]

톙 낙담한, 낙심한

Can you cheer up your friends when they are **discouraged**? (교과서)

너는 친구들이 낙담했을 때 그들을 격려할 수 있니?

➕ **discourage** 통 낙담시키다

---

02 ★★
stare
[stɛər]

통 응시하다, 빤히 쳐다보다 톙 빤히 봄, 응시

Babies will apparently **stare** longer at the things they like more. (학평)

아기들은 분명히 그들이 더 좋아하는 것들을 더 오래 응시할 것이다.

⊜ **gaze**

TIPS stare와 관련된 표현들
·stare into space 허공을 응시하다   ·stare in wonder 경이의 눈으로 보다

---

03 ★★
burst
[bəːrst]

통 터뜨리다, 터지다 톙 파열, 터뜨림

People were **bursting** with excited shouts and unending cheers for Ethan. (교과서)

사람들은 Ethan을 향한 들뜬 외침과 끝없는 환호성을 터뜨리고 있었다.

⊜ **explode**

---

04 ★★
miserable
[mízərəbl]

톙 비참한, 불쌍한

Don't act like you're the most **miserable** person in the world. (교과서)

네가 세상에서 가장 비참한 사람인 것처럼 행동하지 마라.

➕ **miserably** 분 비참하게도

---

05 ★★
embarrassed
[imbǽrəst]

톙 당황한, 어색한, 창피한

I was so **embarrassed** that I couldn't say anything. (학평)

나는 너무 당황해서 아무것도 말할 수 없었다.

➕ **embarrassment** 톙 당황, 어색함   **embarrass** 통 당황하게 하다
⊜ **ashamed**

해커스 보카 고등 기초

06 ** hardly
[háːrdli]

□ 거의 ~하지 않다

We can **hardly** expect to learn without making many mistakes in the process. (수능)

우리는 과정 속의 많은 실수가 없이는 배우는 것을 거의 기대할 수 없다.

● **barely, scarcely**

TIPS hardly는 단어 자체로 이미 부정의 의미를 나타내기 때문에, 다른 부정어와 함께 사용하지 않아요

07 ** panic
[pǽnik]

⑧ 당황하다, 공황 상태에 빠지다 ⑨ 공포, 공황

When I traveled around Spain, I **panicked** because I lost all of my money. (학평)

내가 스페인 여기저기를 여행했을 때, 나는 내 돈을 다 잃어버려서 당황했다.

● **fear**

08 * correspond
[kɔ̀ːrəspáːnd]

⑧ 일치하다, 부합하다, 서신을 주고받다

His facial expressions didn't **correspond** with the mood.

그의 얼굴 표정은 분위기와 일치하지 않았다.

⊕ **correspondence** ⑨ 유사함, 서신
● **match**

혼동어

VS

09 * cruel
[krúːəl]

⑨ 잔인한, 잔혹한

It's sad that people can be so **cruel** sometimes. (학평)

때때로 사람들이 매우 잔인할 수 있다는 것은 슬프다.

⊕ **cruelty** ⑨ 잔인함
● **brutal**

10 ** crucial
[krúːʃəl]

⑨ 매우 중요한, 결정적인

Feelings and emotions are **crucial** for everyday decision making. (학평)

기분과 감정은 일상적인 의사 결정에 매우 중요하다.

⊕ **crucially** ⑨ 결정적으로
● **important, vital**

REVIEW TEST p. 273

01 ★ isolated
[áisəlèitid]

⑱ 고립된, 외딴

Students studying abroad often feel so **isolated**. (학평)
해외에서 공부하는 학생들은 종종 매우 고립되었다고 느낀다.

➕ **isolate** ⑧ 격리하다, 고립시키다 **isolation** ⑲ 고립

02 ★ awkward
[ɔ́ːkwərd]

⑱ 어색한, 곤란한, 불편한

People often avoid **awkward** situations by telling lies. (학평)
사람들은 종종 거짓말을 함으로써 어색한 상황을 피한다.

➕ **awkwardly** ⑨ 어색하게 **awkwardness** ⑲ 어색함

03 ★ sympathy
[símpəθi]

⑲ 동정(심), 연민

Emotions are strong feelings such as love, **sympathy** or anger. (교과서)
감정은 사랑, 동정 또는 분노와 같은 강력한 느낌이다.

➕ **sympathetic** ⑱ 동정하는 **sympathize** ⑧ 동정하다
➖ **compassion**

TIPS sympathy와 관련된 표현들
·have sympathy for ~를 동정하다 ·express sympathy for ~를 위문하다

04 ★ terrifying
[térəfàiŋ]

⑱ 무시무시한, 놀라게 하는

I let out a **terrifying** scream that could be heard all the way down the block. (학평)
나는 한 블록 저 아래까지 들렸을 수도 있는 무시무시한 비명을 질렀다.

➕ **terrify** ⑧ 무섭게 하다, 겁먹게 하다 **terrified** ⑱ 무서워하는, 겁먹은

05 ★ optimistic
[àːptəmístik]

⑱ 낙관적인, 낙천적인

The students' attitudes were quite **optimistic**. (수능)
학생들의 태도는 꽤 낙관적이었다.

➕ **optimist** ⑲ 낙관주의자 **optimistically** ⑨ 낙관적으로
➖ **pessimistic** ⑱ 비관적인

HAHA~

해커스 보카 고등 기본

06 ★ sincere
[sinsíər]

형 성실한, 진실된, 진정한

He is very diligent and **sincere** in everything. (학평)
그는 모든 것에 매우 부지런하고 성실하다.

➕ **sincerely** 꽃 진심으로
➖ **faithful**

07 ★★★ likely
[láikli]

형 가능성이 있는, 그럴듯한 **꽃** 아마, 어쩌면

You are more **likely** to be disappointed if you set expectations too high. (학평)
만약 당신이 기대치를 너무 높게 설정하면 당신은 실망할 가능성이 더 많다.

08 ★ endure
[indjúər]

동 견디다, 참다, 인내하다

It's hard to **endure** the loss of a cherished puppy. (수능)
소중한 강아지의 죽음을 견디는 것은 힘들다.

➕ **endurance** 꽃 참을성, 인내
➖ **bear, stand**

09 ★ cognitive
[káːgnitiv]

형 인지의, 인식의

Cognitive behavior therapy is used to treat depression.
인지 행동 치료는 우울증을 치료하는 데 이용된다.

➕ **cognition** 꽃 인지, 지각   **cognitively** 꽃 인식적으로

TIPS cognitive와 관련된 표현들
· cognitive therapy 인지 요법   · cognitive development 인지 발달

다의어

10 ★★★ reflect
[riflékt]

동 반사하다, 비추다

스스로를 거울에 비추어 돌이켜 보다
동 반성하다

어떤 것을 비추어 보여주다
동 반영하다, 나타내다

To be safe, attach some tape that **reflects** light to your clothes. (교과서)
안전하도록, 당신의 옷에 빛을 반사하는 테이프를 좀 붙이세요.

As communities became larger, some people had time to **reflect** and debate. (수능)
공동체가 더 커지면서, 일부 사람들은 반성하고 토론하는 시간을 가졌다.

Culture **reflects** our lives. (교과서)
문화는 우리의 삶을 반영한다.

➕ **reflection** 꽃 반영

REVIEW TEST p. 273

인간관계

음성 바로 듣기

01
***
□
□
□
similar
[símələr]

형 비슷한, 닮은

We were of **similar** age and had **similar** interests. (교과서)

우리는 비슷한 나이였고, 비슷한 관심사를 갖고 있었다.

➕ **similarly** 悍 비슷하게 **similarity** 圀 유사성, 닮음
➖ **alike**

02
***
□
□
□
situation
[sìtʃuéiʃən]

명 상황, 위치

She should explain the **situation** to her parents. (학평)

그녀는 그녀의 부모님께 그 상황을 설명해야 한다.

➕ **situational** 囿 상황에 따른
➖ **circumstance**

03
*
□
□
□
related
[riléitid]

형 관련이 있는, 친족의

Willpower is **related** to a person's success and happiness. (교과서)

의지력은 한 사람의 성공 및 행복과 관련이 있다.

➕ **relative** 囿 상대적인 囿 친척 **relation** 圀 관계
➖ **relevant, associated**

04
***
□
□
□
suppose
[səpóuz]

동 생각하다, 가정하다

Many people **suppose** that to keep bees, it is necessary to have a large garden in the country. (학평)

많은 사람들은 벌을 기르기 위해서 시골에 큰 정원을 가지는 것이 필수적이라고 생각한다.

➕ **supposedly** 悍 가정상, 짐작건대

TIPS 'be supposed to + 동사원형'의 형태로 쓰일 경우 '~하기로 되어 있다'라는 의미를 나타내요.

05
***
□
□
□
social
[sóuʃəl]

형 사회적인, 사회의

Some gestures can build trust and **social** bonds. (교과서)

몇몇 제스처는 신뢰와 사회적 유대감을 형성할 수 있다.

➕ **society** 圀 사회, 모임

---

06 ★★★ unique
[juːníːk]

형 특별한, 독특한, 유일무이한

Everyone is **unique** and has different gifts. (수능)

모든 사람들은 특별하며 서로 다른 재능을 가진다.

⊕ **uniquely** 부 독특하게
⊖ **special, distinct**

07 ★★★ prefer
[prifə́ːr]

통 선호하다, 더 좋아하다

Even though babies have poor eyesight, they **prefer** to look at faces. (학평)

비록 아기들은 안 좋은 시력을 가지고 있지만, 그들은 얼굴을 바라보는 것을 선호한다.

⊕ **preference** 명 선호도
⊖ **favor**

08 ★★★ remain
[riméin]

통 유지하다, 계속 ~하다 명 나머지, 잔액

Alex and Sally **remained** in close touch even after he left the city. (학평)

Alex와 Sally는 심지어 그가 도시를 떠난 후에도 긴밀한 연락을 유지했다.

⊕ **remaining** 형 남아있는   **remainder** 명 나머지
⊖ **continue**

혼동어

VS

09 ★★ distract
[distrǽkt]

통 흐트러뜨리다, 산만하게 하다

Her attention was **distracted** by a noisy quarrel taking place at the counter. (수능)

그녀의 주의력은 계산대에서 일어난 시끄러운 말다툼으로 인해 흐트러졌다.

⊕ **distraction** 명 집중을 방해하는 것
⊖ **disturb**

10 ★ district
[dístrikt]

명 지역, 구역

There are 12 **districts** and the capital in the country. (교과서)

그 나라에는 12개의 지역과 수도가 있다.

⊖ **area, region**

REVIEW TEST p. 274

01 ★★★ apologize
[əpá:lədʒàiz]

통 사과하다, 변명하다

Peter realizes his mistake, and he wants to **apologize** to Claire. (학평)

Peter는 자신의 실수를 깨닫고, Claire에게 사과하고 싶어 한다.

➕ **apology** 명 사과

02 ★★★ refer
[rifə́:r]

통 나타내다, 가리키다, 참조하다

The term "mentor" **refers** to a person who gives a less experienced person help and advice. (교과서)

'멘토'라는 용어는 덜 숙련된 사람에게 도움과 조언을 주는 사람을 나타낸다.

➕ **reference** 명 언급, 참고

TIPS 'be referred to as'의 형태로 쓰일 경우 '~으로 불리다'라는 의미를 나타내요.

03 ★★★ colleague
[ká:li:g]

명 동료

Developing good relations with **colleagues** is essential for teamwork.

동료들과 좋은 관계를 발전시키는 것은 팀워크를 위해 필수적이다.

⊖ **coworker**

04 ★★★ rely
[rilái]

통 의지하다, 신뢰하다

She has become a wonderful friend that I can **rely** on. (학평)

그녀는 내가 의지할 수 있는 멋진 친구가 되었다.

➕ **reliable** 형 믿을 수 있는   **reliant** 형 의존하는
⊖ **depend**

05 ★★★ mistake
[mistéik]

명 실수 통 오해하다, 착각하다

I always tried to learn from **mistakes**. (학평)

나는 항상 실수로부터 배우기 위해 노력했다.

➕ **mistaken** 형 잘못된
⊖ **error**

06 ★★★ request
[rikwést]

명 요청, 요구사항 **동** 요청하다, 부탁하다

The store manager agreed to my **request** for a full refund. (학평)

매장 매니저는 전액 환불에 대한 나의 요청을 승인했다.

07 ★★★ assume
[əsúːm]

동 생각하다, 가정하다

I **assume** that we can't be friends with everyone.

나는 우리가 모든 사람과 친구가 될 수는 없다고 생각한다.

➕ **assumption** 명 추정

08 ★★★ refuse
[rifjúːz]

동 거절하다, 거부하다

Susan repeated her request, and I couldn't **refuse** it. (학평)

Susan은 그녀의 요청을 반복했고, 나는 그것을 거절할 수 없었다.

➕ **refusal** 명 거절, 거부
➖ decline, reject

TIPS refuse는 to부정사와 함께 쓰일 경우 '~하는 것을 거절하다'라는 뜻을 나타내요.

09 ★★★ reply
[riplái]

명 답장, 대답 **동** 대답하다, 대응하다

I was happy when I got my first **reply** from Santa. (교과서)

나는 산타에게 첫 답장을 받았을 때 행복했다.

➖ respond, answer

다의어

10 ★★★ degree
[digríː]

명 정도, 등급 ┃ **명** [각도, 온도계 등의] 도

공부한 정도를 나타내는
명 학위

Achieving professional success sometimes requires a **degree** of selfishness. (교과서)

직업적인 성공을 이루는 것은 때때로 어느 정도의 이기심을 요구한다.

A bedroom temperature of around 65 **degrees** Fahrenheit is ideal for sleeping. (교과서)

화씨 65도쯤의 침실 온도가 수면에 이상적이다.

He went to Paris after getting his university **degree**. (수능)

그는 대학 학위를 받은 후 파리로 갔다.

REVIEW TEST p. 274

01 ★★★ capacity
[kəpǽsəti]

명 능력, 수용력, 용량

Thomas Jefferson, the third US president, had a great **capacity** for leadership.

세 번째 미국 대통령인 토머스 제퍼슨은 탁월한 지도 능력을 갖췄다.

⊜ **ability**

TIPS capacity와 관련된 표현들
· production capacity 생산 능력   · memory capacity 기억 용량
· beyond capacity 능력 밖으로

02 ★★ passion
[pǽʃən]

명 열정, 격정, 격노

His sense of humor and **passion** for life brought so much pleasure to others. 학평

그의 유머 감각과 삶에 대한 열정은 다른 사람들에게 아주 많은 즐거움을 가져다 주었다.

⊕ **passionate** 형 열정적인

03 ★★ surround
[səráund]

동 둘러싸다, 에워싸다, 포위하다

Say positive words and **surround** yourself with positive people. 학평

긍정적인 말을 하고, 긍정적인 사람들로 스스로를 둘러싸세요.

⊕ **surrounding** 형 주위의 명 주변, 환경
⊜ **enclose**

04 ★★ indeed
[indíːd]

부 정말, 참으로, 실제로

A friend in need is a friend **indeed**. 학평

어려울 때의 친구가 정말 친구이다.

⊜ **actually**

05 ★★ imitate
[ímətèit]

동 모방하다, 흉내 내다

People tend to **imitate** those around them. 학평

사람들은 그들 주위의 사람들을 모방하는 경향이 있다.

⊕ **imitation** 명 모조품
⊜ **copy, mimic**

06 ★★ bond
[bɑ:nd]

몡 유대(감), 끈 **동** 유대를 맺다

Toys build a **bond** between you and your pet. 학평

장난감은 당신과 당신의 반려동물 사이에 유대감을 형성한다.

➕ **bondage** 몡 구속, 속박
➖ **tie**

07 ★★ obtain
[əbtéin]

동 얻다, 획득하다

People are attracted to things they cannot readily **obtain**. 학평

사람들은 손쉽게 얻을 수 없는 것들에 끌린다.

➕ **obtainable** 몡 얻을 수 있는
➖ **gain, acquire**

TIPS obtain과 관련된 표현들
·obtain permission 허가를 얻다   ·obtain a position 지위를 얻다

08 ★★ precious
[préʃəs]

형 소중한, 값비싼

Families don't grow strong unless parents invest their **precious** time in them. 학평

가족은 부모가 그들에게 소중한 시간을 투자하지 않으면 견고해지지 않는다.

➖ **valuable, expensive**

혼동어

VS

09 ★★ contribute
[kəntríbjuːt]

동 기여하다, ~한 원인이 되다, 기부하다

She plans on finding volunteer work to **contribute** to the community. 수능

그녀는 지역사회에 기여할 자원봉사 일을 찾을 계획이다.

➕ **contribution** 몡 기여

10 ★★ distribute
[distríbjuːt]

동 나눠주다, 분배하다

We will **distribute** the food to our neighbors on Christmas Eve. 수능

우리는 크리스마스이브에 이웃들에게 음식을 나눠줄 것이다.

➕ **distribution** 몡 분배
➖ **spread**

REVIEW TEST p. 275

01 ★★ reject
[rídʒékt]

동 거절하다, 거부하다

We worry that we'll be **rejected** in relationships, business, and life. 학평

우리는 관계, 사업, 그리고 삶에서 거절당할 것을 걱정한다.

➕ **rejection** 명 거절
➖ **refuse, decline**

02 ★ gaze
[geiz]

명 시선, 응시　동 응시하다, 바라보다

Avoiding her son's **gaze**, she looked straight into the lady's eyes. 교과서

자신의 아들의 시선을 피하며, 그녀는 그 여인의 눈을 똑바로 쳐다보았다.

➖ **stare**

03 ★ cherish
[tʃériʃ]

동 소중히 간직하다, 아끼다

I'll **cherish** the happy times we had together. 학평

나는 우리가 함께 했던 행복한 시간들을 소중히 간직할 것이다.

➕ **cherishable** 형 소중히 간직할 만한

04 ★ hospitality
[hàːspətǽləti]

명 환대, 후대, 접대

The **hospitality** shown by every local person was far beyond our expectations.

모든 현지인들에 의해 보여진 환대는 우리의 예상을 훨씬 뛰어넘었다.

➕ **hospitable** 형 환대하는

05 ★ uncover
[ʌnkʌ́vər]

동 폭로하다, 뚜껑을 열다

People who lie get into trouble when someone threatens to **uncover** their lie. 학평

거짓말을 하는 사람들은 누군가가 그들의 거짓말을 폭로하겠다고 위협할 때 곤경에 처한다.

➖ **reveal, expose**　↔ **cover** 동 덮다, 가리다

06 ★ casual
[kǽʒuəl]

® 무심한, 가벼운, 격식을 차리지 않은

Your **casual** behavior can cause inconvenience for others. 학평

당신의 무심한 행동이 다른 사람들에게 불편을 일으킬 수 있다.

➕ **casually** ® 무심코, 문득

07 ★ mutual
[mjúːtʃuəl]

® 상호 간의, 서로의

Social lies may benefit **mutual** relations. 학평

사회적 거짓말은 상호 간의 관계에 도움이 될 수 있다.

➕ **mutually** ® 서로

TIPS '상호 간의, 공동의'와 관련된 단어들
·common 공통의   ·shared 공유의   ·joint 공동의

08 ★ farewell
[fɛərwél]

® 송별, 작별 (인사)

We've decided to have a surprise **farewell** party for Jamie tomorrow. 수능

우리는 내일 Jamie를 위해 깜짝 송별 파티를 하기로 결정했다.

09 ★★ owe
[ou]

® 신세를 지다, 빚지다

I'll work for you this time, but you **owe** me. 학평

내가 이번엔 너를 위해 일하는데, 너는 나한테 신세를 지는 것이다.

다의어

10 ★★★ treat
[triːt]

® 대우하다, 다루다 ┬ 예의를 갖추어 대우하다
                        ® 대접하다
                     └ 병을 낫게 하려고 환자를 다루다
                        ® 치료하다

Everyone should be **treated** equally regardless of race. 교과서

모든 사람은 인종에 관계없이 동등하게 대우받아야 한다.

You can **treat** her to a cake or pie you made. 수능

너는 네가 만든 케이크나 파이를 그녀에게 대접할 수 있다.

In Malaysia, the roots of the rambutan tree are used for **treating** fever. 학평

말레이시아에서, 람부탄 나무의 뿌리는 고열을 치료하는 데 사용된다.

➕ **treatment** ® 대우, 치료

REVIEW TEST p. 275

01
★★★
☐☐☐
comment
[kɑ́:ment]

명 의견, 논평, 비판, 주석 **동** 비평하다, 의견을 말하다

The famous novelist welcomed **comments** about his book from readers.

그 유명 소설가는 독자들로부터 자신의 책에 대한 의견을 기꺼이 받아들였다.

⊕ **commentary** 명 해설, 논평
⊜ **remark**

02
★★★
☐☐☐
popular
[pɑ́:pjulər]

형 인기가 있는, 대중적인

Mr. Juan's Spanish class is always **popular.** 학평

Mr. Juan의 스페인어 수업은 항상 인기가 있다.

⊕ **popularity** 명 인기   **popularly** 부 대중적으로
⊜ **famous**

03
★★★
☐☐☐
develop
[divéləp]

동 개발하다, 발전하다

I tried to **develop** a talent for public speaking. 학평

나는 대중 연설에 대한 재능을 개발하기 위해 노력했다.

⊕ **development** 명 발전   **developer** 명 개발자
⊜ **improve**

04
★★★
☐☐☐
moment
[móumənt]

명 잠시, 잠깐

Steve thought for a **moment** and then answered. 수능

Steve는 잠시 동안 생각하고 나서 대답했다.

⊕ **momentary** 형 순간의
⊜ **instant**

TIPS mom 움직이다 + (m)ent 명·접 → 움직인 바로 그 순간

05
★★★
☐☐☐
public
[pʌ́blik]

명 대중, 일반 사람들 **형** 대중의, 공공의

It's my first time speaking in **public.** 수능

내가 대중 앞에서 발표하는 것은 이번이 처음이다.

⊕ **publication** 명 공표, 출판   **publicly** 부 공개적으로
⊟ **private** 형 개인의, 민간의

---

06 ★★★ promise

[prá:mis]

동 약속하다, 공약하다 명 약속, 전망

We **promise** an invitation to our house when we return. 학평

우리가 돌아올 때 우리 집으로의 초대를 약속해.

⊕ **promising** 형 유망한
⊖ **guarantee**

07 ★★★ select

[silékt]

동 선택하다, 선발하다 형 선택된, 엄선된

We discussed how to **select** a topic for the speech. 수능

우리는 연설 주제를 선택하는 방법을 논의했다.

⊕ **selection** 명 선발   **selective** 형 선택적인
⊖ **choose**

08 ★★★ pleasure

[pléʒər]

명 즐거움, 기쁨

Some people feel that reading "for **pleasure**" is a waste of time. 수능

어떤 사람들은 '즐거움을 위해' 책을 읽는 것이 시간 낭비라고 느낀다.

⊕ **pleasant** 형 즐거운, 좋은
⊖ **happiness**

혼동어

VS

09 ★★★ involve

[inváːlv]

동 관련 있다, 참여시키다, 포함하다

The situation or the relationship between the people **involved** determines the meaning of a smile. 수능

상황 또는 관련된 사람들 간의 관계가 미소의 의미를 결정한다.

⊕ **involvement** 명 관련, 관여

10 ★★ evolve

[iváːlv]

동 진화하다, 서서히 발전하다

Every aspect of human language has **evolved**. 학평

인간 언어의 모든 측면은 진화해왔다.

⊕ **evolvement** 명 진화, 전개
⊖ **progress**

TIPS evolve와 관련된 표현들
·evolve into ~으로 진화하다   ·evolve from ~으로부터 진화하다

REVIEW TEST p. 276

DAY 08 말과 언어

01
★★★
range
[reindʒ]

명 범위, 영역

Movies and television cannot provide the wide **range** of emotions and knowledge that books do. 교과서

영화와 텔레비전은 책이 제공하는 넓은 범위의 감정과 지식을 제공할 수 없다.

⊜ scope

TIPS range와 관련된 표현들
· a range of 범위가 ~정도인   · out of one's range ~의 힘이 미치지 못하는, 능력 밖의

02
★★★
stuff
[stʌf]

명 물건, 물질

He asked his mother to get his **stuff** ready for the trip. 수능

그는 그의 어머니에게 여행을 위해 그의 물건을 준비해달라고 부탁했다.

⊕ **stuffy** 형 답답한, 탁한
⊜ thing

03
★★
journal
[dʒə́:rnl]

명 일기, 잡지, 학술지

Writing in a **journal** can reduce a person's anxiety.

일기에 글을 쓰는 것은 한 사람의 걱정을 줄여줄 수 있다.

⊜ diary

04
★★★
describe
[diskráib]

동 묘사하다, 서술하다

My uncle **described** how busy he was in his office. 교과서

삼촌은 그의 사무실에서 그가 얼마나 바빴는지를 묘사했다.

⊕ **description** 명 묘사   **descriptive** 형 묘사하는

05
★★★
otherwise
[ʌ́ðərwàiz]

부 ~하지 않으면, 그 외에는

Questions lead you to examine an issue that **otherwise** might go unexamined. 학평

질문은 당신이 (질문)하지 않으면 검증되지 않았을 수도 있는 문제를 검토하게 한다.

06
★★★
share
[ʃɛər]

동 공유하다, 나누다   명 몫, 할당

By communicating, people **share** ideas and information. 교과서

의사소통을 함으로써, 사람들은 생각과 정보를 공유한다.

---

07 ★★★ jealous
[dʒéləs]

형 질투하는, 시기가 많은

In English, people will say that a **jealous** person is "green with envy." (학평)

영어로, 사람들은 질투하는 사람은 '(안색이 창백해질 정도로) 심하게 질투하는'이라고 말할 것이다.

➕ **jealousy** 형 질투심
➖ **envious**

08 ★★ translate
[trænsléit]

동 번역하다, 통역하다

Computers can recognize faces and **translate** languages. (학평)

컴퓨터는 얼굴을 인식하고 언어를 번역할 수 있다.

➕ **translation** 명 번역, 통역   **translator** 명 번역가, 통역사
➖ **interpret**

09 ★★ nod
[nɑːd]

동 고개를 끄덕이다 **명** 끄덕임

I checked my appearance in the mirror and **nodded** in satisfaction. (학평)

나는 거울에서 내 모습을 확인하고 만족감에 고개를 끄덕였다.

다의어

10 ★★★ mean
[miːn]

동 의미하다	어떤 의미로 이해되도록 하다 **동** 의도하다
명 수단, 도구	수단을 가리지 않고 욕심을 채우다 **형** 못된, 비열한

I understand what you **mean**. (학평)
나는 당신이 무엇을 의미하는지 이해한다.

I'm sorry. I didn't **mean** to interrupt you. (학평)
미안해. 나는 널 방해하려고 의도하지 않았어.

They raise pigs as a **means** of exchange. (학평)
그들은 교환의 수단으로 돼지를 기른다.

She is so **mean**. (학평)
그녀는 정말 못됐다.

➕ **meaning** 명 뜻, 의미

REVIEW TEST p. 276

DAY 08 말과 언어

---

01 conclude
[kənklúːd]

동 마치다, 결론을 내리다

The man **concluded** his speech with a positive message.

그 남자는 긍정적인 메시지로 그의 연설을 마쳤다.

✚ **conclusion** 몡 결론, 결말　**conclusive** 혱 결정적인

---

02 intend
[inténd]

동 의도하다, 의미하다

Words can carry meanings beyond those consciously **intended** by the speaker. (수능)

단어는 화자에 의해 의식적으로 의도된 것 이상의 의미를 전달할 수 있다.

✚ **intention** 몡 의도, 목적

---

03 worth
[wəːrθ]

혱 ~의 가치가 있는　몡 가치, 진가

A bird in the hand is **worth** two in the bush. (수능)

손에 든 한 마리의 새는 덤불에 있는 두 마리 새의 가치가 있다.

✚ **worthy** 혱 가치 있는
➖ **valuable**　⬛ **worthless** 혱 가치 없는

> **TIPS** 동명사를 쓰는 관용 표현들
> · be worth + V-ing　~할 가치가 있다　· be busy + V-ing ~하느라 바쁘다
> · cannot help + V-ing ~하지 않을 수 없다

---

04 outcome
[áutkʌm]

몡 결과, 성과

The conversation should focus on the process of change rather than the **outcome**. (학평)

대화는 결과보다는 변화의 과정에 초점을 맞춰야 한다.

➖ **result, conclusion, consequence**

---

05 honor
[áːnər]

몡 영광, 명예, 경의　동 ~를 매우 존경하다

It's an **honor** to meet you. (학평)

당신을 만나 뵙게 되어 영광입니다.

✚ **honorable** 혱 고결한
➖ **glory, fame**

해커스 보카 고등 기본

06 ★★ internal
[intə́ːrnl]

형 내적인, 내부의, 체내의

We have an ability to control our own health condition simply by our **internal** dialogue. (학평)

우리는 간단히 내적 대화를 통해 우리 자신의 건강 상태를 관리할 수 있는 능력을 가진다.

➕ **internalize** 图 내면화하다
➖ **inner, interior** ➖ **external** 图 외부의

07 ★ verbal
[və́ːrbəl]

형 언어의, 말로 된

Strong **verbal** skills are necessary to perform well in a debate.

강력한 언어 능력은 토론에서 좋은 성과를 내기 위해 필요하다.

➕ **verbally** 閉 구두로
➖ **spoken** ➖ **nonverbal** 图 비언어적인

08 ★★★ besides
[bisáidz]

부 게다가, 뿐만 아니라

The boat already left. **Besides**, we didn't make a reservation.

배는 이미 떠났다. 게다가 우리는 예약을 하지 않았다.

> **TIPS** besides와 형태가 비슷한 beside의 의미를 구별하여 함께 외워보세요.
> · beside 젠 ~의 옆에, ~의 곁에

혼동어

VS

09 ★★ cure
[kjuər]

동 치료하다, 치유하다 **명** 치유, 치료법

Getting some rest can help a patient **cure** a disease. (학평)

약간의 휴식을 취하는 것은 환자가 병을 치료하는 데 도움을 줄 수 있다.

➖ **treat, heal**

10 ★ core
[kɔːr]

명 핵심, 중심부 **형** 핵심의

We'll be learning about the structure that lies at the **core** of our language. (수능)

우리는 우리 언어의 핵심에 있는 구조에 대해 배울 것이다.

➖ **center**

REVIEW TEST p. 277

말과 언어

01
★★
☐
☐

strike
[straik]

⑧ 두드리다, 치다, 때리다 **⑨** 파업, 공격

Strike while the iron is hot. (학평)
쇠가 뜨거울 때 두드려라.(기회를 놓치지 말아라)

➕ stroke ⑨ 타법, 때리기

TIPS strike와 관련된 표현들
· air strike 공습 · go (out) on strike 파업에 들어가다

02
★★
☐
☐

channel
[tʃǽnl]

⑨ 수단, 방법, 채널, 경로 **⑧** 수로를 열다, ~을 통해 보내다

Social media can be an effective **channel** of communication.
소셜 미디어는 효과적인 의사소통 수단이 될 수 있다.

➖ means, way

03
★★
☐
☐

gratitude
[grǽtətjùːd]

⑨ 감사, 고마움

A **gratitude** journal is a diary in which you can express all the things you're thankful for. (학평)
감사 일기는 당신이 감사하는 모든 것들을 표현할 수 있는 일기이다.

➖ thankfulness, appreciation

04
★
☐
☐

metaphor
[métəfɔ̀ːr]

⑨ 은유, 비유

A **metaphor** is a figure of speech in which a comparison is made between two different things. (교과서)
은유는 서로 다른 두 사물 간의 비교가 이루어지는 비유적 표현이다.

➕ metaphorical ⑧ 은유의 **metaphorically ⑨** 은유적으로

05
★
☐
☐

interpret
[intə́ːrprit]

⑧ 해석하다, 이해하다

You can **interpret** the story any way you want. (교과서)
당신은 당신이 원하는 어떤 방식으로든 이야기를 해석해도 된다.

➕ interpretation ⑨ 해석 **interpreter ⑨** 통역사
➖ translate

---

06 ★ insult

동[insʌ́lt]
명[ínsʌlt]

동 모욕하다, 욕보이다　명 모욕, 무례

It is possible to **insult** people without intending to. 교과서
의도하지 않고 사람들을 모욕하는 것은 가능하다.

⊕ **insulting** 형 모욕적인
⊖ **abuse, offend**

07 ★ weird

[wiərd]

형 이상한, 기이한

Every language sounds **weird** the first time you hear it. 교과서
모든 언어는 당신이 그것을 처음 들을 땐 이상하게 들린다.

⊕ **weirdly** 부 이상하게
⊖ **strange**

08 ★★ random

[rǽndəm]

형 무작위의

Is **random** breath testing for drivers a good idea? 학평
운전자들에 대한 무작위의 음주운전 검사는 좋은 생각인가?

⊕ **randomly** 부 무작위로　**randomness** 명 임의성

09 ★ remark

[rimáːrk]

명 말, 발언, 주목　동 언급하다, 발언하다

Children and adults alike want to hear positive **remarks**. 수능
어린이와 어른 모두 긍정적인 말을 듣고 싶어한다.

⊕ **remarkable** 형 놀라운　**remarkably** 부 현저하게
⊖ **comment, statement**

TIPS 'make a remark'의 형태로 쓰일 경우 '발언을 하다'라는 의미를 나타내요.

다의어

10 ★★★ sentence

[séntəns]

명 문장, 글

동 [형을] 선고하다, 판결하다

The English teacher asked me to write several **sentences**.
영어 선생님은 나에게 여러 문장을 쓸 것을 요구했다.

The politician was **sentenced** to ten years in prison for corruption.
그 정치인은 부정부패로 징역 10년 형을 선고받았다.

REVIEW TEST p. 277

DAY 09

도덕과 윤리

음성 바로 듣기

---

01 ★★★
just
[dʒʌst]

형 정의로운, 공정한, 정당한 　부 바로, 틀림없이

A scandal often results when a politician does not behave in a **just** manner.
스캔들은 정치인이 정의로운 방식으로 행동하지 않을 때 종종 발생한다.

⊕ **justice** 명 정의, 공정성 　**justify** 통 정당화시키다
⊟ **unjust** 형 부당한, 불공평한

---

02 ★★★
moral
[mɔ́ːrəl]

형 도덕적인, 도의상의 　명 교훈

Many fairy tales include **moral** lessons.
많은 동화는 도덕적인 교훈을 포함한다.

⊕ **morality** 명 도덕 　**morally** 부 도덕적으로

---

03 ★★★
peer
[piər]

명 또래, 동년배

Young adults can become involved in crime because of pressure from their **peers**.
청소년들은 그들의 또래들로부터의 압박 때문에 범죄에 연루될 수 있다.

⊖ **fellow**

TIPS peer와 관련된 표현들
· peer pressure 또래 집단의 압박 　· peer review 동료 심사(평가)

---

04 ★★★
achieve
[ətʃíːv]

통 성취하다, 이루다

People must learn how to **achieve** their dreams. 〔학평〕
사람들은 그들의 꿈을 성취하는 법을 배워야 한다.

⊕ **achievement** 명 성취, 업적
⊖ **accomplish**

---

05 ★★★
path
[pæθ]

명 길, 오솔길, 통로

The **path** to success is through analyzing failure. 〔수능〕
성공으로의 길은 실패를 분석하는 것을 통해서이다.

⊖ **way, road**

---

06 ★★★ necessary
[nésəsèri]

형 필수적인, 필요한

It is **necessary** to practice first aid regularly.
응급 처치를 규칙적으로 연습하는 것은 필수적이다.

➕ **necessarily** 🎀 필연적으로, 반드시   **necessity** 🎀 필요(성), 필수품
➖ **unnecessary** 🎀 불필요한

07 ★★ selfish
[sélfiʃ]

형 이기적인, 제멋대로 하는

Selfish behavior that hurts others cannot bring us happiness. (교과서)
남에게 상처를 주는 이기적인 행동은 우리에게 행복을 가져다줄 수 없다.

➕ **selfishly** 🎀 제멋대로

08 ★ penalty
[pénəlti]

명 벌칙, 처벌, 불이익

Players will receive a **penalty** for being late.
선수들은 지각하는 것에 대해 벌칙을 받을 것이다.

➕ **penalize** 🎀 처벌하다
➖ **punishment**

혼동어

09 ★★ adopt
[ədáːpt]

동 취하다, 채택하다, 입양하다

There are many ways to **adopt** a green lifestyle. (학평)
환경친화적인 생활 방식을 취하는 많은 방법들이 있다.

➕ **adoption** 🎀 채택, 입양   **adopted** 🎀 채택된, 입양된

TIPS adopt와 관련된 표현들
·adopt a system 제도를 채택하다   ·adopt a child 아이를 입양하다

VS

10 ★★★ adapt
[ədǽpt]

동 적응하다, 맞추다

In a new environment, we have to **adapt** and learn to perform in new ways. (학평)
새로운 환경에서, 우리는 적응해야 하고 새로운 방식으로 행하는 것을 배워야 한다.

➕ **adaptation** 🎀 적응, 각색
➖ **adjust**

REVIEW TEST p. 278

DAY 09 도덕과 윤리

01
***
pause
[pɔːz]

통 멈추어 서다, 잠시 멈추다　명 잠깐 멈춤, 중지

Most people **pause** to reflect on their moral principles. 수능
대부분의 사람들은 자신의 도덕적 원칙을 성찰하기 위해 멈추어 선다.

● stop, break

02
**
incentive
[inséntiv]

명 장려책, 장려금, 동기

Good behavior must be reinforced with **incentives**. 수능
좋은 행동은 장려책으로 강화되어야 한다.

TIPS 돈과 관련된 단어들
·budget 예산　·earnings 수입, 소득　·wage 임금

03
*
sacrifice
[sǽkrəfàis]

통 희생하다, 단념하다　명 희생, 희생물

We often **sacrifice** happiness for money. 수능
우리는 종종 돈을 위해 행복을 희생한다.

04
**
generous
[dʒénərəs]

형 후한, 넉넉한, 관대한

Please show your support by sending a **generous** contribution to the Flood Relief Fund. 수능
홍수 구호 기금에 후한 기부금을 보냄으로써 여러분의 지지를 보여 주세요.

● generously 뷔 아낌없이, 관대하게　generosity 몡 너그러움

05
***
appropriate
[əpróupriət]

형 적절한, 알맞은, 어울리는

Many people believe jeans are not **appropriate** attire for weddings.
많은 사람들은 청바지가 결혼식에 적절한 복장은 아니라고 생각한다.

● appropriately 뷔 적절하게, 알맞게
● proper, suitable　■ inappropriate 혱 부적절한

---

06 ** chase
[tʃeis]

❸ 추격하다, 뒤쫓다 ❸ 추격, 추적

Police officers **chased** the two bank robbers for an hour.

경찰관들은 두 명의 은행 강도를 한 시간 동안 추격했다.

❺ **pursue, track**

07 ** deserve
[dizə́:rv]

❸ 누릴 자격이 있다, ~할 만하다

All life is precious and **deserves** a chance to live. (수능)

모든 생명은 소중하며 살 기회를 누릴 자격이 있다.

08 ** pretend
[priténd]

❸ 하는 척하다, 가장하다

She **pretended** to talk on the phone out of fear. (학평)

그녀는 무서워서 전화로 이야기하는 척했다.

09 ** neglect
[niglékt]

❸ 무시하다, 등한시하다, 방치하다

Good citizens do not **neglect** but help their neighbors in need. (교과서)

선량한 시민들은 어려움에 처한 그들의 이웃을 무시하지 않고 돕는다.

⊕ **negligence** ❸ 부주의, 과실 **neglected** ❸ 방치된
❺ **ignore, disregard**

TIPS neglect와 관련된 표현들
· neglect one's duties 직무를 소홀히 하다 · by neglect 되는 대로, 아무렇게나

다의어

10 *** lie
[lai]

I **lie** in bed for hours without sleeping. (학평)

나는 잠을 자지 않고 몇 시간 동안 침대에 누워 있다.

The secret **lies** in hanji's amazing physical properties. (교과서)

그 비밀은 한지의 놀라운 물리적 특성에 있다.

Follow this simple policy in life — never **lie**. (학평)

인생에서 이 간단한 방침을 따르라 — 절대 거짓말을 하지 마라.

REVIEW TEST p. 278

01 ★★ devote
[divóut]

통 (시간, 노력 등을) 바치다, 헌신하다

She **devoted** much of her time to assisting orphans from France and Belgium. 학평

그녀는 프랑스와 벨기에 출신의 고아들을 돕는 데 그녀의 많은 시간을 바쳤다.

⊕ devotion 명 헌신, 몰두
⊜ commit, dedicate

TIPS 'be devoted to'의 형태로 쓰일 경우 '~에 전념(헌신)하다'라는 의미를 나타내요.

02 ★★ admit
[ædmít]

통 인정하다, (입학을) 허락하다

Brian **admits** that he was too sensitive. 수능

Brian은 그가 너무 예민했다고 인정한다.

⊕ admission 명 인정, 입장, 입학
⊜ accept **◪ deny** 통 부인하다

03 ★★ gender
[dʒéndər]

명 성별, 성

Culture and **gender** may affect the way people perceive, interpret, and respond to conflict. 학평

문화와 성별은 사람들이 갈등을 인식하고, 해석하고, 대응하는 방식에 영향을 미칠 수 있다.

04 ★ permit
통 [pərmít]
명 [pə́:rmit]

통 허용하다, 허락하다 **명** 허가증

Sitting on lawns is not **permitted**. 수능

잔디밭에 앉는 것은 허용되지 않는다.

⊕ permission 명 허락, 승인
⊜ allow

05 ★★ spouse
[spaus]

명 배우자, 남편, 아내

For a happy marriage, **spouses** must treat each other with respect.

행복한 결혼 생활을 위해서, 배우자는 서로를 존중하며 대해야 한다.

⊜ partner

06 ** ultimate
[ʌ́ltəmət]

형 궁극적인, 최후의, 최고의

Set your **ultimate** life goal as soon as possible. 학평

가능한 한 빨리 당신의 궁극적인 인생 목표를 세우세요.

⊕ **ultimately** 문 궁극적으로
⊖ **final, last**

07 * cheat
[tʃiːt]

동 부정행위를 하다, 속이다 명 속임수

Emma **cheated** on her final exams.

Emma는 기말고사에서 부정행위를 했다.

⊖ **deceive**

08 * extraordinary
[ikstrɔ́ːrdənèri]

형 특별한, 비범한

Heroes are selfless people who perform **extraordinary** acts. 수능

영웅들은 특별한 행동을 하는 이타적인 사람들이다.

⊖ **remarkable, outstanding**   ⊟ **ordinary** 형 평범한, 보통의

혼동어

VS

09 ** ethnic
[éθnik]

형 민족의, 종족의

The most widespread **ethnic** cuisines are Chinese, Italian, and Mexican. 학평

가장 널리 보급된 민족 요리는 중국, 이탈리아, 멕시코식이다.

TIPS ethnic과 관련된 표현들
·ethnic group 민족 집단, 인종 집단 ·multi-ethnic society 다민족 사회

10 ** ethical
[éθikəl]

형 윤리적인, 도덕적인

Ethical and moral systems are different for every culture. 학평

윤리적, 도덕적 체계는 모든 문화마다 다르다.

⊕ **ethic** 명 윤리, 도덕
⊖ **moral**

REVIEW TEST p. 279

01 ★ fundamental
[fÀndəméntl]

형 필수적인, 근본적인

Honesty is **fundamental** for every strong relationship. (학평)
정직은 모든 강력한 관계에 필수적이다.

➕ **fundamentally** 분 근본적으로
➖ **essential**

TIPS fund(a) 기반 + ment 명·접 + al 형·접 → 기반을 이루는, 즉 근본적인

02 ★ modify
[má:dəfài]

동 바꾸다, 수정하다, 변경하다

The way to **modify** people's behavior depends on their perception. (학평)
사람들의 행동을 바꾸는 방법은 그들의 인식에 달려 있다.

➕ **modification** 명 수정
➖ **change, alter, adjust**

03 ★ instinct
[ínstiŋkt]

명 본능, 직감, 직관

Overcoming your **instinct** to avoid uncomfortable things at first is essential. (학평)
처음에 불편한 것을 피하려는 본능을 극복하는 것이 필수적이다.

➕ **instinctive** 형 본능적인, 직감적인

04 ★★★ volunteer
[vÀ:ləntíər]

명 자원봉사자 형 자발적인, 자원의 동 자원하다

In 2011, Topher White visited Indonesia as a **volunteer**. (교과서)
2011년에, Topher White는 자원봉사자로서 인도네시아를 방문했다.

➕ **voluntary** 형 자발적인

05 ★★ conscious
[ká:nʃəs]

형 의식하는, 깨닫고 있는, 지각이 있는

People taking medication need to be **conscious** of the risks.
약을 복용하는 사람들은 그 위험성에 대해 의식할 필요가 있다.

➕ **consciousness** 명 의식, 자각
➖ **aware** ➖ **unconscious** 형 무의식적인, 의식을 잃은

06 ★ tempt
[tempt]

통 유혹하다, 부추기다

People can be **tempted** by the visual appearance of food. 교과서

사람들은 음식의 시각적인 모습에 유혹될 수 있다.

⊕ **temptation** 명 유혹

07 ★ humble
[hʌ́mbl]

형 겸손한, 소박한

Remain **humble** and open-minded. 교과서

겸손하고 열린 마음을 유지해라.

⊜ **modest**

TIPS humble과 관련된 표현들
· in a humble way 겸허하게   · humble request 겸손한 요구

08 ★★★ ashamed
[əʃéimd]

형 부끄러운, 창피한

The politician was deeply **ashamed** of his past actions.

그 정치인은 그의 과거 행동이 매우 부끄러웠다.

⊕ **shame** 명 수치심 통 창피하게 하다   **shameful** 형 수치스러운, 창피한

09 ★ prejudice
[prédʒudis]

명 편견, 선입관

I try very hard to overcome my **prejudice**. 수능

나는 나의 편견을 극복하기 위해 매우 열심히 노력한다.

⊜ **bias**

다의어

10 ★★★ order
[ɔ́:rdər]

I'd like to **order** some T-shirts for my club. 학평

저는 저희 동아리를 위해 몇몇 티셔츠를 주문하고 싶습니다.

He **ordered** his bodyguards to stay behind. 교과서

그는 그의 경호원들에게 뒤에 남아 있으라고 명령했다.

Put the words in the correct **order**. 교과서

단어를 올바른 순서로 놓으세요.

Responsible citizens keep **order**. 교과서

책임감 있는 시민들은 질서를 지킨다.

⊕ **orderly** 형 정돈된, 질서 있는

REVIEW TEST p. 279

DAY 10

문제와 해결책

음성 바로 듣기

01
★★
welfare
[wélfɛər]

명 복지, 안녕

We need to keep a balance between human pleasure and animal **welfare**.

우리는 인간의 즐거움과 동물 복지의 균형을 유지할 필요가 있다.

● **well-being**

TIPS welfare와 관련된 표현들
·social welfare 사회 복지 ·welfare state 복지 국가

02
★★
victim
[víktim]

명 피해자, 희생자

Your donation will help the **victims** of the tornado. 학평

당신의 기부는 토네이도의 피해자들을 도와줄 것이다.

⊕ **victimize** 통 부당하게 괴롭히다

03
★★★
population
[pàːpjuléiʃən]

명 인구, 주민

In late 18th-century England, **population** growth and technological advances happened together. 수능

18세기 후반의 영국에서는, 인구 증가와 기술적 발전이 함께 일어났다.

⊕ **populate** 통 살다, 거주하다 **populous** 형 인구가 많은

04
★★★
neighbor
[néibər]

명 이웃, 이웃 사람

Observing simple regulations and helping **neighbors** in need can prevent a lot of tragic accidents. 교과서

간단한 규정을 준수하고 어려움에 처한 이웃을 돕는 것은 많은 비극적인 사고를 예방할 수 있다.

⊕ **neighborhood** 명 근처, 인근

05
★★★
ignore
[ignɔ́ːr]

통 무시하다, 묵살하다

We may do harm to others and **ignore** their pain. 교과서

우리는 다른 사람들에게 해를 끼치고 그들의 고통을 무시하는지도 모른다.

⊕ **ignorance** 명 무지, 무식
● **neglect**

---

06 ★★★ donate
[dóuneit]

동 기부하다, 기증하다

We can **donate** our time or talents by volunteering. 학평

우리는 자원봉사를 함으로써 우리의 시간이나 재능을 기부할 수 있다.

✚ **donation** 명 기부 **donator** 명 기부자
✚ **contribute**

07 ★★★ serious
[síəriəs]

형 심각한, 중대한, 진지한

Workers in manufacturing jobs are likely to suffer **serious** health problems. 수능

제조업 종사자들은 심각한 건강 문제를 겪을 가능성이 있다.

✚ **seriously** 부 심각하게
✚ **severe**

08 ★ fund
[fʌnd]

명 기금, 자금 동 자금을 대다

I'd like to ask for your donation to our disaster relief **fund**. 수능

저는 저희 재난 구호 기금에 여러분의 기부를 요청하고 싶어요.

✚ **finance, capital**

TIPS **fund**와 관련된 표현들
· raise funds 자금을 모으다 · charity funds 자선 기금
· political fund 정치 자금

혼동어

VS

09 ★★★ personal
[pə́:rsənəl]

형 개인의, 개인적인

We need specially trained senior care providers to provide **personal** care for the elderly. 교과서

우리는 노인들을 위한 개인 돌봄을 제공하기 위해 특별히 훈련된 노인 요양 서비스 제공자가 필요하다.

✚ **person** 명 개인, 사람 **personality** 명 성격, 개성
✚ **private, individual**

10 ★ personnel
[pə̀:rsənél]

명 인사과, 직원

Send your résumé and salary requirements to director of **personnel**. 수능

이력서와 급여 요건을 인사과 관리자에게 보내세요.

✚ **human resources**

REVIEW TEST p. 280

문제와 해결책

01 half ***
[hæf]

명 절반, 반

More than **half** of Americans are overweight. 학평

미국인의 절반 이상은 과체중이다.

02 concern ***
[kənsə́:rn]

명 걱정, 관심, 중요성 **통** 관계가 있다, 걱정시키다

Some residents express **concern** that tourists may cause traffic congestion. 수능

일부 주민들은 관광객들이 교통 혼잡을 일으킬 수 있다고 걱정을 표현한다.

➕ **concerned** 형 우려하는 **concerning** 전 ~에 관하여

TIPS concern과 관련된 표현들
· be concerned with ~에 관심이 있다
· be concerned about ~에 대해 걱정하다

03 rescue **
[réskju:]

명 구조, 구출 **통** 구하다, 구조하다

The first **rescue** worker was sent down to the miners. 교과서

첫 번째 구조 대원이 광부들에게 내려보내졌다.

04 critic *
[krítik]

명 비평가, 평론가

The **critics** are unaware of the real nature of social science.

그 비평가들은 사회과학의 본질을 알지 못한다.

➕ **critical** 형 비판적인 **criticize** 통 비판하다, 비난하다
➖ **reviewer**

05 charity **
[tʃǽrəti]

명 자선, 자선 단체

Many students participated in the event for **charity**. 학평

많은 학생들이 자선 행사에 참여했다.

➕ **charitable** 형 자선을 베푸는

06 ★ rage
[reidʒ]

囵 분노, 격노, 맹렬 동 분노하다, 격노하다

The **rage** of the protestors made the city officials nervous.

시위자들의 분노는 시 공무원을 불안하게 만들었다.

⊖ fury, anger

07 ★★★ afford
[əfɔ́ːrd]

동 여유가 있다, 할 수 있다

She could not **afford** to pay the hospital expenses. 학평

그녀는 병원 비용을 지불할 여유가 없었다.

⊕ **affordable** 형 감당할 수 있는

08 ★ unite
[juːnáit]

동 단결하다, 연합하다

Students across the country **united** to demand lower tuition fees.

전국의 학생들은 더 낮은 등록금을 요구하기 위해 단결했다.

⊕ **united** 형 연합된 **unity** 명 통합, 통일

09 ★ orphan
[ɔ́ːrfən]

명 고아 동 고아로 만들다

He was an **orphan**, and not knowing where to turn for money, he came up with a bright idea. 학평

그는 고아였고, 돈을 어디서 구해야 할지 몰랐는데, 그는 좋은 생각을 떠올렸다.

⊕ **orphanage** 명 고아원

다의어

10 ★★★ bear
[bɛər]

The strain is hard to **bear**. 수능

그 긴장감은 견디기 힘들다.

Charlie was **born** at an animal shelter. 학평

Charlie는 동물 보호소에서 태어났다.

The shelf **bears** the weight of many large books.

그 선반은 많은 큰 책들의 무게를 지탱한다.

⊕ **bearable** 형 견딜만한

REVIEW TEST p. 280

DAY 10 문제와 해결책

01
★
□ □ □
abandon
[əbǽndən]

통 버리다, 유기하다

There are so many dogs **abandoned** by their owners. (학평)

그들의 주인에 의해 버려진 매우 많은 개들이 있다.

➕ **abandonment** 명 유기
➖ **desert**

02
★★
□ □ □
crash
[kræʃ]

명 (충돌) 사고, 추락 통 충돌하다, 추락하다

The firefighter was busy rescuing people at the **crash** scene. (교과서)

그 소방관은 사고 현장에서 사람들을 구조하느라 바빴다.

➖ **collision**

03
★★★
□ □ □
promote
[prəmóut]

통 홍보하다, 증진시키다

They made a simple website to **promote** their bakery. (교과서)

그들은 그들의 빵집을 홍보하기 위해 간단한 웹사이트를 만들었다.

➕ **promotion** 명 홍보, 승진   **promotional** 형 홍보의
➖ **advertise, encourage**

04
★★★
□ □ □
decade
[dékeid]

명 10년, 10년간

In the last five **decades**, an average of one piece of space junk has fallen to the Earth each day. (교과서)

지난 50년 동안, 매일 평균 한 조각의 우주 쓰레기가 지구로 떨어졌다.

TIPS decade와 관련된 표현들
·for decades 수십 년간   ·in the next decade 향후 십 년간

05
★★★
□ □ □
establish
[istǽbliʃ]

통 설립하다, 수립하다, 제정하다

A scholarship fund was **established** to support young athletes.

장학 기금은 어린 운동선수들을 지원하기 위해 설립되었다.

➕ **establishment** 명 설립, 기관
➖ **found**

---

88 영어 실력을 높여주는 다양한 학습 자료 제공 HackersBook.com

06 ★★ burden
[bə́:rdn]

명 부담, 짐 **동** 부담을 지우다

I'd love to support a child, but the cost is a bit of a **burden** to me. (학평)

나는 한 아이를 후원하고 싶지만, 그 비용은 나에게 약간의 부담이다.

⊕ **burdensome** 형 부담스러운
⊖ **load, trouble**

07 ★ assist
[əsíst]

동 돕다, 거들다, 원조하다

Pets & People is an organization that **assists** pets in danger. (학평)

Pets & People은 위험에 처한 반려동물을 돕는 단체이다.

⊕ **assistant** 명 조수 **assistance** 명 원조
⊖ **help, aid**

08 ★ resolve
[rizá:lv]

동 해결하다, 결심하다, 분해하다

I would be grateful if you could **resolve** the matter quickly. (학평)

나는 당신이 그 문제를 빨리 해결해 주면 고마울 거예요.

⊕ **resolution** 명 결의안
⊖ **solve**

PROBLEM

TIPS resolve와 관련된 표현들
·resolve conflict 갈등을 해결하다 ·resolve doubts 의문을 해소하다

혼동어

09 ★★ detect
[ditékt]

동 탐지하다, 발견하다

Many dogs are trained to sniff and **detect** explosive materials in passengers' luggage. (학평)

많은 개들이 냄새를 맡아 승객들의 짐에서 폭발물을 탐지하도록 훈련된다.

⊕ **detection** 명 발견, 탐지 **detective** 명 형사
⊖ **discover**

VS

10 ★★ defeat
[difí:t]

동 패배시키다, 물리치다 **명** 패배

Using advanced weapons, the army **defeated** the enemy.

강화된 무기를 사용하여, 군대는 적군을 패배시켰다.

⊕ **defeated** 형 패배한
⊖ **beat**

REVIEW TEST p. 281

01 ★★ capture
[kǽptʃər]

동 붙잡다, 포획하다 **명** 생포, 구금

African people were **captured** in local wars and sold into slavery.

아프리카 사람들은 국지전에서 붙잡혀 노예로 팔렸다.

➕ **captive** 혱 감금된 **captivity** 몡 포로, 속박
➖ **catch**

02 ★★★ perspective
[pərspéktiv]

명 관점, 시각, 원근법

Look at an old problem from a new **perspective.** 교과서

새로운 관점에서 오래된 문제를 바라보아라.

➖ **outlook, view**

TIPS perspective와 관련된 표현들
·global perspective 세계적인 관점 ·from a historical perspective 역사적인 관점에서

03 ★★ desperate
[déspərət]

형 필사적인, 절망적인

Refugees from the war zone were **desperate** to find safe refuge. 학평

전쟁 지역에서 온 난민들은 안전한 피난처를 찾기 위해 필사적이었다.

➕ **desperately** 閉 절망적으로, 몹시 **despair** 몡 절망 동 절망하다

04 ★ apparent
[əpǽrənt]

형 겉으로 보이는, 명백한

An individual's **apparent** calm may be a mask for anxiety.

개인의 겉으로 보이는 침착함은 불안감에 대한 가면일 수 있다.

➕ **apparently** 閉 명백히
➖ **outward, obvious**

05 ★ contradict
[kàːntrədíkt]

동 모순되다, 반박하다

The evidence **contradicted** the witness's story.

그 증거는 증인의 이야기와 모순되었다.

➕ **contradiction** 몡 모순 **contradictory** 혱 모순된

06 ★ aggressive
[əgrésiv]

형 공격적인, 적극적인

Violent games cause **aggressive** behavior in children. (교과서)
폭력적인 게임은 아이들에게 공격적인 행동을 유발한다.

⊕ **aggressively** 및 공격적으로　**aggression** 명 공격, 침략
⊟ **defensive** 형 방어적인

07 ★ companion
[kəmpǽnjən]

명 친구, 동반자, 동행

Having a close **companion** can prevent loneliness and depression.
친한 친구를 갖는 것은 외로움과 우울증을 예방해 줄 수 있다.

⊕ **companionship** 명 동료애, 우정
⊜ **friend, partner**

08 ★ compromise
[kɑ́:mprəmàiz]

동 타협하다, 화해시키다　명 타협, 양보

The agent agreed to **compromise** on the group tour fee.
대행사는 단체 관광 요금에 타협하기로 동의했다.

09 ★★ commitment
[kəmítmənt]

명 약속, 헌신, 전념

Adopting at child is a serious **commitment** that must be considered carefully.
아이를 입양하는 것은 신중하게 고려되어야 하는 진지한 약속이다.

⊕ **commit** 동 약속하다, 떠맡다
⊜ **dedication, devotion**

다의어

10 ★★★ stock
[stak]

> 명 재고(품)

> 명 주식, 증권

The electronics store has a large **stock** of laptop computers.
그 전자제품 매장은 노트북의 많은 재고를 가지고 있다.

Investing in the **stock** market can be a risk. (학평)
주식 시장에 투자하는 것은 위험일 수 있다.

TIPS stock과 관련된 표현들
·out of stock 재고가 없는, 품절되어　·stock price 주가

REVIEW TEST p. 281

PART 3
문화&예술

01 ★★★ publish
[pʌ́bliʃ]

동 출판하다, 발행하다

We are looking for writers who have already **published** several titles.

우리는 이미 여러 책을 출판한 작가들을 찾고 있다.

➕ **publisher** 명 출판사

02 ★★★ literature
[lítərətʃər]

명 문학, 문예, 문헌

Sigrid Undset received the Nobel Prize for **Literature** in 1928. 학평

시그리드 운세트는 1928년에 노벨 문학상을 받았다.

➕ **literary** 형 문학의

TIPS 문학과 관련된 단어들
·poetry 시 ·prose 산문 ·biography 전기 ·essay 수필 ·epic 서사시 ·mythology 신화

03 ★★★ fiction
[fíkʃən]

명 소설, 창작, 허구

Theodore Taylor was the author of more than 50 **fiction** books. 학평

Theodore Taylor는 50권이 넘는 소설책의 저자였다.

➕ **fictional** 형 소설의, 허구인
➖ **novel, tale**

04 ★★★ author
[ɔ́:θər]

명 작가, 저자 동 쓰다, 저술하다

The **authors** selected the content according to their own worldview. 수능

작가들은 그들만의 세계관에 따라 콘텐츠를 선정했다.

➕ **authority** 명 권한 **authorize** 동 권한을 부여하다
➖ **writer**

해커스보카 고등 기본

05 ★★ symbol
[símbəl]

몡 상징(물), 부호, 기호

The dragon is a symbol of good luck here in Korea. 학평

용은 여기 한국에서 행운의 상징이다.

➕ symbolic 혱 상징하는   symbolize 동 상징하다
➖ sign

06 ★★ plot
[plɑːt]

몡 줄거리, 구성, 음모 동 몰래 꾸미다, 계획하다

The plot of the book includes many twists that may surprise readers.

그 책의 줄거리는 독자들을 놀라게 할 수도 있는 많은 반전을 포함한다.

➖ story, plan

07 ★ collaborate
[kəlǽbərèit]

동 협력하다, 공동으로 작업하다

Da Vinci made his sketches individually, but he collaborated with other people to add the finer details. 학평

다빈치는 개인적으로 스케치를 만들었지만, 더 세밀한 디테일을 추가하기 위해 그는 다른 사람들과 협력했다.

➕ collaboration 몡 협력, 공동 작업
➖ cooperate

혼동어

08 ★ statue
[stǽtʃuː]

몡 조각상

I can't believe this statue is made of stone. 학평

나는 이 조각상이 돌로 만들어졌다는 것을 믿을 수 없다.

➖ sculpture

VS

09 ★★★ state
[steit]

몡 상태, 사정, 지위 동 말하다, 진술하다

Your emotional state can reflect itself in your posture. 교과서

당신의 감정 상태는 그 자체를 당신의 자세에 반영할 수 있다.

➕ statement 몡 진술, 발언

10 ★★ status
[stéitəs]

몡 지위, 신분, 상태

Minorities tend not to have much power or status. 수능

소수 민족은 큰 권력이나 지위를 가지지 못하는 경향이 있다.

➖ position

TIPS status와 관련된 표현들
·status quo 현 상황   ·status symbol 지위의 상징

REVIEW TEST p. 282

DAY 11 예술과 문학 ① ② ③ ④

01 ★★★ fit
[fit]

동 어울리다, 맞다 형 어울리는, 건강한

Filmmakers cut out scenes that didn't **fit** the movie well. 수능

영화 제작자들은 그 영화에 잘 어울리지 않았던 장면들을 잘라냈다.

⊜ suit, match

TIPS fitted의 형태로 쓰일 경우 '꼭 맞는, 적합한'이라는 의미를 나타내요.

02 ★★★ movement
[múːvmənt]

명 [정치·사회적] 운동, 움직임, 동향

Rene Magritte belonged to an art **movement** called Surrealism. 교과서

르네 마그리트는 초현실주의라고 불리는 예술 운동에 속했다.

⊕ move 동 움직이다
⊜ campaign, action, motion

03 ★★★ brilliant
[bríljənt]

형 훌륭한, 뛰어난

For years, Gwyneth Leech has turned used coffee cups into **brilliant** art. 교과서

수년 동안, Gwyneth Leech는 사용된 커피 컵을 훌륭한 예술 작품으로 바꾸었다.

⊕ brilliantly 부 훌륭하게
⊜ excellent, splendid

04 ★★ prior
[práiər]

형 이전의, 앞의

Prior to the Renaissance, objects in paintings were flat. 수능

르네상스 이전에, 그림 속 사물들은 평평했다.

⊕ priority 명 우선 사항
⊜ former, previous

05 ★★ outline
[áutlàin]

명 윤곽, 개요 동 ~의 윤곽을 그리다

John started to draw the **outline** of the zebra's body. 학평

John은 얼룩말 몸통의 윤곽을 그리기 시작했다.

06 ★★ sort
[sɔːrt]

명 종류, 유형 **동** 분류하다, 해결하다

Writing can show what sort of mood a person is in. 학평
글쓰기는 한 사람이 어떤 종류의 기분인지를 보여줄 수 있다.

⊜ kind, type

07 ★★ portrait
[pɔ́ːrtrit]

명 초상화, 인물 사진

A portrait of an old lady wearing three medals on her left breast was discovered in 2003. 교과서
왼쪽 가슴에 세 개의 메달을 달고 있는 노부인의 초상화가 2003년에 발견되었다.

⊕ portray **동** 그리다, 묘사하다
⊜ painting

TIPS 그림 작품과 관련된 단어들
·landscape 풍경화 ·sculpture 조각품 ·abstract 추상화

08 ★★ tale
[teil]

명 이야기, 설화, 동화

The tale of Peter Pan's adventures is popular with children.
피터팬의 모험 이야기는 어린이들에게 인기가 있다.

⊜ story

09 ★★★ add
[æd]

동 더하다, 추가하다

Artists add their own creative touches to projects. 교과서
예술가들은 프로젝트에 자신들 고유의 창조적인 솜씨를 더한다.

⊕ addition **명** 덧셈, 추가   additional **형** 추가의

다의어

10 ★★ volume
[vά:lju:m]

명 양, 용량, 부피

소리의 양 **명** 음량

명 (전집류 등의) 권, 책

The volume of cash transactions dropped. 교과서
현금 거래량이 감소했다.

Your ears can be damaged if a high volume sound goes directly into them. 학평
당신의 귀는 높은 음량의 소리가 그것에 직접 들어가면 손상될 수 있다.

The final volume of the fantasy series was released in 2007. 학평
그 판타지 시리즈의 마지막 권은 2007년에 출간되었다.

REVIEW TEST p. 282

예술과 문학
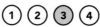
① ② ③ ④

01
★★
wisdom
[wízdəm]

📖 지혜, 슬기, 현명함

Whenever I turned to the book, it gave me **wisdom.** 〔학평〕
내가 그 책을 펼 때마다, 그것은 나에게 지혜를 주었다.

➕ **wise** 혱 지혜로운

02
★
impressed
[imprést]

혱 깊은 인상을 받은, 감명을 받은

We're **impressed** by the well-preserved rock paintings. 〔교과서〕
우리는 잘 보존된 암각화에 깊은 인상을 받았다.

➕ **impression** 명 인상, 감명

TIPS 'be impressed with'의 형태로 쓰일 경우 '~에 감동을 받다'라는 의미를 나타내요.

03
★★
emphasize
[émfəsaiz]

동 강조하다, 역설하다

The model tried to **emphasize** the soft line of the dress. 〔학평〕
그 모델은 드레스의 부드러운 라인을 강조하기 위해 노력했다.

➕ **emphasis** 명 강조, 중요성
➖ **stress, highlight**

04
★
bold
[bould]

혱 과감한, 선명한, 굵은

Gaudi's work is known for its use of **bold** colors. 〔교과서〕
가우디의 작품은 과감한 색채의 사용으로 알려져 있다.

➕ **boldly** 부 과감하게
➖ **drastic**

05
★
admire
[ædmáiər]

동 감탄하다, 존경하다, 칭찬하다

She **admired** the work of Edgar Degas. 〔학평〕
그녀는 에드가 드가의 작품에 감탄했다.

➕ **admiration** 명 감탄, 존경   **admirable** 혱 존경스러운
➖ **respect**

---

06 ★ vivid
[vívid]

형 선명한, 생생한

The vivid colors of the flowers are captured perfectly in the photograph.

그 꽃들의 선명한 색들이 사진에 완벽하게 담겨 있다.

⊕ **vividly** 閉 생생하게 **vividness** 圏 생생함
⊖ **colorful** ⊟ **dull** 圏 흐릿한, 분명하지 않은

07 ★ multiple
[mʌ́ltəpl]

형 여러, 다수의

The ability to decide what to do in what order is an essential skill to fulfill multiple social roles. 수능

어떤 순서로 무엇을 해야 할지 결정하는 능력은 여러 사회적 역할을 수행하는 데 필수적인 기술이다.

⊕ **multiply** 圄 곱하다, 증대하다 **multiplication** 圏 곱셈, 증대
⊖ **many, several**

TIPS multiple과 관련된 표현들
·multiple choice test 객관식 시험 ·multiple business 다각적 경영

08 ★ profound
[prəfáund]

형 깊은, 심오한

His time abroad had a profound effect on his drawings.

해외에서 그의 시간은 그의 그림에 깊은 영향을 미쳤다.

⊕ **profoundly** 閉 깊이
⊖ **deep**

혼동어

09 ★★★ terrible
[térəbl]

형 형편없는, 끔찍한

I want to talk more, but my pronunciation is terrible. 수능

나는 더 많은 이야기를 하고 싶지만, 내 발음이 형편없다.

⊕ **terribly** 閉 대단히, 몹시
⊖ **awful**

VS

10 ★★ terrific
[tərífik]

형 아주 멋진, 훌륭한

I like the terrific songs and plot of The Phantom of the Opera. 교과서

나는 '오페라의 유령'의 아주 멋진 노래와 줄거리를 좋아한다.

⊖ **excellent**

REVIEW TEST p. 283

예술과 문학

01
★
calculate
[kǽlkjulèit]

图 계산하다, 추정하다

In ballet, dancers calculate distances between themselves and other dancers. 수능

발레에서, 댄서들은 자신과 다른 댄서들 사이의 거리를 계산한다.

➕ **calculation** 图 계산, 추정   **calculator** 图 계산기
➖ compute

02
★★★
opportunity
[à:pərtjú:nəti]

图 기회

It will be a great opportunity to meet the artist in person. 학평

이것은 그 예술가를 직접 만날 좋은 기회가 될 것이다.

➖ chance

03
★★
poetry
[póuitri]

图 시, 시가, 운문

Rhyming is an important element of some types of poetry.

운율은 몇몇 종류의 시에서 중요한 요소이다.

➕ **poet** 图 시인   **poem** 图 (한 편의) 시

04
★★
recall
[rikɔ́:l]

图 회상하다, 기억해 내다 图 기억, 회수

Many famous writers have kept diaries to recall the past.

많은 유명한 작가들은 과거를 회상하기 위해 일기를 써왔다.

➖ remember, recollect

05
★★
inferior
[infíəriər]

图 열등한, 하위의

They criticized the painting for being inferior to the artist's earlier work.

그들은 화가의 초기 작품보다 열등하다는 것으로 그 그림을 비판했다.

◻ **superior** 图 우월한

TIPS 일반적으로 비교급을 표현할 때 비교 대상 앞에 than이 오지만, 라틴어에서 유래한 inferior/superior 등과 같은 단어는 비교 대상 앞에 전치사 to가 와요.

해커스 보카 고등 기본

06 ★★★ spirit
[spírit]

명 영혼, 정신, 마음

Art enriches our spirit. (수능)
예술은 우리의 영혼을 풍요롭게 해준다.

⊕ spiritual 형 정신적인
⊖ soul

07 ★★ fade
[feid]

동 시들해지다, 바래다, 희미해지다

The popularity of her work faded after her death. (교과서)
그녀의 작품의 인기는 그녀의 죽음 이후 시들해졌다.

08 ★★ generation
[dʒènəréiʃən]

명 세대, 동시대의 사람들, 발생

It can help inspire a young generation to make a difference. (교과서)
그것은 젊은 세대가 변화를 일으키도록 영감을 주는 데 도움이 될 수 있다.

⊕ generate 동 발생시키다

09 ★ masterpiece
[mǽstərpìːs]

명 작품, 걸작

A robot turned a canvas into a beautiful masterpiece. (교과서)
로봇이 캔버스를 아름다운 작품으로 만들었다.

다의어

10 ★★★ figure
[fígjər]

명 수치, 숫자

명 인물 ── 인물의 모습 명 형상, 형태

동 생각하다, 판단하다

The figures show how successful the two movies were. (수능)
그 수치는 두 영화가 얼마나 성공적이었는지를 보여준다.

I will write about historical figures. (교과서)
나는 역사적 인물에 대해 쓸 것이다.

The public laughed at Rousseau's flat, seemingly childish style of portraying human figures. (수능)
대중들은 루소의 납작하고 유치해 보이게 인간 형상을 묘사하는 스타일을 비웃었다.

I figured that my picture had been taken for speeding. (학평)
나는 내 사진이 속도위반으로 찍혔다고 생각했다.

REVIEW TEST p. 283

미디어와 음악

음성 바로 듣기

01
★★★
perform
[pərfɔ́:rm]

🔵 공연하다, 수행하다

The singer will **perform** at the large auditorium downtown.

그 가수는 시내의 큰 음악당에서 공연할 것이다.

➕ **performance** 몡 공연, 수행, 실적   **performer** 몡 연기자

TIPS '수행하다'를 뜻하는 단어의 의미를 구별하여 함께 외워보세요.
· perform (다른 사람이 맡긴 일 · 업무 등을) 수행하다
· conduct (조사 · 검사 · 업무 등을) 수행하다

02
★★★
feature
[fí:tʃər]

🔵 출연하다, 특징으로 삼다 🔵 특징, 기능

The virtual choir **featured** 2,292 young singers from 80 countries. 교과서

이 가상 합창단은 80개국의 젊은 가수들 2,292명이 출연했다.

⊖ **star, participate**

03
★★★
genre
[ʒɑ́:nrə]

🔵 장르, 유형, 형식

Action movies are more popular than any other film **genre**. 학평

액션 영화는 어떤 다른 영화 장르보다 더 인기가 있다.

⊖ **type**

04
★★
instrument
[ínstrəmənt]

🔵 악기, 기구, 기계

Composers choose the sound of different **instruments** to produce their music. 수능

작곡가들은 그들의 음악을 제작하기 위해 서로 다른 악기의 소리를 선택한다.

➕ **instrumental** 몡 악기에 의한, 도움이 되는

05
★★
broadcast
[brɔ́:dkæst]

🔵 방송하다, 방영하다 🔵 방송

Television stations **broadcast** all day and all night. 학평

텔레비전 방송국들은 하루 종일 방송을 한다.

➕ **broadcasting** 몡 방송, 방송업

---

06 ★ artwork
[ɑ́ːrtwə̀rk]

명 예술 작품, 미술품

Music has played a key role in the creation of some artwork. 교과서

음악은 몇몇 예술 작품의 창작에 중요한 역할을 해왔다.

07 ★★★ suit
[suːt]

동 어울리다, 맞다　**명** 정장, 소송

The upbeat music played during the parade suited the joyful occasion.

퍼레이드 중에 연주된 흥겨운 음악은 즐거운 행사에 어울렸다.

➊ **suitable** 형 적합한, 적절한
➋ **match, fit**

TIPS　suit는 '상태'를 나타내는 동사이므로, 진행 시제로 쓸 수 없다는 것에 주의하세요.

08 ★★★ inspire
[inspáiər]

동 영감을 주다, 고무하다

A painting can inspire a musician to create music. 교과서

그림은 음악가가 음악을 창조하도록 영감을 줄 수 있다.

➊ **inspiration** 명 영감
➋ **motivate, encourage**

혼동어

VS

09 ★★★ belief
[bilíːf]

명 신념, 믿음, 생각

My belief is that all music has an expressive power. 수능

나의 신념은 모든 음악은 표현 능력이 있다는 것이다.

➊ **believe** 동 믿다
➋ **faith, trust**　➌ **disbelief** 명 불신

10 ★★ brief
[briːf]

형 간단한, 잠깐의　**동** ~에게 알려주다

Our message to you is brief, but important. 학평

당신을 향한 우리의 메시지는 간단하지만, 중요하다.

➊ **briefly** 부 잠시, 간단히
➋ **short**

REVIEW TEST p. 284

미디어와 음악

01
★★★
upset
[ʌ̀psét]

휑 화가 난, 속상한 **됭** 당황하게 하다, 뒤엎다

Many fans were upset when the popular musician canceled the concert.

많은 팬들은 인기 있는 음악가가 콘서트를 취소했을 때 화가 났다.

➕ **upsetting** 휑 속상하게 하는

02
★★★
respond
[rispáːnd]

됭 반응하다, 대답하다

Music is diverse, and people respond in different ways. 수능

음악은 다양하며, 사람들은 서로 다른 방식으로 반응한다.

➕ **response** 휑 반응, 대답
➖ **react, answer**

03
★★
steady
[stédi]

휑 안정된, 꾸준한

Without a steady job, Mozart supported himself in Vienna by writing operas. 학평

안정된 직업 없이, 모차르트는 비엔나에서 오페라를 쓰면서 스스로를 부양했다.

➕ **steadily** 휘 끊임없이 **steadiness** 휑 꾸준함
➖ **continuous, constant**

TIPS steady와 관련된 표현들
· steady increase 꾸준한 증가 · steady income 고정 소득

04
★★
dislike
[disláik]

됭 싫어하다, 좋아하지 않다 **휑** 반감, 혐오

Most critics disliked the new album released by the band.

대부분의 비평가들은 그 밴드에 의해 발매된 새 앨범을 싫어했다.

➖ **hate** ◻ **like** 됭 좋아하다

05
★★
define
[difáin]

됭 정의하다, 규정하다

There have been many attempts to define what music is. 수능

음악이 무엇인지 정의하려는 많은 시도들이 있어왔다.

➕ **definition** 휑 정의, 의미 **definite** 휑 확실한, 분명한

---

06 ★ celebrity
[səlébrəti]

몡 유명인, 연예인

The business used the celebrity to market their products.
그 기업은 그들의 제품을 광고하기 위해 유명인을 이용했다.

07 ★★ genius
[dʒíːnjəs]

몡 천재, 천재성

Beethoven was a musical genius who produced a number of amazing compositions.
베토벤은 많은 놀라운 작품을 창작한 음악 천재였다.

08 ★★ visual
[víʒuəl]

혱 시각의, 눈에 보이는

The influence of music on the visual arts can be best seen with Kandinsky. 교과서
시각 예술에 대한 음악의 영향은 칸딘스키에게서 가장 잘 보일 수 있다.

➕ visually 및 시각적으로   visualize 동 시각화하다
➖ optical

09 ★ compose
[kəmpóuz]

동 작곡하다, 구성하다, 만들다

Mozart started to compose music at the age of four. 교과서
모차르트는 4살 때 음악을 작곡하기 시작했다.

➕ composer 몡 작곡가   composition 몡 작곡, 구성 요소

TIPS compose와 관련된 표현들
·be composed of ~으로 구성되어 있다   ·compose an opera 오페라를 작곡하다

다의어

10 ★★★ deal
[diːl]

동 다루다, 대처하다	물건을 사고팔며 다루다 동 취급하다, 거래하다
	몡 거래

Music helps me deal with stress. 학평
음악은 내가 스트레스를 다루는 데 도움이 된다.

The Foley Corporation deals mostly in electronics.
Foley사는 주로 전자제품을 취급한다.

Cindy was about to close an important business deal. 학평
Cindy는 중요한 사업 거래를 막 끝내려는 참이었다.

REVIEW TEST p. 284

DAY 12 미디어와 음악

---

01 ★ poll
[poul]

명 투표, 여론 조사 동 여론 조사를 하다

I just took part in an Internet **poll** for the best animation. 학평

나는 최고의 애니메이션에 대한 인터넷 투표에 방금 참여했다.

● vote, survey

---

02 ★★ pitch
[pitʃ]

명 음높이, 음조, 정점

A humid setting can help singers achieve the right **pitch**. 학평

습한 환경은 가수들이 올바른 음높이를 달성하는 데 도움을 줄 수 있다.

● tone

TIPS pitch와 관련된 표현들
· pitch in (자금 등을 지원하며) 협력하다   · on pitch 가장 좋은 상태로

---

03 ★ eager
[íːgər]

형 너무 ~하고 싶은, 열망하는

I'm so **eager** to see him sing in person. 수능

나는 그가 노래하는 것을 직접 너무 보고 싶다.

➕ eagerly 부 간절히
● enthusiastic   ➖ uninterested 형 무관심한, 냉담한

---

04 ★★ silly
[síli]

형 우스꽝스러운, 어리석은

Marco is a **silly** cartoon character.

Marco는 우스꽝스러운 만화 캐릭터이다.

➕ silliness 명 어리석음
● stupid

---

05 furious
[fjúəriəs]

형 분노하는, 격노한

Musicians are **furious** that entire albums are illegally available online.

음악가들은 전체 앨범이 온라인에서 불법적으로 이용 가능하다는 것에 분노한다.

➕ fury 명 분노, 격노
● angry, mad

---

06 ★ barely

[béərli]

및 거의 ~하지 않게, 간신히

I can barely remember life without television. 수능

나는 텔레비전이 없는 삶을 거의 기억할 수 없다.

⊖ hardly

07 ★★ thrill

[θril]

통 황홀하게 만들다, 감격하다 **명** 황홀감, 전율

She was thrilled to see a famous artist in person. 학평

그녀는 유명한 예술가를 직접 봐서 황홀해했다.

08 ★★★ particular

[pərtíkjulər]

형 특정한, 특별한

The explanation for why a particular book becomes a hit may be simple. 학평

특정한 책이 대성공이 되는 이유에 대한 설명은 간단할 수도 있다.

⊕ particularly 및 특히
⊖ specific, certain

TIPS 'in particular'의 형태로 쓰일 경우 '특히, 특별히'라는 의미를 나타내요.

혼동어

VS

09 ★★★ constant

[ká:nstənt]

형 끊임없는, 불변의

Her constant effort helped her win the grand prize. 교과서

그녀의 끊임없는 노력이 그녀가 대상을 받는 데 도움을 주었다.

⊕ constantly 및 끊임없이
⊖ continuous **▣ occasional** 형 가끔의

10 ★★ consistent

[kənsístənt]

형 일치하는, 한결같은

A person's actions should be consistent with his ethical beliefs.

사람의 행동은 그의 윤리적 신념과 일치해야 한다.

⊕ consistency 명 일관성

REVIEW TEST p. 285

---

01 ★★
employ
[implɔ́i]

통 사용하다, 고용하다

Modern filmmakers **employ** a number of technologies to create amazing special effects.
현대의 영화 제작자들은 놀라운 특수 효과를 만들기 위해 많은 기술을 사용한다.

➕ **employment** 몡 고용 **employee** 몡 직원
➖ **use, apply**

---

02 ★
illusion
[ilúːʒən]

명 환상, 착각

Snow is made by machines to create the **illusion** of winter in Hollywood. 학평
할리우드에서 눈은 겨울의 환상을 만들어내기 위해 기계에 의해 만들어진다.

➕ **illusionist** 몡 마술사
➖ **fantasy**

---

03 ★
funeral
[fjúːnərəl]

명 장례식 **형** 장례식의

People associate certain kinds of music with sad events like **funerals**. 학평
사람들은 특정 종류의 음악을 장례식과 같은 슬픈 행사와 연관시킨다.

---

04 ★★
whisper
[hwíspər]

통 속삭이다 **명** 속삭임

It is better to **whisper** in a theater than to speak loudly.
극장에서 속삭이는 것이 큰 소리로 말하는 것보다 낫다.

---

05 ★
elaborate
[ilǽbərət]

형 정교한, 공들인 **통** 자세히 설명하다

The actress wore an **elaborate** Victorian gown to the Met Gala.
그 여배우는 멧 갈라에 정교한 빅토리아 시대 드레스를 입고 갔다.

➖ **detailed, sophisticated**

06 ★ bunch
[bʌntʃ]

명 많은 수, 묶음, 다발

A bunch of people gathered to listen to the concert.
많은 수의 사람들이 콘서트를 듣기 위해 모였다.

● group

07 ★★★ atmosphere
[ǽtməsfiər]

명 분위기, 대기, 공기

Good music in the office changes the whole atmosphere. 학평
사무실 내의 좋은 음악은 전체 분위기를 바꾼다.

⊕ atmospheric **형** 대기의, 분위기 있는
● mood

TIPS atmo 공기 + sphere 구 → 지구를 둘러싼 공기인 대기, 상황을 둘러싼 분위기

08 ★★★ escape
[iskéip]

동 도망가다, 탈출하다 **명** 탈출, 모면

People often escape from reality through movies. 학평
사람들은 종종 영화를 통해 현실로부터 도망간다.

● flee, evade

09 ★★ cultivate
[kʌ́ltəvèit]

동 재배하다, 경작하다, 구축하다

In the movie, he employs some innovative methods to cultivate potatoes on Mars. 교과서
영화에서, 그는 화성에서 감자를 재배하기 위해 몇몇 혁신적인 방법을 사용한다.

⊕ cultivation **명** 재배, 경작

다의어

10 ★ cast
[kæst]

동 던지다, 내던지다

명 출연진, 배역

The ship's captain cast a rope to the man in the water.
배의 선장은 물속에 있는 남자에게 밧줄을 던졌다.

The cast of a popular TV series will appear on the talk show today.
인기 TV 시리즈의 출연진이 오늘 토크쇼에 출연할 것이다.

REVIEW TEST p. 285

DAY 13

문화와 종교

---

01 ★★★
represent
[rèprizént]

동 대표하다, 나타내다, 상징하다

The hanok **represents** the beauty of old Korea. 교과서
한옥은 옛 한국의 아름다움을 대표한다.

⊕ **representative** 명 대표자 형 대표하는 **representation** 명 묘사, 표현
⊖ **symbolize, express**

---

02 ★★★
exhibit
[igzíbit]

명 전시회, 전시(품) 동 전시하다, 드러내다

I can imagine why people love the **exhibit** of modern paintings. 수능
나는 왜 사람들이 현대 회화 전시회를 좋아하는지 짐작할 수 있다.

⊕ **exhibition** 명 전시회

TIPS ex 밖으로 + hib(it) 가지다 → 가진 것을 밖으로 내놓아 보여주다, 즉 전시하다

---

03 ★★
minister
[mínəstər]

명 장관, 성직자

My parents had invited the **minister**'s family over for Christmas Eve dinner. 학평
우리 부모님은 장관의 가족을 크리스마스이브 저녁 식사에 초대했었다.

---

04 ★★
vary
[vέəri]

동 다르다, 다양하다, 변화하다

Table manners **vary** from place to place. 교과서
식사 예절은 장소마다 다르다.

⊕ **various** 형 다양한 **variation** 명 차이, 변화
⊖ **differ**

---

05 ★★★
tribe
[traib]

명 부족, 종족

In the South American rainforest, there is a **tribe** called the Desana. 학평
남아메리카 열대우림에는 Desana라고 불리는 부족이 있다.

⊕ **tribal** 형 부족의

---

06 ★★★ community
[kəmjúːnəti]

명 공동체, 지역 사회

Dining was a sign of the human **community** and differentiated men from beasts. (학평)

식사는 인류 공동체의 징표였고 사람을 짐승과 구별하였다.

⊜ society

---

07 ★★★ consider
[kənsídər]

동 고려하다, 숙고하다

Advertisers should **consider** the styles of different cultures. (학평)

광고주들은 서로 다른 문화의 양식을 고려해야 한다.

⊕ **considerate** 형 사려 깊은, 배려하는 **consideration** 명 고려 사항
⊜ think, suppose

TIPS consider는 동명사를 목적어로 취하는 동사로, 'consider + 동명사'의 형태로 쓰일 경우 '~하는 것을 고려하다'라는 의미를 나타내요.

---

08 ★★★ concept
[káːnsept]

명 개념, 생각, 사상

The Amondawa tribe, which lives in Brazil, does not have a **concept** of time. (학평)

브라질에 사는 Amondawa 부족은 시간에 대한 개념을 갖고 있지 않다.

⊕ **conceptual** 형 개념의, 구상의
⊜ notion, idea

혼동어

VS

09 ★ pray
[prei]

동 기도하다, 기원하다 명 기도

I found myself **praying** to God for the first time in my life. (학평)

나는 내 인생에서 처음으로 신에게 기도하는 나를 발견했다.

⊕ **prayer** 명 기도, 기도문

---

10 ★★★ prey
[prei]

명 먹이, 사냥감, 희생자

An eagle can easily spot its **prey** from great distances.

독수리는 엄청난 거리에서도 먹이를 쉽게 발견할 수 있다.

⊜ victim, target ▣ **predator** 명 포식자, 약탈자

REVIEW TEST p. 286

DAY 13

문화와 종교

(1) (2) (3) (4)

01
★★
☐ ☐ ☐

myth
[miθ]

몡 신화, 신화적 인물

Our ancestors created **myths** about the night sky. (학평)
우리 선조들은 밤하늘에 대한 신화를 만들어냈다.

➕ **mythology** 몡 신화
➖ **legend**

02
★★★
☐ ☐ ☐

attitude
[ǽtitjùːd]

몡 태도, 자세, 사고방식

Within cultures, individual **attitudes** can vary dramatically. (학평)
문화 내에서, 개인의 태도는 극적으로 달라질 수 있다.

TIPS att(i) 적합한 + tude 명·접 → 어떤 일을 하기에 적합한 태도, 자세

03
★
☐ ☐ ☐

priest
[priːst]

몡 성직자, 사제

In the 1580s, after becoming a **priest**, Tomas Luis de Victoria returned to Spain. (학평)
1580년대에, 성직자가 된 후 토마스 루이스 데 빅토리아는 스페인으로 돌아왔다.

04
★
☐ ☐ ☐

approve
[əprúːv]

동 인정하다, 찬성하다, 승인하다

What is proper in one culture may not be **approved** of in another. (교과서)
한 문화에서 바람직한 것이 다른 것(문화)에서는 인정되지 않을 수 있다.

➕ **approval** 몡 인정, 찬성
➖ **accept, agree, permit**

05
★
☐ ☐ ☐

carve
[kɑːrv]

동 조각하다, 새기다

The exhibit featured sculptures that were **carved** from stone.
그 전시회는 돌로 조각된 조각품들을 특색으로 했다.

06 ★ primitive
[prímətiv]

형 원시의, 초기의

The cave paintings show that even primitive humans expressed themselves through art.
동굴 벽화는 원시의 인간들조차도 예술을 통해 그들을 표현했다는 것을 보여준다.

---

07 ★ invade
[invéid]

동 침략하다, 침해하다

Muslims invaded southern Europe in the eighth century. 학평
이슬람교도들은 8세기에 남유럽을 침략했다.

⊕ invasion 명 침략 invasive 형 침략적인
⊖ attack

---

08 ★ arise
[əráiz]

동 생기다, 일어나다, 나타나다

Anxieties arise when sudden cultural changes are coming. 학평
불안감은 갑작스러운 문화적 변화가 다가올 때 생긴다.

⊖ happen, occur

---

09 ★★★ register
[rédʒistər]

동 등록하다, 신고하다

There's no admission fee, but to participate, you must register in advance. 수능
입장료는 없지만, 참가하기 위해서 당신은 사전에 등록해야 한다.

⊕ registration 명 등록, 등기
⊖ enroll

TIPS register와 관련된 표현들
·register for a course 수강 신청을 하다 ·register one's birth 출생 신고를 하다

다의어

10 ★★★ custom
[kʌ́stəm]

명 관습, 풍습

명 세관, 관세

Customs are so different from culture to culture. 교과서
관습은 문화마다 너무 다르다.

He chased his dream to become an artist while living as a customs officer. 교과서
그는 세관원으로 살면서 예술가가 되고자 하는 자신의 꿈을 좇았다.

REVIEW TEST p. 286

DAY 13 문화와 종교

---

01 ★★ punish
[pʌ́niʃ]

통 벌주다, 처벌하다

The ideas about how to punish children differ from culture to culture. (수능)

아이들을 벌주는 방법에 대한 생각은 문화마다 다르다.

⊕ punishment 몝 처벌
⊖ discipline

---

02 ★★★ tie
[tai]

통 매다, 묶다, 비기다 몝 넥타이, 유대 관계

Some have difficulty learning how to tie a shoelace. (학평)

일부 사람들은 신발 끈을 매는 법을 배우는 데 어려움을 겪는다.

⊖ bind, fasten ▣ untie 통 (매듭 등을) 풀다

---

03 ★★★ indicate
[índikèit]

통 나타내다, 시사하다

Status symbols can indicate the cultural values of a society. (수능)

지위의 상징은 한 사회의 문화적 가치를 나타낼 수 있다.

⊕ indicator 몝 지표, 척도 indication 몝 암시, 조짐
⊖ show, suggest

---

04 ★★ humor
[hjúːmər]

몝 유머, 해학

Humor can easily capture people's attention. (수능)

유머는 사람들의 관심을 쉽게 사로잡을 수 있다.

⊕ humorous 혭 재미있는
⊖ comedy

---

05 ★★ stack
[stæk]

통 쌓다, 쌓아 올리다 몝 더미, 무더기

When stacked in a pile, the Joseonwangjosillok reaches the height of a 12-story building. (교과서)

한 무더기로 쌓으면, 조선왕조실록은 12층 건물의 높이에 다다른다.

⊖ pile

TIPS stack과 관련된 표현들
· stack up 계속 쌓이다 · a stack of files 파일 더미

06 ** odd
[ɑːd]

형 이상한, 특이한, 홀수의

The expression "black sheep" refers to an odd and unpopular member of a group. 교과서

'검은 양'이라는 표현은 어떤 그룹의 이상하고 인기 없는 구성원을 가리킨다.

✚ **oddly** 뷔 이상하게도
➖ strange, weird

07 * persist
[pərsíst]

동 지속되다, 고집하다

As long as that bitter root is growing on the inside, the problem will persist and keep popping up. 학평

그 쓰라린 뿌리가 내부에서 자라고 있는 한, 문제는 지속되고 계속 튀어나올 것이다.

✚ **persistence** 몡 지속성, 고집 **persistent** 혱 지속적인, 끈질긴
➖ continue

08 * insight
[ínsàit]

몡 통찰(력), 간파, 식견

We can gain insight through both myths and scientific explanations. 교과서

우리는 신화와 과학적 설명 둘 다를 통해 통찰력을 얻을 수 있다.

✚ **insightful** 혱 통찰력 있는
➖ understanding

TIPS insight와 관련된 표현들
·keen insight 날카로운 통찰력 ·deep insight 높은 식견 ·insight on ~에 대한 통찰력

혼동어

VS

09 *** novel
[nάːvəl]

몡 소설

I'm learning French to read my favorite novel in the original language. 교과서

나는 내가 좋아하는 소설을 원어로 읽기 위해 프랑스어를 배우고 있다.

➖ fiction, story

10 ** noble
[nóubl]

몡 귀족, 상류층 혱 고결한, 숭고한

After the war, the king made the man a noble. 학평

전쟁 후, 왕은 그 남자를 귀족으로 만들었다.

✚ **nobility** 몡 귀족, 고귀함

REVIEW TEST p. 287

DAY 13 문화와 종교

01
★★
outstanding
[àutstǽndiŋ]

형 뛰어난, 두드러진

We were amazed by the outstanding building skills of the Incan civilization. 교과서

우리는 잉카 문명의 뛰어난 건축 기술에 놀랐다.

⊕ outstand 동 눈에 띄다
⊜ excellent

02
★
resist
[rizíst]

동 저항하다, 반대하다, 참다

She had the courage to resist injustice. 교과서

그녀는 불의에 저항할 용기가 있었다.

⊕ resistance 명 저항 resistant 형 저항하는
⊜ withstand, oppose

03
★★
hesitate
[hézətèit]

동 주저하다, 망설이다

Please don't hesitate to ask for counseling services. 학평

상담 서비스를 요청하는 것을 주저하지 마세요.

⊕ hesitation 명 망설임

04
★★
protest
동[prətést]
명[próutest]

동 항의하다, 반대하다 명 항의 운동, 시위

Gandhi started fasting to protest the fighting between Hindus and Muslims. 학평

간디는 힌두교도와 이슬람교도 간의 싸움에 항의하기 위해 단식을 시작했다.

⊜ object

TIPS protest와 관련된 표현들
· protest rally 항의 시위 · non-violent protest 비폭력 시위

05
★★
restore
[ristɔ́ːr]

동 복원하다, 회복시키다

They decided to restore the 400-year-old castle to its original condition.

그들은 400년이 된 오래된 성을 원래 상태로 복원하기로 결정했다.

⊕ restoration 명 복원
⊜ repair, return

---

06 ★★ associate
[əsóuʃièit]

圄 연상하다, 결합시키다, 관련짓다 圕 동료

Pigs were traditionally associated with dirtiness. 학평

돼지는 전통적으로 더러움과 연상되었다.

➊ association 圕 협회, 연계
➋ connect, link

07 ★ heritage
[hérĭtidʒ]

圕 유산, 전통

We researched cultural heritages in Seoul.

우리는 서울에 있는 문화유산들을 조사했다.

TIPS heritage와 관련된 표현들
·cultural heritage 문화유산 ·World Heritage Site 세계 문화유산

08 ★ restriction
[ristríkʃən]

圕 제한, 규제, 한정

Some people have dietary restrictions, depending upon their religion. 교과서

몇몇 사람들은 그들의 종교에 따라 음식의 제한이 있다.

➊ restrict 圄 제한하다, 방해하다
➋ limitation, regulation

09 ★★★ perceive
[pərsíːv]

圄 인식하다, 지각하다, 이해하다

Color can impact how you perceive weight. 학평

색상은 당신이 무게를 인식하는 방법에 영향을 줄 수 있다.

➊ perception 圕 인식, 지각 perceptual 圕 지각의
➋ recognize

다의어

10 ★★ scale
[skeil]

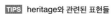

圕 저울, 눈금

圕 범위, 규모

물건을 저울에 달아 구분한 것
圕 등급, 단계

Put your bag on this scale. 학평
당신의 가방을 이 저울에 올려놓아라.

Hotels are graded on a scale of 1 to 5 stars.
호텔은 1에서 5성 등급으로 분류된다.

The scale of human activities has increased greatly. 수능
인간 활동의 범위는 크게 증가했다.

REVIEW TEST p. 287

역사와 전통

음성 바로 듣기

01
★★★
ancient
[éinʃənt]

혱 고대의, 먼 옛날의

Ancient Egyptians wore different clothes according to their social position. (학평)
고대 이집트인들은 그들의 사회적 지위에 따라 다른 옷을 입었다.

⊟ modern 혱 현대의

02
★★★
tradition
[trədíʃən]

몡 전통, 관례

The people of Ethiopia have a **tradition** called *gursha*. (교과서)
에티오피아 사람들은 'gursha'라고 불리는 전통을 가지고 있다.

➕ traditional 혱 전통적인 **traditionally 🖎** 전통적으로
➖ custom

03
★★
origin
[ɔ́:rədʒin]

몡 기원, 근원, 태생

The **origin** of Suwon Hwaseong goes back to the late Joseon period. (교과서)
수원 화성의 기원은 조선 후기로 거슬러 올라간다.

➕ original 혱 원래의, 독창적인 **originate 🖎** 비롯되다
➖ root, beginning

TIPS origin과 관련된 표현들
·country of origin 출신국, 원산지 ·origin of language 언어의 기원

04
★★
folk
[fouk]

혱 민속의, 전통적인 **몡** 사람들

Most **folk** paintings were done by people who had little formal artistic training. (학평)
대부분의 민속화는 정식 예술 교육을 거의 받지 않은 사람들에 의해 완성되었다.

05
★★★
device
[diváis]

몡 기구, 장치, 고안

A *maetdol* is a grinding **device** made of stone. (학평)
'맷돌'은 돌로 만들어진 분쇄하는 기구이다.

➖ machine, instrument

---

06 ★★ usual
[júːʒuəl]

웹 일반적인, 평상시의

Letters used to be the usual way for people to send messages. (학평)

편지는 사람들이 메시지를 보내는 일반적인 방법이곤 했다.

➕ usually **위** 보통, 대개
🟰 normal   🔀 unusual **웹** 특이한, 드문

07 ★ ritual
[rítʃuəl]

명 의식 (절차), 의례   **웹** 의례적인

Flamenco is performed during religious festivals, rituals, and at private celebrations. (교과서)

플라멩코는 종교적인 축제와 의식 동안 그리고 개인적인 기념 행사에서 공연된다.

🟰 ceremony

08 ★★★ entire
[intáiər]

웹 온, 전체의, 완전한

On Chuseok Eve, the entire family gathers to make traditional food. (교과서)

추석 전야에는, 온 가족이 모여 전통 음식을 만든다.

➕ entirely **위** 완전히, 전적으로
🟰 whole, total

혼동어

09 ★★★ region
[ríːdʒən]

명 지역, 지방, 범위

Juldarigi ropes vary in shape and design from region to region. (교과서)

'줄다리기' 줄은 지역마다 모양과 디자인이 다르다.

➕ regional **웹** 지역의, 지방의
🟰 area, district

VS

10 ★★ religion
[rilídʒən]

명 종교

All religions reject war in principle.

모든 종교는 원칙적으로 전쟁을 거부한다.

➕ religious **웹** 종교의, 독실한

REVIEW TEST p. 288

DAY 14

역사와 전통

 ① ② ③ ④

01
★★★
record
[rikɔ́ːrd]

명 기록, 음반　동 기록하다

The Joseon wangjo sillok is the world's longest historical **record** of a single dynasty. (교과서)

조선왕조실록은 단일 왕조의 세계 최장 역사 기록이다.

⊜ document

02
★★★
settle
[sétl]

동 정착하다, 해결하다

When humans **settled** in Hawaii, they introduced foreign organisms.

인간이 하와이에 정착했을 때, 그들은 외래 생물들을 들여왔다.

⊕ settlement 명 정착, 합의
⊜ live in, dwell in

TIPS settle과 관련된 표현들
·settle down 자리 잡다, 진정되다　·settle into ~에 정착하다, ~에 자리 잡다
·settle on ~을 결정하다

03
★
occupation
[ὰːkjupéiʃən]

명 점령, 점유, 직업

Her story took place during Germany's **occupation** of Poland. (교과서)

그녀의 이야기는 독일의 폴란드 점령 동안에 일어났다.

⊕ occupational 형 점령의, 직업의

04
★★
mass
[mæs]

명 다량, 다수　형 대량의, 대규모의

Occasionally, a **mass** of seashells will pile up on the beach.

때때로, 다량의 조개들이 해변에 쌓일 것이다.

05
★★
tap
[tæp]

동 두드리다, 가볍게 톡톡 치다　명 수도, 수도꼭지

Columbus got the egg to stand on its end by **tapping** it on the table. (교과서)

콜럼버스는 달걀을 탁자에서 두드려서 그것의 끝으로 서게 했다.

⊜ knock

---

06 ★★ grasp
[græsp]

통 파악하다, 꽉 잡다 명 파악, 꽉 쥐기

None of them grasped the big picture. 교과서

그들 중 아무도 그 큰 그림을 파악하지 못했다.

⊖ understand

07 ★★ fame
[feim]

명 명성, 평판

Kim Whanki returned to Seoul in 1959 and quickly regained his fame as an artist. 교과서

김환기는 1959년에 서울로 돌아왔고 예술가로서 그의 명성을 빠르게 되찾았다.

⊕ famous 형 유명한 famously 부 유명하게
⊖ reputation

08 ★★★ comfort
[kʌ́mfərt]

명 위안, 위로, 편안함 통 위로하다

She risked her life to aid the wounded and bring comfort to dying soldiers. 교과서

그녀는 목숨을 걸고 부상자들을 도왔으며 죽어가는 군인들에게 위안을 주었다.

⊕ comfortable 형 편안한 comfortably 부 편안하게
⊖ ease, relief ⊠ discomfort 명 불편

TIPS comfort와 관련된 표현들
·comfort of home 집의 안락함 ·give comfort 위안을 제공하다

09 ★★★ hole
[houl]

명 구멍, 구덩이

In Japan, coins have holes in the center. 수능

일본에서, 동전은 중앙에 구멍이 있다.

다의어

10 ★★★ succeed
[səksíːd]

통 성공하다

누군가 이룬 성공을 넘겨받다
통 계승하다

The newly formed company has great potential to succeed.

새로 조직된 그 회사는 성공할 굉장한 잠재력을 가지고 있다.

Joe's role as chief engineer was succeeded by his son. 교과서

수석 엔지니어로서 Joe의 역할은 그의 아들에 의해 계승되었다.

⊕ success 명 성공 successful 형 성공적인

REVIEW TEST p. 288

01 ★★★ routine
[ru:tí:n]

명 일과, 일상의 일 형 일상적인

Each country has unique daily routine. 학평

각 나라는 고유한 매일의 일과를 가지고 있다.

➕ routinely 부 일상적으로, 기계적으로

02 ★★ numerous
[nú:mərəs]

형 수많은, 다수의

Genghis Khan united the numerous small tribes of Northeast Asia. 교과서

칭기즈칸은 동북아시아의 수많은 작은 부족들을 통합했다.

⊜ many, countless

03 ★★ legend
[lédʒənd]

명 전설, 전설적 인물

A legend from the Hawaiian island explains how the naupaka flower got its unusual shape. 학평

하와이 섬의 한 전설은 나우파카 꽃이 어떻게 그것의 특이한 모양을 갖게 되었는지를 설명한다.

➕ legendary 형 전설적인
⊜ myth

04 ★★ military
[mílitèri]

형 군사적인, 무력의 명 군대

In the 15th century, maps had great value for military and economic purposes. 교과서

15세기에, 지도는 군사적, 경제적 목적을 위해 큰 가치를 가지고 있었다.

TIPS military와 관련된 표현들
· military strategy 군사 전략 · military service 군 복무

05 ★ weapon
[wépən]

명 무기, 병기

Using animal bones, they made weapons. 교과서

동물 뼈를 사용하여, 그들은 무기를 만들었다.

06 ★★ celebrate
[séləbrèit]

통 기념하다, 축하하다

In Spain, people celebrate New Year's by quickly eating a dozen grapes at midnight. (학평)
스페인에서, 사람들은 자정에 12개의 포도를 빠르게 먹으며 새해를 기념한다.

➕ celebration **명** 기념, 축하

07 ★ combat
명 [kάːmbæt]
통 [kəmbǽt]

명 전투, 투쟁 **통** 싸우다, 투쟁하다

The soldiers use unique symbols to identify themselves in combat. (교과서)
군인들은 전투에서 그들 자신의 신원을 확인하기 위해 독특한 상징을 사용한다.

➕ combative **형** 전투적인
➖ fight, war

08 ★★ historical
[histɔ́ːrikəl]

형 역사적인, 역사상의

Students remember historical facts when they are tied to a story. (학평)
학생들은 역사적 사실이 이야기와 연결될 때 그것을 기억한다.

➕ history **명** 역사

TIPS historical과 관련된 표현들
· historical knowledge 역사적 지식 · historical records 역사적 기록

혼동어

VS

09 ★★★ royal
[rɔ́iəl]

형 왕의, 국왕의 **명** 왕족

Leather shoes were only for the royal family or rich people in ancient Egypt. (학평)
가죽 신발은 고대 이집트에서 왕의 가족이나 부자들만을 위한 것이었다.

➕ royalty **명** 왕위, 왕권

10 ★ loyal
[lɔ́iəl]

형 충성스러운, 충실한, 성실한

Dogs are loyal and really enjoy being with you. (교과서)
개들은 충성스럽고 당신과 함께 있는 것을 정말 즐거워한다.

➕ loyalty **명** 충성(심), 충실함
➖ faithful

REVIEW TEST p. 289

01
★
harvest
[háːrvist]

명 수확물, 수확(기) **동** 수확하다

The Nile flooded every year and people could get good **harvests** and wealth. (학평)

나일강은 매년 범람했고 사람들은 상당한 수확물과 부를 얻을 수 있었다.

⊜ crop

02
★
illustrate
[íləstrèit]

동 설명하다, 보여주다

The scene was essential to **illustrate** the girl's character. (교과서)

그 장면은 그 소녀의 성격을 설명하기 위해 필수적이었다.

⊕ illustration 명 설명, 삽화
⊜ explain

03
★
dare
[dɛər]

동 감히 ~하다, ~할 엄두를 내다

Few people would **dare** to give up everything and start anew.

감히 모든 것을 포기하고 새롭게 시작하는 사람은 거의 없을 것이다.

⊕ daring 형 대담한
⊜ challenge

04
★
voyage
[vɔ́iidʒ]

명 항해, 여행

Columbus's **voyage** to the Americas took over two months.

콜럼버스의 아메리카로의 항해는 두 달 이상 걸렸다.

⊜ journey

05
★
conventional
[kənvénʃənəl]

형 전통적인, 관습적인

Knitters soon abandon **conventional** patterns and design their own. (학평)

뜨개질하는 사람들은 곧 전통적인 패턴을 버리고 자신만의 것을 디자인한다.

⊕ convention 명 관습, 관례
⊜ traditional　**⊞ unconventional** 형 인습에 얽매이지 않는

TIPS conventional과 관련된 표현들
·conventional social forms 전통적인 사회적 관례
·conventional wisdom (대부분의 사람들이 가지고 있는) 사회적 통념

06 ★ contemporary
[kəntémpərèri]

형 현대의, 당대의, 동시대의

Contemporary art is more popular than classical art.
현대 미술은 고전 미술보다 더 대중적이다.

● modern, current

07 ★★ revolution
[rèvəlúːʃən]

명 혁명, 변혁

After the revolution, Alisa returned to her hometown. 학평
혁명 이후에, Alisa는 그녀의 고향으로 돌아왔다.

● revolutionary 형 혁명의

08 ★★★ cooperation
[kouàpəréiʃən]

명 협조, 협력, 협동

Human beings have depended on the cooperation of others to get enough food. 학평
인간은 충분한 식량을 얻기 위해 다른 사람들의 협조에 의존해 왔다.

● cooperate 동 협조하다, 협력하다   cooperative 형 협조하는, 협력하는
● collaboration

09 ★ conquer
[káːŋkər]

동 정복하다, 이기다, 극복하다

Emperors used to try to conquer foreign lands.
황제들은 외국 영토를 정복하기 위해 애쓰곤 했다.

● conqueror 명 정복자
● defeat

다의어

10 ★★ stable
[stéibl]

형 안정적인, 차분한

명 마구간

Hammurabi attempted to make his empire more stable.
함무라비는 그의 제국을 더 안정되게 만들려고 시도했다.

The lions entered the stable and attacked the cows. 교과서
사자들은 마구간으로 들어가서 소들을 공격했다.

● stability 명 안정성
■ unstable 형 불안정한

REVIEW TEST p. 289

DAY 15

교육과 학문

음성 바로 듣기

---

01 **university**
★★★
[jù:nəvə́:rsəti]

명 대학

Linda hopes to go to **university** and study sea animals. (학평)
Linda는 대학에 가서 바다 동물을 연구하기를 희망한다.

⊜ college

---

02 **education**
★★★
[èdʒukéiʃən]

명 교육

One advantage of online **education** is that it improves the opportunity to participate in class. (교과서)
온라인 교육의 한 가지 장점은 수업에 참여할 수 있는 기회를 향상시킨다는 것이다.

⊕ educational **형** 교육적인
⊜ teaching

---

03 **focus**
★★★
[fóukəs]

동 집중하다, 초점을 맞추다 **명** 주목, 초점

I should **focus** on myself and my own improvement. (수능)
나는 나 자신과 자신의 발전에 집중해야 한다.

⊜ concentrate

---

04 **entry**
★★★
[éntri]

명 참가, 입장, 가입

An **entry** form for the contest is available at the library.
대회 참가 신청서는 도서관에서 구할 수 있다.

⊕ entrance **명** 입장, 입구
⊜ admission

---

05 **medical**
★★★
[médikəl]

형 의학의, 의료의

Recent **medical** research shows that donating blood can reduce the risk of a heart attack.
최근의 의학 연구는 헌혈하는 것이 심장마비의 위험을 줄일 수 있다는 것을 보여준다.

⊕ medicine **명** 의학, 약

해커스 보카 고등 기본

06
 ★★★ accept
[æksépt]

동 받아들이다, 인정하다

Simply accept that failure is part of the process. (학평)

실패는 과정의 일부라는 것을 그저 받아들여라.

➕ acceptance 명 수락, 용인　acceptable 형 용인되는
➖ acknowledge　✕ refuse 동 거부하다

TIPS ac ~쪽으로 + cept 취하다 → 내 쪽으로 취해서 받아들이다

07
 ★ pioneer
[pàiəníər]

명 선구자, 개척자　동 개척하다

Charles Henry Turner was an early pioneer in the field of insect behavior. (학평)

Charles Henry Turner는 곤충 행동 분야의 초기 선구자였다.

➖ founder

08
 ★★ mathematics
[mæθəmǽtiks]

명 수학, 계산

We'll learn how mathematics is used in the arts. (수능)

우리는 수학이 예술에서 어떻게 사용되는지 배울 것이다.

TIPS news, mathematics, economics, politics와 같은 단어들은 -s로 끝나 복수명사로 생각하기 쉽지만 셀 수 없는 명사이므로 단수 취급해야 해요.

혼동어

VS

09
 ★★★ professor
[prəfésər]

명 교수, 선생

Karen's professor advised her to apply for the graduate school.

Karen의 교수는 그녀에게 대학원에 지원할 것을 조언했다.

10
 ★★ profession
[prəféʃən]

명 직종, 직업, 종사자들

Research should be evaluated by other members of the scientific profession. (학평)

연구는 과학 직종 중 다른 구성원들에 의해 평가되어야 한다.

➕ professional 형 직업의, 전문적인　명 전문가
➖ occupation

REVIEW TEST p. 290

DAY 15 교육과 학문

① ② ③ ④

01 ★★★ theory
[θíːəri]

명 이론, 학설

Fourier's theory of heat conduction earned him fame. 수능
푸리에의 열전도 이론은 그에게 명성을 얻게 했다.

➕ **theoretical** 형 이론의, 이론적인　**theoretically** 부 이론상으로
➖ **assumption**

02 ★★ philosophy
[filάːsəfi]

명 철학

He taught himself mathematics and natural philosophy. 학평
그는 수학과 자연 철학을 독학했다.

➕ **philosophic** 형 철학의　**philosopher** 명 철학자

03 ★★★ method
[méθəd]

명 방식, 방법

Researchers in the field of psychology follow the scientific method to perform studies. 수능
심리학 분야의 연구자들은 연구를 수행하기 위해 과학적인 방식을 따른다.

➖ **manner**

04 ★★★ praise
[preiz]

명 칭찬, 찬사　**동** 칭찬하다

The best way to encourage your children is to give them praise. 학평
당신의 아이들을 격려하는 최고의 방법은 그들에게 칭찬을 해주는 것이다.

➖ **compliment**

05 ★★★ standard
[stǽndərd]

형 표준의, 일반적인　**명** 표준, 기준

Standard English is the form of the language that is taught in schools.
표준 영어는 학교에서 가르쳐지는 언어 형식이다.

➕ **standardize** 동 표준화하다
➖ **normal**

TIPS standard와 관련된 표현들
·standard of living 생활 수준　·standard benefits 표준 복리 후생

06 ★★★ character
[kǽriktər]

명 인격, 성격, 특징, 등장인물

Parents want their children to have strong moral character. 수능
부모는 그들의 아이들이 견고한 도덕적 인격을 가지기를 원한다.

➕ **characteristic** 형 특유의
➖ **personality**

07 ★★★ throw
[θrou]

동 던지다

The teacher scolded the class for throwing paper darts.
선생님은 반 학생들이 종이 화살을 던진 것에 대해 야단을 쳤다.

TIPS throw와 관련된 표현들
·throw away 버리다 ·throw out 내쫓다 ·throw a party 파티를 열다

08 ★★ psychology
[saikɑ́:lədʒi]

명 심리학, 심리

Studying psychology is fun. 학평
심리학을 공부하는 것은 재미있다.

➕ **psychologist** 명 심리학자   **psychological** 형 심리적인, 정신적인

09 ★★ intention
[inténʃən]

명 의도, 목적

Good intentions do not always lead to expected results. 수능
좋은 의도가 항상 기대되는 결과로 이어지지는 않는다.

➕ **intentional** 형 의도적인   **intend** 동 의도하다
➖ **goal**

다의어

10 ★★★ apply
[əplái]

동 적용되다, 해당되다

피부에 적용하다
동 (크림 등을) 바르다

동 신청하다, 지원하다

The coupon doesn't apply to the second night. 수능
그 쿠폰은 둘째 날 밤에는 적용되지 않는다.

Remove the gauze covering the cut and apply a clean dressing. 교과서
베인 상처를 덮고 있는 거즈를 제거하고 깨끗한 상처 처치 용품을 바르세요.

You can apply for the program on our school website. 학평
당신은 우리 학교 웹사이트에서 그 프로그램을 신청할 수 있다.

➕ **application** 명 지원, 적용   **applicant** 명 신청인

REVIEW TEST p. 290

DAY 15 교육과 학문

   ④

01
★★
tune
[tju:n]

동 조율하다, 음을 맞추다 명 곡(조), 선율

There were tender little sounds, as if birds were beginning to **tune** up for a concert. [학평]

마치 새들이 콘서트를 위해 조율하기 시작하고 있던 것처럼, 부드럽고 작은 소리가 있었다.

⊜ pitch

02
★★★
submit
[səbmít]

동 제출하다, 항복하다

Today, Linda forgot to **submit** an important paper. [학평]

오늘, Linda는 중요한 논문을 제출할 것을 잊어버렸다.

⊕ **submission** 명 제출, 항복
⊜ **hand in**

TIPS submit과 관련된 표현들
·submit an application 지원서를 제출하다 ·submit a report 보고서를 제출하다

03
★★
logical
[ládʒikəl]

형 논리적인, 타당한

Participating in debates will help improve your **logical** thinking. [학평]

토론에 참여하는 것은 당신의 논리적 사고를 향상시키는 데 도움이 될 것이다.

⊕ **logically** 부 논리적으로   **logic** 명 논리, 타당성
⊜ **rational, reasonable**

04
★★★
blame
[bleim]

동 비난하다, ~의 책임으로 보다 명 비난, 책임

Adults shouldn't **blame** kids when they do wrong. [학평]

어른들은 아이들이 잘못했을 때 그들을 비난해서는 안 된다.

⊜ **criticize**   ▣ **praise** 동 칭찬하다

05
★★★
display
[displéi]

동 드러내다, 전시하다, 표시하다 명 전시, 표시

Parents should **display** confidence in their children's abilities.

부모들은 자녀의 능력에 대한 신뢰를 드러내야 한다.

⊜ **show, exhibit**

---

06 ★★★ likewise

[láikwàiz]

부 똑같이, 마찬가지로

If parents want their children to act properly, they should do likewise.

만약 부모들이 그들의 아이들이 올바르게 행동하기를 원한다면, 그들은 똑같이 해야 한다.

● similarly

07 ★★ discipline

[dísəplin]

명 훈육, 훈련, 수양 **동** 훈련하다

Parents use various forms of discipline to control their children.

부모들은 그들의 자녀들을 통제하기 위해 다양한 형태의 훈육을 사용한다.

➕ disciplined **형** 훈련 받은
● punishment

TIPS discipline과 관련된 표현들
· mental discipline 정신 수양   · develop self-discipline 자기 훈련을 하다

08 ★★ boost

[buːst]

동 북돋우다, 신장시키다

Praising your child's intelligence or talent can boost his or her self-esteem. 학평

당신의 아이의 지능이나 재능을 칭찬하는 것은 그 또는 그녀(아이)의 자존감을 북돋울 수 있다.

● encourage, develop   ■ decrease **동** 줄이다, 감소시키다

혼동어

09 ★★ shallow

[ʃǽlou]

형 얕은, 피상적인

If our knowledge is broad but shallow, we really know nothing. 교과서

만약 우리의 지식이 넓지만 얕다면, 우리는 정말로 아무것도 모르는 것이다.

● superficial   ■ deep **형** 깊은, 난해한

VS

10 ★★ swallow

[swάːlou]

동 삼키다, 다 없애다

He was thirsty because he had swallowed so much salt water. 교과서

그는 너무 많은 소금물을 삼켰기 때문에 목이 말랐다.

● eat

REVIEW TEST p. 291

01
★
bias
[báiəs]

명 편견, 편향, 선입견

Scientists should be careful to reduce bias in their experiments. 수능

과학자들은 그들의 실험에서 편견을 줄이도록 유의해야 한다.

⊕ **biased** 휑 편향된
⊖ **prejudice**

02
★
string
[striŋ]

명 끈, 줄 동 꿰다, 묶다

Tie both ends of the string together. 교과서

끈의 양쪽 끝을 함께 묶으세요.

03
★
examination
[igzæmənéiʃən]

명 검토, 검사, 조사

A close examination of the textbook revealed several factual errors.

교과서에 대한 철저한 검토는 몇 가지 실제 오류를 밝혀냈다.

⊕ **examine** 동 검토하다, 조사하다
⊖ **checkup**

04
★
rational
[rǽʃənəl]

휑 합리적인, 이성적인

Kant believed that there are rational grounds for all of our actions.

칸트는 우리의 모든 행동에 합리적인 근거가 있다고 믿었다.

⊕ **rationally** 부 합리적으로   **rationalize** 동 합리화하다
⊖ **sensible**

TIPS rational과 관련된 표현들
·rational decision 이성적인 결정   ·rational nature 이성

05
★★
laboratory
[lǽbərətɔ̀:ri]

명 실험실

You should always wear safety gear in the laboratory. 학평

당신은 실험실에서 항상 안전 장비를 착용해야 한다.

---

06 ★ authority
[əθɔ́ːrəti]

명 권위, 권한, 당국

Children are expected to submit to their parents' authority.
아이들은 부모의 권위에 복종하도록 기대된다.

➕ **authorization** 명 허가, 인가

TIPS authority와 관련된 표현들
· executive authority 집행 권한 · a figure of authority 권위 있는 인물, 권위자

07 ★ misunderstanding
[mìsʌndərstǽndiŋ]

명 오해, 착오, 의견 차이

The father explained that there was a misunderstanding. 고2학평

아버지는 오해가 있었다고 설명했다.

➕ **misunderstand** 동 오해하다
➖ **mistake**

08 ★★ pursue
[pərsúː]

동 추구하다, 종사하다, 쫓다

Pursue your interests by joining school clubs. 고2학평

학교 동아리에 가입해서 당신의 관심사를 추구해라.

➕ **pursuit** 명 추구, 종사 **pursuer** 명 추적자
➖ **seek, follow**

09 ★ deprived
[dipráivd]

형 불우한, 궁핍한, 박탈당한

No matter how deprived his background may be, he has a genuine opportunity to fulfill himself. 학평

그의 배경이 아무리 불우할지라도, 그는 자아를 실현할 진정한 기회를 가지고 있다.

➕ **deprive** 동 빼앗다, 박탈하다
➖ **poor, disadvantaged**

다의어

10 ★★ spell
[spel]

┌─ **동** 철자를 맞게 쓰다

└─ **명** 주문, 마법

English is not an easy language to spell. 학평
영어는 철자를 맞게 쓰기에 쉬운 언어가 아니다.

The movie is about a woman who can cast magical spells.
그 영화는 마법의 주문을 걸 수 있는 한 여성에 관한 것이다.

REVIEW TEST p. 291

해커스북 중·고등
www.HackersBook.com

PART 4
과학&기술

---

01 ★★★ nature
[néitʃər]

명 자연, 본질

Science is the study of **nature**. (수능)

과학은 자연에 대한 학문이다.

➕ **natural** 혱 자연의, 천연의　**naturally** 튀 자연스럽게, 저절로

---

02 ★★★ experiment
[ikspérəmənt]

명 실험, 실험 장치　**동** 실험하다

Examine what went wrong in your **experiment**. (수능)

당신의 실험에서 무엇이 잘못되었는지 검토해라.

➕ **experimental** 혱 실험적인
➖ **test, trial**

TIPS ex 밖으로 + per(i) 시도하다 + ment 명·접 → 아이디어를 머리 밖으로 꺼내 시도해 보는 것, 즉 실험

---

03 ★★★ condition
[kəndíʃən]

명 환경, 조건, 상황

Space suits help astronauts to endure dangerous **conditions**.

우주복은 우주 비행사들이 위험한 환경을 견디도록 도와준다.

➕ **conditional** 혱 조건부의　**conditionally** 튀 조건부로
➖ **situation**

---

04 ★★★ distance
[dístəns]

명 거리, 간격

You should keep a safe **distance** from electronic devices when using them. (학평)

당신은 전기 기구를 사용할 때 그것들로부터 안전 거리를 유지해야 한다.

➕ **distant** 혱 멀리 떨어진
➖ **space, interval**

---

05 ★★★ evidence
[évədəns]

명 증거, 흔적

NASA has recently discovered new **evidence** of water on Mars.

NASA는 최근 화성의 물에 대한 새로운 증거를 발견했다.

➖ **proof**

---

06 ★★★ chemical
[kémikəl]

형 화학의, 화학적인 명 화학 물질

Chemists have to write chemical equations all the time. 학평

화학자들은 항상 화학 방정식을 써야 한다.

⊕ chemistry 명 화학

TIPS chemical과 관련된 표현들
·chemical symbol 화학 기호   ·chemical reaction 화학 반응
·chemical compound 화학 혼합물

07 ★★ fluid
[flúːid]

명 액[체], 유동체 형 유동성의

On Earth, gravity drags bodily fluids downwards, but in space this does not happen. 교과서

지구에서는, 중력이 체액을 아래로 끌어당기지만 우주에서는 이것이 일어나지 않는다.

⊖ liquid ☒ solid 형 고체

08 ★ extensive
[iksténsiv]

형 광범위한, 대규모의

Extensive research of atoms led to advances in nanotechnology.

원자에 대한 광범위한 연구는 나노 기술의 발전으로 이어졌다.

⊕ extensively 부 광범위하게 extend 동 연장하다, 확장하다
⊖ large, widespread

혼동어

VS

09 ★★★ process
[práːses]

명 과정, 절차 동 처리하다

I made a mistake in the experimental process. 학평

나는 실험 과정에서 실수를 했다.

⊖ procedure, course

10 ★★★ progress
명[práːgres]
동[prəgrés]

명 진보, 진행, 경과 동 진보하다, 나아가다

He was disappointed that scientific progress has not cured the world's ills. 수능

그는 과학적 진보가 세계의 문제를 치유하지 못한 것에 실망했다.

⊕ progressive 형 진보적인
⊖ development, advance

REVIEW TEST p. 292

DAY 16 물리학과 화학

---

01 planet
★★★
[plǽnit]

명 행성, 유성, 지구(the planet)

Some planets do not even have surfaces to land on. (학평)
어떤 행성들은 착륙할 표면조차 없다.

---

02 conduct
★★★
통 [kəndʌ́kt]
명 [ká:ndʌkt]

통 [특정한 활동을] 하다, 실시하다 **명** 행위, 지도

Scientists conduct experiments, analyze statistics, and form theories. (학평)
과학자들은 실험을 하고, 통계를 분석하고, 이론을 형성한다.

⊖ perform, do

TIPS conduct와 관련된 표현들
·conduct a survey 설문조사를 실시하다 ·conduct a study 연구를 실시하다

---

03 solid
★★★
[sá:lid]

형 고체인, 단단한 **명** 고체

The raw egg is fluid inside, whereas the hard-boiled egg is solid. (학평)
날달걀은 속이 유동체인 반면, 단단하게 삶은 달걀은 고체이다.

⊕ solidarity **명** 단결, 결속 solidity **명** 견고함
⊖ hard, firm

---

04 eternal
★
[itə́:rnəl]

형 영원한, 끊임없는

Einstein believed that the universe was eternal.
아인슈타인은 우주가 영원하다고 믿었다.

⊕ eternally **부** 영원히 eternity **명** 영원
⊖ everlasting

---

05 gravity
★★
[grǽvəti]

명 중력, 중대성

Usually, the bigger something is, the stronger its gravity is. (학평)
보통, 어떤 것이 더 클수록, 그것의 중력은 더 강하다.

⊕ gravitational **형** 중력의

---

06 ★★ melt
[melt]

동 녹이다, 녹다, 차차 없어지다

The use of salt **melts** the ice from the roads in the winter. (학평)

소금의 사용은 겨울에 도로의 얼음을 녹인다.

⊕ **melting** 형 녹는, 누그러지게 하는
⊜ **dissolve**

07 ★★ astronaut
[ǽstrənɔ̀ːt]

명 우주 비행사

Between 1969 and 1972, the United States sent **astronauts** to the moon. (학평)

1969년과 1972년 사이에, 미국은 달에 우주 비행사를 보냈다.

⊜ **spaceman**

08 ★★ smooth
[smuːð]

형 매끄러운, 순조로운 **동** 매끈하게 하다, 펴다

Mirrors and other **smooth**, shiny surfaces reflect light. (학평)

거울 및 그 밖의 매끄럽고 빛나는 표면은 빛을 반사한다.

⊕ **smoothly** 부 순조롭게 **smoothness** 명 매끄러움, 평탄

09 ★★★ oxygen
[ɑ́ːksidʒən]

명 산소

A water molecule is made up of two hydrogen atoms and one **oxygen** atom. (학평)

물 분자는 두 개의 수소 원자와 한 개의 산소 원자로 구성된다.

다의어

10 ★★★ support
[səpɔ́ːrt]

동 지탱하다, 떠받치다

> 무언가를 힘을 쓰며 지탱하다
> **동** 지지하다, 지원하다

> 생활 능력이 없는 사람의 생활을 지탱해 주다
> **동** 부양하다

While swimming, the water **supports** your body weight. (학평)

수영을 하는 동안, 물은 당신의 체중을 지탱한다.

Family members should **support** each other in difficult times.

가족 구성원들은 어려운 시기에 서로를 지지해야 한다.

At the age of sixteen, she got a job to **support** her family. (학평)

16살에, 그녀는 그녀의 가족을 부양하기 위해 직장을 얻었다.

⊕ **supporter** 명 지지자 **supportive** 형 지지하는

REVIEW TEST p. 292

01 ★ acid
[金sid]

명 산, 신 것 **형** 산성의, 신

Water has no calories, no **acid**, and no caffeine. (교과서)
물은 칼로리도 없고, 산도 없고, 카페인도 없다.

02 ★ orbit
[ɔ́ːrbit]

명 궤도, 활동 범위 **동** 궤도를 돌다

Space junk doesn't stay in **orbit** forever. (교과서)
우주 쓰레기는 궤도에 영원히 머물지는 않는다.

⊕ **orbital** 형 궤도의
⊖ **circle**

TIPS 우주와 관련된 단어들
·satellite 위성 ·rotation 자전 ·revolution 공전 ·comet 혜성

03 ★ toxic
[tɑ́ːksik]

형 유독성의, 중독성의

Chemists wear gloves before handling **toxic** materials.
화학자들은 유독성 물질을 다루기 전에 장갑을 낀다.

⊕ **toxin** 명 독소
⊖ **poisonous**

04 ★ atom
[金təm]

명 원자

Although an apple may appear red, its **atoms** are not
themselves red. (수능)
비록 사과가 빨갛게 보일지라도, 그것의 원자들 그 자체는 빨갛지 않다.

⊕ **atomic** 형 원자의, 원자력의

05 ★★ liquid
[líkwid]

명 액체, 유동체 **형** 액체의, 액상의

Evaporation is the process by which a **liquid** changes into a
gas. (교과서)
증발은 액체가 기체로 변하는 과정이다.

⊕ **liquidity** 명 유동성
⊖ **fluid**

06 ★★ universe
[júːnəvəˋrs]

몡 우주, 은하계

Visitors from other planets in the universe often appear in science fiction books.

우주의 다른 행성에서 온 방문객들은 종종 공상 과학 책에 등장한다.

⊕ universal 혱 전 세계적인, 일반적인
⊜ cosmos

07 ★ reverse
[rivəˋːrs]

동 뒤집다, 뒤바꾸다, 반전시키다 혱 거꾸로 된, 반대의

To prove the discovery wrong, Newton reversed the process. 화평

그 발견이 틀렸다는 것을 증명하기 위해, 뉴턴은 과정을 뒤집었다.

⊕ reversal 몡 전환, 반전
⊜ overturn, switch

혼동어

08 ★★ extend
[iksténd]

동 연장하다, 넓히다, 뻗다

Chemicals are added to extend the freshness of fruits and vegetables.

화학물질은 과일과 채소의 신선도를 연장하기 위해 첨가된다.

⊕ extensive 혱 광범위한
⊜ stretch

VS

09 ★ extent
[ikstént]

몡 범위, 정도, 규모

The extent of topics covered during the lecture was quite diverse.

강의 중에 다뤄지는 주제들의 범위는 꽤 다양했다.

⊜ range, size, scale

10 ★★ expand
[ikspǽnd]

동 확장하다, 늘리다

Lake Chad has nearly dried up because the Sahara Desert has expanded.

차드 호수는 사하라 사막이 확장되었기 때문에 거의 말라붙었다.

⊕ expansion 몡 확대, 확장, 팽창
⊜ enlarge, grow   ⊠ contract 동 수축하다, 줄이다

TIPS expand와 관련된 표현들
·expand the territory 영토를 확장하다 ·expand capacity 용량을 늘리다

REVIEW TEST p. 293

DAY 16 물리학과 화학

01
★★
preserve
[prizə́ːrv]

동 보존하다, 지키다, 저장하다

Lemon juice helps to **preserve** the color of the fruit.
레몬즙은 과일의 색깔을 보존하는 것을 도와준다.

⊕ **preservation** 명 보존, 보호   **preserved** 형 보존된
⊖ **keep, maintain**

TIPS preserve와 관련된 표현들
· preserve nature 자연을 보존하다   · preserve one's health ~의 건강을 유지하다
· preserve peace 평화를 지키다

02
★★
vapor
[véipər]

명 증기   동 증발하다, 기화하다

Even though it is not visible, water **vapor** exists in the air. 교과서
비록 눈에 보이지는 않지만, 수증기는 공기 중에 존재한다.

⊕ **vaporize** 동 기화하다

03
★★
invisible
[invízəbl]

형 보이지 않는, 무형의

Gravity is the **invisible** force that pulls things toward the ground. 학평
중력은 물체를 지면으로 끌어당기는 보이지 않는 힘이다.

⊕ **invisibility** 명 눈에 보이지 않음
⊟ **visible** 형 보이는

04
★★
substance
[sʌ́bstəns]

명 물질, 본질, 요지

Acid is a chemical **substance** with a sour taste. 교과서
산은 신맛을 가진 화학 물질이다.

⊕ **substantial** 형 상당한, 실체의
⊖ **material**

05
★★
particle
[pɑ́ːrtikl]

명 (작은) 입자, 조각

When we blink, a film of tears covers the eyes and washes all the tiny dust **particles**.
우리가 눈을 깜빡일 때, 눈물의 막이 눈을 덮어서 모든 작은 먼지 입자를 씻어낸다.

06 ★★ moisture
[mɔ́istʃər]

명 수분, 습기

The heat dried the moisture on the plants.

열은 식물의 수분을 건조시켰다.

➕ moist 형 촉촉한 moisturize 동 촉촉하게 하다

07 ★★ abstract
형 [ǽbstrǽkt]
명 [ǽbstrækt]

형 관념적인, 추상적인 명 추상화

I could never understand all those abstract theories in physics. 교과서

나는 물리학의 그 모든 관념적인 이론들을 결코 이해할 수 없었다.

➕ abstraction 명 추상적 관념
= conceptual ⊟ concrete 형 사실에 의거한, 구체적인

TIPS abstract와 관련된 표현들
·abstract concept 추상적 개념 ·abstract art 추상 미술

08 ★ valid
[vǽlid]

형 유효한, 타당한, 근거 있는

Valid experiments must have data that is measurable. 수능

유효한 실험은 측정 가능한 데이터를 가지고 있어야 한다.

➕ validity 명 유효함, 타당성
⊟ invalid 형 효력이 없는

09 ★★★ invention
[invénʃən]

명 발명, 발명품

Laziness is the mother of invention. 학평

게으름은 발명의 어머니이다.

➕ invent 동 발명하다 inventor 명 발명가

다의어

10 ★★★ stick
[stik]

명 막대기

동 붙다, 붙이다 ──→ 붙어서 굳게 지키다
동 지키다, 고수하다

If I throw a stick up in the air, it always falls down. 수능

만약 내가 막대기를 공중으로 던지면, 그것은 항상 떨어진다.

Materials like fabric will often stick to each other because of static electricity.

직물과 같은 물질은 정전기 때문에 종종 서로 붙을 것이다.

Participants must stick to the schedule of events.

참가자들은 행사 일정을 지켜야 한다.

➕ sticky 형 끈적이는

REVIEW TEST p. 293

생물학과 유전학

---

01 ★ biology
[baiá:lədʒi]

명 생물학

He moved to St. Louis and taught **biology** at Sumner High School. (학평)

그는 세인트 루이스로 이사했고 Sumner 고등학교에서 생물학을 가르쳤다.

➕ **biological** 형 생물학의, 생물학적인   **biologist** 명 생물학자

---

02 ★★ gene
[dʒi:n]

명 유전자

Some genetic diseases can be treated by replacing damaged **genes** with healthy ones. (학평)

어떤 유전병들은 손상된 유전자를 건강한 것으로 대체함으로써 치료될 수 있다.

➕ **genetic** 형 유전의   **genetically** 부 유전적으로

---

03 ★★★ factor
[fǽktər]

명 요인, 인자

Once the **factor** causing stress disappears, the stress hormones quiet down. (학평)

일단 스트레스를 유발하는 요인이 사라지면, 스트레스 호르몬은 진정된다.

➖ **element**

TIPS 'factor in'의 형태로 쓰일 경우 '~을 고려하다, ~을 계산에 넣다'라는 의미를 나타내요.

---

04 ★★ trace
[treis]

명 흔적, 자취, 극소량   동 추적하다

Learning causes a physical 'trace' in the brain. (학평)

학습은 뇌에 물리적 '흔적'을 발생시킨다.

➕ **traceable** 형 추적할 수 있는
➖ **mark**

---

05 ★★★ require
[rikwáiər]

동 필요로 하다, 요구하다

Our brains **require** about 400 calories of energy a day. (학평)

우리의 뇌는 하루에 약 400칼로리의 에너지를 필요로 한다.

➕ **requirement** 명 필요조건
➖ **need, demand**

---

06 ** structure
[strʌ́ktʃər]

명 구조, 구조물, 체계 동 구성하다, 조직화하다

Neurons, which are special brain cells, make up different structures in our brains. (교과서)

특별한 뇌세포인 뉴런은 우리의 뇌에서 여러 가지 구조를 이룬다.

➕ structural 형 구조적인
➖ construction, building

TIPS struct 세우다 + ure 명·접 → 어떤 것을 세우기 위한 구조, 세워진 구조물

07 *** research
[risə́ːrtʃ]

명 연구, 조사

I'm doing research for my biology paper. (학평)

나는 나의 생물학 논문을 위해 연구를 하고 있다.

➕ researcher 명 연구원
➖ investigation, experimentation

08 *** intelligent
[intélədʒənt]

형 지능이 있는, 지적인

In the novel, *Frankenstein*, Dr. Frankenstein creates an intelligent human in his laboratory. (교과서)

소설 '프랑켄슈타인'에서 프랑켄슈타인 박사는 그의 실험실에서 지능이 있는 인간을 만들어 낸다.

➕ intelligence 명 지능, 기밀
➖ clever

혼동어

VS

09 *** sign
[sain]

명 흔적, 표시, 징후 동 서명하다, 신호하다

I examined the garden but there was no sign of anybody or anything. (학평)

나는 정원을 조사했지만 누구 또는 아무것의 흔적도 없었다.

➕ signal 명 신호 동 신호를 보내다
➖ indication

10 ** sigh
[sai]

동 한숨을 쉬다

Olivia sighed in despair. (수능)

Olivia는 절망에 빠져 한숨을 쉬었다.

REVIEW TEST p. 294

01 *** insect
[ínsekt]

명 곤충

Last time, we learned about **insects** and their life cycles. 수능

지난 시간에, 우리는 곤충과 그들의 생애 주기에 대해 배웠다.

● **bug**

02 ** circumstance
[sə́:rkəmstæns]

명 상황, 환경, 형편

He called his travel agent to explain his **circumstance**. 학평

그는 그의 상황을 설명하기 위해 여행사에 전화했다.

⊕ **circumstantial** 형 정황적인
● **situation**

TIPS circumstance와 관련된 표현들
·under ~ circumstances ~한 상황에서   ·unexpected circumstance 뜻밖의 상황

03 *** normal
[nɔ́:rməl]

형 정상적인, 보통의, 평범한

Hiding behind a barrier is a **normal** response to protect oneself. 학평

장벽 뒤에 숨는 것은 자신을 보호하기 위한 정상적인 반응이다.

⊕ **normally** 부 정상적으로, 보통
➖ **abnormal** 형 비정상적인

04 ** threat
[θret]

명 위협, 위험, 협박

When confronted with a **threat**, the brain sends a signal. 학평

위협에 직면했을 때, 뇌는 신호를 보낸다.

⊕ **threaten** 동 협박하다   **threatening** 형 협박하는

05 *** improve
[imprú:v]

동 향상시키다, 개선하다

With science, we can **improve** our lives. 학평

과학과 함께, 우리는 우리의 삶을 향상시킬 수 있다.

⊕ **improvement** 명 향상   **improved** 형 향상된
● **enhance, develop**

06 ★★ repeat
[ripíːt]

동 반복하다, 되풀이하다

Your brain is shaped by the thoughts you repeat. (학평)

당신의 뇌는 당신이 반복하는 생각들에 의해 형성된다.

➕ repetition **명** 반복　repetitive **형** 반복적인

07 ★ resemble
[rizémbl]

동 닮다, 비슷하다

Children often resemble their parents.

아이들은 종종 그들의 부모를 닮는다.

➕ resemblance **명** 닮음

TIPS resemble은 3형식 동사로, 전치사와 함께 쓰이지 않는다는 것을 유의하세요.

08 ★ protein
[próutiːn]

명 단백질

Beans are rich in dietary fiber as well as protein. (학평)

콩은 단백질뿐만 아니라 식이섬유가 풍부하다.

09 ★ hatch
[hætʃ]

동 부화하다

Sea turtles live in the ocean but hatch on the beach. (교과서)

바다거북은 바다에 살지만 해변에서 부화한다.

다의어

10 ★★★ direct
[dirékt]

형 직접적인

동 (길을) 안내하다, 가리키다

학생의 길을 안내하여 가르치다
동 지도하다

방향을 안내하여 제작하다
동 (영화 등을) 감독하다, 연출하다

Direct exposure to ultraviolet light can cause some negative effects to the skin. (학평)

자외선에 대한 직접적인 노출은 피부에 부정적인 영향을 미칠 수 있다.

I asked a man to direct me, so we walked together. (수능)

나는 한 남자에게 길을 안내해 달라고 부탁했고, 우리는 함께 걸어갔다.

The sessions will be directed by professor Jones. (학평)

그 수업은 Jones 교수에 의해 지도될 것이다.

The film was directed by Francis Ford Coppola. (수능)

그 영화는 프란시스 포드 코폴라에 의해 감독되었다.

➕ direction **명** 지도, 방향　directly **부** 직접, 곧장

REVIEW TEST p. 294

DAY 17 생물학과 유전학

01 ★★★ individual
[ìndəvídʒuəl]

명 개인, 각자 형 각각의, 개인의

Blood cancer attacks the immune system of an **individual**.
혈액 암은 개인의 면역 체계를 공격한다.

➕ **individually** 閈 개인적으로 **individuality** 명 개성, 특징

TIPS in 아닌 + di 떨어져 + vid 나누다 + ual 형·접 → 더 이상 떨어뜨려 나눌 수 없는 개인

02 ★ silent
[sáilənt]

형 소리 없는, 조용한

For centuries, biologists believed giraffes were the **silent** giants of Africa. 수능

수 세기 동안, 생물학자들은 기린이 아프리카의 소리 없는 거인이라고 믿었다.

➕ **silently** 閈 조용히, 아무 말 없이 **silence** 명 고요, 적막

03 ★ fiber
[fáibər]

명 섬유(질)

There's a great deal of **fiber** in the white skin of oranges. 학평

오렌지의 하얀 껍질에는 많은 섬유질이 있다.

04 ★★ ancestor
[ǽnsestər]

명 조상, 선조

The frogs' **ancestors** were fishlike animals. 학평

개구리의 조상은 물고기 같은 동물이었다.

➜ **forefather, antecedent** ◪ **descendant** 명 자손

05 ★★ yawn
[jɔːn]

동 하품하다 명 하품

Researchers from a North American university discovered the reason of **yawning**. 학평

북미 대학 출신의 연구원들은 하품하는 것의 이유를 발견했다.

➕ **yawning** 형 하품을 하는, 지루해하는

06 ★ pregnant
[prégnənt]

형 임신한

If their young developed in an internal womb, pregnant birds would be too heavy to fly. (학평)

만약 그들의 새끼를 체내의 자궁에서 발육시킨다면, 임신한 새들은 날기에 너무 무거웠을 것이다.

⊕ **pregnancy** 명 임신
⊖ **expecting**

07 ★★ stimulate
[stímjulèit]

통 자극하다, 활발하게 하다

Exercising on a daily basis stimulates brain activity. (학평)

매일 운동하는 것은 뇌의 활동을 자극한다.

⊕ **stimulation** 명 자극 **stimulus** 명 자극(제)
⊖ **encourage**

TIPS stimulate와 관련된 표현들
·stimulate the nerves 신경을 자극하다 ·stimulate the economy 경기를 부양시키다

08 ★★ slightly
[sláitli]

부 약간, 조금

Try on both shoes, as most people have one foot that is slightly larger than the other. (학평)

대부분의 사람들은 한쪽 발이 다른 쪽보다 약간 더 크기 때문에, 신발 두 쪽을 모두 신어 보세요.

⊕ **slight** 형 약간의
⊖ **somewhat**

혼동어

VS

09 ★ bleed
[bliːd]

통 피가 나다, 피를 흘리다

He saw the lion was injured and one of his legs was bleeding. (학평)

그는 사자가 다친 것을 보았는데 사자의 다리 중 하나는 피가 나고 있었다.

⊕ **blood** 명 피, 혈액

10 ★ breed
[briːd]

통 번식하다, 사육하다

Salmon always return to freshwater areas to breed.

연어는 번식하기 위해 항상 담수 지역으로 돌아간다.

⊕ **breeding** 명 번식, 사육
⊖ **reproduce**

REVIEW TEST p. 295

01
★

crawl
[krɔːl]

图 기다, 기어가다

Infants begin to **crawl** between the ages of seven and nine months.

유아들은 7개월과 9개월 사이의 연령에 기기 시작한다.

◎ creep

02
★

sensation
[senséiʃən]

图 (감)각, 느낌, 선풍을 일으키는 것

The nerve starts at the front of the tongue, where it picks up taste **sensations**. 학평

그 신경은 혀의 앞부분에서 시작하는데, 그곳에서 그것은 미각을 감지한다.

➕ **sensational** 🗃 선풍적인 **sense** 图 느끼다, 감지하다 图 감각

03
★

sequence
[síːkwəns]

图 순서, 연속, 결과

The **sequence** of the dance steps should be followed exactly.

댄스 스텝의 순서는 정확히 따라져야 한다.

➕ **sequential** 🗃 순차적인
◎ order, series

04
★★

blink
[bliŋk]

图 눈을 깜박이다 图 깜박임

Nervousness and stress affect the number of times we **blink**. 학평

불안과 스트레스는 우리가 눈을 깜박이는 횟수에 영향을 준다.

05
★★

interfere
[ìntərfíər]

图 방해하다, 간섭하다

Acid **interferes** with the body's ability to absorb calcium. 교과서

산성 물질은 칼슘을 흡수하는 신체의 능력을 방해한다.

➕ **interference** 图 방해
◎ interrupt

TIPS 'interfere in'의 형태로 쓰일 경우 '~에 개입하다'라는 의미를 나타내요.

06 identical
★★
[aidéntikəl]

형 동일한, 일란성의

The TV programs have not affected all of us in an identical way. 수능

그 TV 프로그램들은 우리 모두에게 동일한 방식으로 영향을 끼치지는 않았다.

➕ identically 부 동일하게   identity 명 신원, 정체
➖ alike, twin

07 empathy
★
[émpəθi]

명 공감, 감정이입

Empathy is a natural human sense. 교과서

공감은 자연스러운 인간의 감각이다.

➕ empathize 동 공감하다   empathetic 형 공감하는, 감정이입의

TIPS em 안에 + path 느끼다 + y 명·접 → 마음 안에서 상대의 감정을 똑같이 느끼는 공감

08 dramatic
★★
[drəmǽtik]

형 극적인, 인상적인, 희곡의

When there is biodiversity, the effects of a sudden change are not so dramatic. 학평

생물 다양성이 있는 경우, 갑작스러운 변화의 영향은 그다지 극적이지 않다.

➕ dramatically 부 극적으로

09 explicit
★
[iksplísit]

형 명시적인, 명확한, 뚜렷한

Explicit memories are the memories that you consciously try to recall. 학평

명시적 기억은 당신이 의식적으로 기억하려고 노력하는 기억이다.

➕ explicitly 부 명시적으로
➖ clear, obvious   ⊟ implicit 형 암시된, 내포된

다의어

10 tissue
★★
[tíʃuː]

명 (세포) 조직

명 가제 수건, 휴지

It is known that 85% of our brain tissue is water. 학평

우리 뇌 조직의 85퍼센트는 물이라고 알려져 있다.

Clean the cut by wiping it with a wet tissue. 교과서

베인 상처를 젖은 가제 수건으로 닦으며 소독하세요.

REVIEW TEST p. 295

의학과 질병

① ② ③ ④

01
★
☐☐☐
stomach
[stʌ́mək]

명 배, 위, 복부

Having a full **stomach** makes people feel satisfied. 학평

배가 부른 것은 사람들이 만족감을 느끼게 한다.

⊜ belly

TIPS 소화 기관과 관련된 단어들
·throat 목구멍, 식도   ·duodenum 십이지장   ·liver 간   ·gall bladder 쓸개

02
★
☐☐☐
pill
[pil]

명 알약, 환약

I need to take these **pills** and get enough rest. 수능

난 이 알약들을 먹고 충분한 휴식을 취해야 한다.

⊜ tablet, capsule

03
★
☐☐☐
thumb
[θʌm]

명 엄지손가락

The amount of fat you eat should not be larger than the tip of your **thumb**. 학평

당신이 먹는 지방의 양은 당신의 엄지손가락 끝보다 더 커서는 안 된다.

04
★★
☐☐☐
wound
[wuːnd]

명 상처, 부상 **동** 상처를 입히다

Judging from your **wound**, I need to do something to stop the bleeding. 교과서

당신의 상처로 판단하건대, 나는 출혈을 멈출 무언가를 해야 한다.

⊕ wounded **형** 부상을 입은
⊜ injury

05
★
☐☐☐
therapy
[θérəpi]

명 치료, 요법

Physical **therapy** is a good way to recover from a back injury.

물리 치료는 허리 부상으로부터 회복하는 좋은 방법이다.

⊕ therapist **명** 치료사
⊜ cure, remedy

---

06 ★★ surgery
[sə́:rdʒəri]

명 수술

He has dental surgery scheduled in the morning. 수능
그는 아침에 예정된 치과 수술이 있다.

➕ surgical 형 수술의, 외과의 surgeon 명 외과 의사
➖ operation

TIPS surgery와 관련된 표현들
·perform a surgery 수술하다 ·undergo a surgery 수술을 받다

07 ★ physician
[fizíʃən]

명 (내과) 의사

Physicians say that early treatment is critical for many diseases. 학평
의사들은 조기 치료가 많은 질병에 결정적이라고 말한다.

➕ physical 형 육체의
➖ doctor

08 ★★★ positive
[pá:zətiv]

형 긍정적인

Healthy eating habits can have a positive impact on our well-being. 교과서
건강한 식습관은 우리의 건강에 긍정적인 영향을 미칠 수 있다.

➕ positively 부 긍정적으로
➖ negative 형 부정적인

혼동어

VS

09 ★★ grab
[græb]

동 잡다, 움켜잡다

Breaden stretched out his arm and was about to grab a chocolate bar. 수능
Breaden은 팔을 뻗어 막 초콜릿 바를 잡으려고 했다.

10 ★★ grip
[grip]

명 악력, 꽉 붙잡음, 지배 동 꽉 잡다, 쥐다

Baby orangutans have incredibly strong grips. 교과서
아기 오랑우탄은 믿을 수 없을 정도로 강한 악력을 가지고 있다.

REVIEW TEST p. 296

01
★★★
□□□
prevent
[privént]

图 예방하다, 막다, 방지하다

Laughing prevents numerous diseases by strengthening the immune system. (수능)

웃음은 면역체계를 강화시킴으로써 수많은 질병을 예방한다.

➕ **prevention** 명 예방, 방지　**preventive** 형 예방을 위한
➖ **avoid, stop**

02
★★★
□□□
suffer
[sʌ́fər]

图 고통받다, 시달리다

Many young people these days suffer from neck pain. (교과서)

요즘 많은 젊은이들이 목 통증으로 고통받는다.

➕ **suffering** 명 고통, 괴로움

TIPS suffer와 관련된 표현들
·suffer from back pain 요통으로 고통받다　·suffer from depression 우울증을 겪다

03
★★
□□□
ruin
[rúːin]

图 망치다, 파멸시키다　명 붕괴, 폐허

Compulsive shopping is a serious disorder that can ruin lives if it's not treated. (학평)

강박적인 쇼핑은 치료되지 않으면 삶을 망칠 수 있는 심각한 장애이다.

➕ **ruined** 형 폐허가 된
➖ **destroy**

04
★★
□□□
organ
[ɔ́ːrgən]

명 장기(기관)

Transplanting organs has become a routine procedure among surgeons.

장기를 이식하는 것은 외과 의사들 사이에서 일상적인 수술이 되었다.

➕ **organism** 명 유기체, 생물

05
★★★
□□□
instead
[instéd]

분 대신에

Chinese food is too greasy. How about Korean food instead?

중국 음식은 너무 느끼해. 대신에 한국 음식은 어때?

---

06 ** ankle
[ǽŋkl]

명 발목

Apply the cream to your ankle, and the pain will go away. (학평)

그 크림을 발목에 발라라, 그러면 통증이 없어질 것이다.

07 * nutrition
[njuːtríʃən]

명 영양 [섭취], 영양분

She saw children living without proper nutrition and education. (학평)

그녀는 적절한 영양 섭취와 교육 없이 살아가는 아이들을 보았다.

➕ **nutritious** 형 영양이 풍부한   **nutrient** 명 영양소
➖ **nourishment**

TIPS nutrition과 관련된 표현들
· inadequate nutrition 불충분한 영양   · absorb the nutrition 영양분을 흡수하다

08 *** decrease
[dikríːs]

동 낮추다, 줄이다

Contact with pets can decrease blood pressure. (학평)

반려동물과의 접촉은 혈압을 낮출 수 있다.

➖ **decline**   ⊠ **increase** 동 증가하다

09 *** trouble
[trʌ́bl]

명 문제, 병, 고장

Dirty earphones can cause skin trouble inside your ears. (학평)

더러운 이어폰은 당신의 귀 안쪽에 피부 문제를 일으킬 수 있다.

➕ **troublesome** 형 골칫거리의
➖ **problem**

다의어

10 ** seal
[siːl]

동 밀폐하다, 밀봉하다

명 물개

A person with a contagious disease may be placed in a sealed hospital room.

전염병이 있는 사람은 밀폐된 병실에 배치될 수 있다.

Several countries joined in the campaign to protect seals.

몇몇 국가들은 물개를 보호하기 위한 캠페인에 참여했다.

REVIEW TEST p. 296

DAY 18 의학과 질병

01
★★★
track
[træk]

동 추적하다, 따라 이동하다 명 길, 선로, 경주로

The wearable devices **track** your vital signs. (교과서)

웨어러블 기기는 당신의 활력 징후를 추적한다.

➕ **tracker** 명 추적자, 사냥꾼
➖ **follow**

TIPS route와 의미가 비슷한 track, lane의 쓰임을 구별하여 외워보세요.
·route 길, 노선 ·track (밟아서 생긴) 오솔길, 철도 선로 ·lane 차선, 좁은 길

02
★★★
perhaps
[pərhǽps]

부 아마도, 어쩌면

Perhaps a cure for cancer will be discovered.

아마도 암에 대한 치료법은 발견될 것이다.

➖ **maybe**

03
★
bump
[bʌmp]

동 부딪치다, 마주치다

The girl had a large bruise after her arm **bumped** against the wall.

그 소녀는 그녀의 팔이 벽에 부딪친 후에 큰 멍이 생겼다.

➖ **hit, knock**

04
★★
alert
[əlɔ́ːrt]

형 기민한, 경계하는 명 경계, 경보 동 경고하다

Stretching can improve energy levels by making our body more **alert**. (학평)

스트레칭은 우리의 몸을 더욱 기민하게 하여 에너지 수준을 향상시킬 수 있다.

➕ **alertness** 명 경계, 기민

05
★
slip
[slip]

동 미끄러지다, 넘어지다 명 실수, 미끄러짐

You could get seriously hurt if you **slip** on the wet floor. (학평)

당신은 젖은 바닥에 미끄러지면 크게 다칠 수 있다.

➕ **slippery** 형 미끄러운
➖ **slide**

06 ★ modest
[mάːdist]

형 적당한, 겸손한

You need 20 minutes of **modest** physical activity three times a week to shape up your body. 학평

당신은 몸을 만들기 위해 일주일에 세 번 20분의 적당한 신체 활동이 필요하다.

➊ **modesty** 명 겸손
➊ **moderate**

TIPS mod 기준 + est 형·접 → 과하지 않고 기준에 맞는, 즉 적당한

07 ★ disabled
[diséibld]

형 장애를 가진, 불구가 된

They provide free medical treatment for **disabled** children of poor families. 수능

그들은 가난한 가정의 장애를 가진 아이들을 위해 무료 진료를 제공한다.

➊ **disability** 명 장애, 무능
➊ **handicapped**

08 ★★★ rapid
[rǽpid]

형 빠른, 신속한

The **rapid** spread of the virus resulted in many overloaded hospitals.

바이러스의 빠른 확산은 많은 과부하가 된 병원들을 야기했다.

➊ **rapidly** 부 빠르게
➊ **quick, speedy**

혼동어

09 ★★★ spin
[spin]

명 회전, 회전 운동 **동** 돌다, 회전하다

Many figure skaters perform **spins** on the ice. 학평

많은 피겨 스케이트 선수들이 얼음 위에서 회전을 한다.

➊ **turn**

VS

10 ★ spine
[spain]

명 척추, 등뼈

Walking is the easiest exercise to keep your **spine** in a natural position. 학평

걷기는 당신의 척추를 정상적인 자세로 유지시키는 가장 쉬운 운동이다.

➊ **backbone**

REVIEW TEST p. 297

의학과 질병

 ① ② ③ ④

01
★★★
□ □ □

rare
[rɛər]

📝 희귀한, 드문, 덜 구워진

Many doctors have searched for the cause of the **rare** brain disease. (학평)

많은 의사들이 희귀한 뇌 질환의 원인을 연구해왔다.

➕ **rarely** 🖭 드물게
➖ **uncommon**

TIPS rare와 관련된 표현들
·on rare occasion 드물게 ·rare chance 드문 기회

02
★★★
□ □ □

beat
[biːt]

📝 [심장·맥박 등이] 뛰다, 이기다, 치다 📝 고동, 맥박, 박자

The human heart **beats** 60 to 100 times per minute. (교과서)

사람의 심장은 분당 60에서 100번 뛴다.

➖ **pound**

03
★★★
□ □ □

indifferent
[indífərənt]

📝 무관심한, 중요치 않은

Depressed people often feel **indifferent** about the things that they once enjoyed.

우울증을 앓는 사람들은 그들이 한때 즐겼던 일들에 대해 종종 무관심하게 느낀다.

➕ **indifference** 📝 무관심   **indifferently** 🖭 냉담하게
➖ **unconcerned**

04
★★
□ □ □

sew
[sou]

📝 꿰매다, 바느질하다

When a cut is deep, a doctor will **sew** the sides of the wound together.

상처가 깊을 때, 의사는 상처의 측면을 함께 꿰맬 것이다.

➕ **sewing** 📝 바느질, 재봉
➖ **stitch**

05
★
□ □ □

antibiotic
[æ̀ntibaiá:tik]

📝 항생제, 항생 물질 📝 항생 작용의

Antibiotics either kill bacteria or stop them from growing. (학평)

항생제는 박테리아를 죽이거나 그들이 자라는 것을 막는다.

---

06 ★ chronic
[krá:nik]

형 만성의, 장기간에 걸친

Asthma is a chronic illness causing shortness of breath.
천식은 숨 가쁨을 일으키는 만성 질환이다.

➕ chronically 부 만성적으로
⊖ long-term

TIPS chron(o) 시간 + ic 형·접 → 시간적으로 오래가는, 즉 만성적인

07 ★★ sight
[sait]

명 시력, 시야 동 발견하다

Mary Cassatt lost her sight at the age of seventy. 학평
메리 커셋은 70세에 그녀의 시력을 잃었다.

⊖ eyesight, vision

08 ★ fatal
[féitl]

형 치명적인, 죽음을 초래하는

Contaminated food can lead to fatal infections.
오염된 음식은 치명적인 감염으로 이어질 수 있다.

➕ fatality 명 사망자, 치사율 fate 명 운명
⊖ deadly

09 ★ tremble
[trémbl]

동 떨리다, 떨다

Parkinson's is a disease that causes a person's hands to tremble.
파킨슨병은 사람의 손을 떨리게 하는 병이다.

➕ trembling 형 떨리는, 전율하는
⊖ shake

다의어

10 ★★★ patient
[péiʃənt]

명 환자, 병자

형 인내심 있는, 참을성 있는

The patient is suffering from Alzheimer's disease.
그 환자는 알츠하이머병을 앓고 있다.

Students who have difficulty understanding a lesson need a patient teacher.
수업을 이해하는 데 어려움을 겪는 학생들은 인내심 있는 선생님이 필요하다.

➕ patiently 부 참을성 있게
⊟ impatient 형 참을성 없는

REVIEW TEST p. 297

DAY 19

정보와 기술

음성 바로 듣기

---

01 ★★★ modern
[máːdərn]

형 현대의, 최신의

Using **modern** technology makes learning very special. (교과서)

현대 기술을 사용하는 것은 학습을 매우 특별하게 만든다.

➕ **modernize** 통 현대화하다　**modernization** 명 현대화

---

02 ★★★ mobile
[móubəl]

형 이동식의, 기동성의　**명** 이동 전화

They have traveled the world with a **mobile** studio and recorded street musicians. (교과서)

그들은 이동식 스튜디오와 함께 세계를 여행했고 거리 음악가들을 녹음했다.

➕ **mobility** 명 이동성, 유동성　**mobilize** 통 동원하다, 집결시키다
➖ **stationary** 형 움직이지 않는

---

03 ★★★ function
[fʌ́ŋkʃən]

명 기능, 작용, 의식　**동** 기능하다, 역할을 하다

The laptop comes with a power-saving **function**.

그 노트북은 절전 기능이 딸려 있다.

➕ **functional** 형 기능적인

TIPS function과 관련된 표현들
· function as ~의 역할을 하다　· bodily functions 신체의 기능

---

04 ★★★ machine
[məʃíːn]

명 기계, 기구

The **machine**'s failure was caused by a manufacturing defect. (수능)

기계의 고장은 제조상의 결함으로 인해 발생되었다.

➕ **machinery** 명 기계류, 기계 부품들
➖ **device**

---

05 ★★★ repair
[ripέər]

명 수리, 수선　**동** 수리하다, 보수하다

I took my cell phone to the **repair** shop. (학평)

나는 내 핸드폰을 수리점에 가져갔다.

---

06 ★★ efficient
[ifíʃənt]

형 효율적인, 능률적인, 유능한

Farming will become more **efficient** by using new types of technology. (수능)

농업은 새로운 종류의 기술을 사용함으로써 더 효율적이게 될 것이다.

➕ **efficiently** 분 효율적으로　**efficiency** 명 효율성, 능률
➖ **effective**

TIPS efficient와 관련된 표현들
·fuel-efficient 연료 효율이 좋은　·energy-efficient 에너지 효율이 좋은

07 ★★ install
[instɔ́:l]

동 설치하다, 설비하다

The Internet line will be **installed** on Monday.

인터넷 회선은 월요일에 설치될 것이다.

➕ **installation** 명 설치, 장치

TIPS in 안에 + sta(ll) 세우다 → 건물 등의 안에 어떤 것을 세우다, 즉 설치하다

08 ★ innovation
[ìnəvéiʃən]

명 혁신, 획기적인 것

Innovation must be encouraged so that new technologies are developed.

혁신은 신기술이 개발되도록 장려되어야 한다.

➕ **innovate** 동 혁신하다　**innovative** 형 획기적인
➖ **revolution**

09 ★★★ trust
[trʌst]

동 신뢰하다, 믿다　명 신뢰, 신임

Most of us believe that we can **trust** in technology to solve our problems. (수능)

우리들 대부분은 우리의 문제를 해결하기 위해 기술을 신뢰할 수 있다고 생각한다.

➕ **trustworthy** 형 신뢰할 수 있는

VS

10 ★★★ truth
[tru:θ]

명 진실, 사실

Mom will forgive him if he tells her the **truth**. (학평)

엄마는 그가 그녀에게 진실을 말한다면 그를 용서할 것이다.

➕ **truthful** 형 진실한
➖ **fact**　⬛ **lie** 명 거짓(말)

REVIEW TEST p. 298

01
★★★
imagine
[imǽdʒin]

동 상상하다, 가정하다

We can **imagine** every home having a 3D printer in the future. 학평
우리는 미래에 모든 집에 3D 프린터가 있는 것을 상상할 수 있다.

➕ **imaginary** 형 상상 속의   **imagination** 명 상상(력)

02
★★★
artificial
[ὰːrtəfíʃəl]

형 인공의, 인조의, 부자연스러운

AlphaGo is one of the newest **artificial** intelligence programs. 교과서
알파고는 최신 인공지능 프로그램 중 하나이다.

🔁 **man-made**   ⏹ **natural** 형 자연적인

TIPS artificial과 관련된 표현들
·artificial intelligence 인공 지능
·artificial respiration(artificial ventilation) 인공호흡

03
★★
adjust
[ədʒʌ́st]

동 맞추다, 조정하다, 적응하다

Most of us try to **adjust** our attitudes to a rapid pace of living and working. 수능
우리들 대부분은 우리의 태도를 생활과 업무의 빠른 속도에 맞추려고 노력한다.

➕ **adjustment** 명 조정, 적응   **adjustable** 형 조정할 수 있는

04
★★
ideal
[aidíːəl]

형 이상적인, 완벽한 명 이상, 이상형

The laptop's huge screen is **ideal** for graphic designers.
노트북의 큰 화면은 그래픽 디자이너에게 이상적이다.

➕ **ideally** 부 이상적으로   **idealize** 동 이상화하다
🔁 **perfect**

05
★★★
gather
[gǽðər]

동 수집하다, 모으다

You can use your five senses to **gather** information. 교과서
당신은 정보를 수집하기 위해 당신의 오감을 사용할 수 있다.

➕ **gathering** 명 모임, 수집   **gatherer** 명 채집하는 사람
🔁 **collect**

06 ★★ mechanic
[məkǽnik]

명 정비사, 수리공

We take our cars to the **mechanic** for regular checkups. (학평)

우리는 정기 점검을 위해 우리의 차를 정비사에게 가져간다.

➕ **mechanical** 형 기계와 관련된, 기계적인
➖ **technician, engineer**

07 ★★ portable
[pɔ́ːrtəbl]

형 휴대용의, 이동이 쉬운

I'd like to buy a **portable** keyboard for my new tablet PC. (학평)

나는 나의 새 태블릿 PC를 위한 휴대용 키보드를 사고 싶다.

➖ **compact, movable**

08 ★★★ remove
[rimúːv]

동 치우다, 제거하다

We **removed** the old lighting and installed LED lighting. (학평)

우리는 오래된 조명을 치우고 LED 조명을 설치했다.

➕ **removal** 명 제거

09 ★★★ master
[mǽstər]

동 통달하다, 숙달하다 **명** 주인, 달인

I want to **master** all the techniques as soon as possible. (학평)

나는 가능한 한 빨리 모든 기술을 통달하고 싶다.

다의어

10 ★★★ screen
[skriːn]

| **명** 화면, 스크린 | 화면을 통해 영화를 공개하다 **동** 상영하다, 방영하다 |
| **명** 가림막, 칸막이 | 막을 통해 가려내다 **동** 거르다, 선별하다 |

The **screen** is broken, so I can't read text messages. (학평)

화면이 깨져서, 나는 문자를 읽을 수 없다.

During the film festival, theaters **screened** many different movie genres. (교과서)

영화제 기간에, 극장들은 많은 여러 가지 장르의 영화들을 상영했다.

They use a light to cast their shadows onto a cotton **screen**. (교과서)

그들은 그들의 그림자를 면 가림막에 드리우기 위해 빛을 사용한다.

The filter mistakenly **screened** out something essential. (수능)

필터는 중요한 무언가를 잘못 걸렀다.

REVIEW TEST p. 298

01
★★
widespread
[wáidsprèd]

형 광범위한, 널리 보급된

The **widespread** use of equipment has added machine noise. 학평

장비의 광범위한 사용은 기계 소음을 증가시켰다.

◒ universal, common

02
★★
edge
[edʒ]

명 가장자리, 모서리

The machine makes the **edges** of the metal smooth.

그 기계는 금속의 가장자리를 매끄럽게 만든다.

◒ verge, end

03
★★★
remind
[rimáind]

동 상기시키다, 일깨우다

Linda uses a calendar app to **remind** herself of the schedule. 학평

Linda는 자신에게 일정을 상기시키기 위해 달력 앱을 사용한다.

⊕ **reminder** 명 생각나게 하는 것

TIPS 'remind A of B'의 형태로 쓰일 경우 'A에게 B를 상기시키다'라는 의미를 나타내요.

04
★★
acquire
[əkwáiər]

동 습득하다, 얻다

As AI programs **acquire** more and more data, they become more intelligent. 교과서

인공지능 프로그램이 점점 더 많은 데이터를 습득함에 따라, 그들은 더 똑똑해진다.

⊕ **acquisition** 명 습득, 획득(물)
◒ get, gain

05
★★
interact
[íntərækt]

동 상호작용하다, 소통하다

Touch screens let the user **interact** with a computer by the touch of a finger. 학평

터치스크린은 사용자가 손가락의 터치로 컴퓨터와 상호작용하게 해준다.

⊕ **interaction** 명 소통   **interactive** 형 상호적인

06 ** scatter
[skǽtər]

동 쫓아 버리다, 흩뿌리다

Most airports adopt a system to scatter birds away, including bird alarms. (고과서)

대부분의 공항들은 조류 경보를 포함하여 새들을 쫓아 버리는 시스템을 채택한다.

⊜ spread, sprinkle   ⊠ gather 동 모이다, 모으다

07 ** virtual
[vɔ́ːrtʃuəl]

형 가상의

The NBA decided to allow fans to watch live games using virtual reality on their smartphones. (고과서)

NBA는 팬들이 그들의 스마트폰에서 가상현실을 이용하여 생방송 경기를 볼 수 있게 하기로 결정했다.

⊕ virtually 부 가상으로

TIPS virtual과 관련된 표현들
·virtual reality 가상 현실   ·virtual image 허상   ·virtual community 가상 사회

08 * convert
[kənvɔ́ːrt]

동 바꾸다, 전환하다

In 1999, Manhattan residents and property owners started an effort to convert the disused rail line into a public park. (고과서)

1999년에 맨해튼 주민들과 부동산 소유주들은 사용되지 않는 철도를 공원으로 바꾸기 위한 노력을 시작했다.

⊕ conversion 명 전환, 개조   convertible 형 전환 가능한
⊜ change, reform

혼동어

VS

09 ** ease
[iːz]

명 쉬움, 용이함 동 완화하다, 덜어주다

The highly trained staff handled the network problem with ease.

고도로 훈련된 직원은 네트워크 문제를 쉽게 처리했다.

⊠ difficulty 명 어려움

10 * erase
[iréis]

동 지우다, 없애다

Before donating your phone, make sure you erase any stored information. (학평)

당신은 전화기를 기증하기 전에, 반드시 모든 저장된 정보를 지워야 한다.

⊕ eraser 명 지우개
⊜ delete

REVIEW TEST p. 299

01
★
navigate
[nǽvəgèit]

⑧ 길을 찾다, 항해하다

The satellite-based GPS helps you **navigate** while driving. 수능

위성 기반의 GPS는 운전 중에 당신이 길을 찾는 것을 도와준다.

➕ **navigation** ⑲ 항해, 운항 **navigator** ⑲ 조종사, 항해사

02
★
reproduce
[rìːprədús]

⑧ 복제하다, 번식하다

Van Gogh's paintings have been **reproduced** endlessly on many products. 수능

반 고흐의 그림은 많은 제품에 끝없이 복제되어왔다.

➕ **reproduction** ⑲ 복제, 번식
⊜ **copy**

03
★★
differ
[dífər]

⑧ 다르다, 의견을 달리하다

A blog **differs** from a traditional website in several ways. 학평

블로그는 여러 방면에서 전통적인 웹사이트와 다르다.

➕ **different** ⑲ 다른 **difference** ⑲ 차이(점)
⊟ **accord** ⑧ 일치하다

04
★★
instruction
[instrʌ́kʃən]

⑲ 사용 설명서, 지시, 명령, 교육

I'm having a hard time understanding the **instructions**. 학평

나는 사용 설명서를 이해하느라 힘든 시간을 보내고 있다.

➕ **instruct** ⑧ 지시하다, 가르치다 **instructor** ⑲ 강사
⊜ **directions**

TIPS instruction과 관련된 표현들
·follow instructions 지시에 따르다 ·intensive instruction 집중 교육

05
★★
significant
[signífikənt]

⑲ 중요한, 의미 있는, 상당한, 현저한

One of the **significant** benefits of the touch screen is that it's easy to use. 학평

터치 스크린의 중요한 장점 중 하나는 사용하기 쉽다는 것이다.

➕ **significantly** ⑼ 중요하게, 상당히
⊜ **important**

06 ★★ satellite
[sǽtəlàit]

명 위성, 인공위성

Seven satellites beamed the event to over 100 countries. 수능

7개의 위성이 100개 이상의 국가에 이 행사를 방송했다.

07 ★★ demonstrate
[démənstrèit]

동 보여주다, 입증하다, 시위에 참여하다

The video demonstrates how to use your new printer.

그 동영상은 당신의 새 프린터를 사용하는 방법을 보여준다.

➕ demonstration 명 시연, 시위, 입증   demonstrator 명 시위자
➖ show

08 ★★ emerge
[imə́:rdʒ]

동 등장하다, 드러나다, 나타나다

Geographic information system technologies emerged in the 1970s and 1980s. 교과서

지리정보시스템 기술은 1970년대와 1980년대에 등장했다.

➕ emergence 명 출현, 발생
➖ appear

09 ★★ trigger
[trígər]

동 촉발시키다, 작동시키다, 발사하다   명 (총의) 방아쇠

The printing press triggered the mass production of books.

인쇄기가 책의 대량 생산을 촉발시켰다.

➖ cause, generate

다의어

10 ★★ current
[kə́:rənt]

형 현재의, 지금의

명 물살, 해류, 흐름

With his current phone, he can do so many things. 수능

그의 현재 핸드폰으로, 그는 매우 많은 일을 할 수 있다.

He tried to swim back, but the current was too strong. 교과서

그는 헤엄쳐 돌아오려고 했지만, 물살이 너무 강했다.

➕ currently 부 현재, 지금

REVIEW TEST p. 299

교통과 통신

음성 바로 듣기

01
★★★
traffic
[trǽfik]

명 교통, 통행, 수송량

Cities with downtown areas are struggling to deal with **traffic** jams. 학평
번화가가 있는 도시들은 교통 체증을 해결하는 데 어려움을 겪고 있다.

02
★★★
major
[méidʒər]

형 주요한, 중대한 **명** 전공

Old tires are one of the **major** causes of traffic accidents. 학평
오래된 타이어는 교통사고의 주요 원인 중 하나이다.

➕ **majority** 명 다수
➖ **important, significant** ⊟ **minor** 형 중요치 않은, 소수의

TIPS major와 관련된 표현들
· play a major role in ~에서 중요한 역할을 하다 · major in ~을 전공하다

03
★★★
route
[ru:t]

명 경로, 길, 방법

I took a different **route** to avoid a traffic jam.
나는 교통 체증을 피하기 위해 다른 경로를 택했다.

➖ **way, path**

04
★★★
rush
[rʌʃ]

동 돌진하다, 서두르다 **명** 돌진, 분주, 혼잡

Some **rushed** to the roads to escape, and others hid in their basements. 수능
일부는 탈출하기 위해 도로로 돌진했고, 다른 이들은 자신의 지하실로 숨었다.

➖ **hurry**

05
★★★
vehicle
[víːhikl]

명 자동차, 탈 것, 매개체

I locked my car key and cell phone inside the **vehicle**. 학평
나는 차 열쇠와 핸드폰을 자동차 안에 넣고 잠갔다.

➖ **automobile**

---

06 ** transport

☐ 통[trænspɔ́ːrt]
☐ 명[trǽnspɔːrt]
☐

통 수송하다, 이동시키다 명 수송, 이동

Buses transport many people throughout the area. 수능

버스는 그 지역 전체에 걸쳐 많은 사람들을 수송한다.

⊕ transportation 명 수송, 교통
⊖ convey, move

07 * utilize

☐ [júːtəlàiz]
☐
☐

통 이용하다, 활용하다

Horses were frequently utilized in the delivery of letters and messages. 수능

말은 편지와 메시지의 전달에 자주 이용되었다.

⊕ utilization 명 이용, 활용
⊖ use

08 ** remote

☐ [rimóut]
☐
☐

형 외진, 멀리 떨어진

Communicating with people in remote areas is easy with modern technology.

외진 지역에 있는 사람들과 소통하는 것은 현대 기술이 있다면 쉽다.

⊕ remotely 부 멀리서, 원격으로
⊖ far, distant   ◧ nearby 형 가까운, 가까이의

TIPS 'be remote from'의 형태로 쓰일 경우 '~으로부터 멀리 떨어져 있다'라는 의미를 나타내요.

혼동어

VS

09 ** leap

☐ [liːp]
☐
☐

통 건너뛰다, 도약하다 명 뜀, 도약

If you don't know, be careful not to leap to conclusions. 교과서

만약 당신이 알지 못한다면, 결론으로 건너뛰지 않도록 조심해라.

⊖ jump

10 * leak

☐ [liːk]
☐
☐

통 (물이) 새다, 유출하다 명 새는 곳, 누출, 누설

As the boat was leaking, it could not be used for the trip to the island.

배가 (물이) 새고 있었기 때문에, 이것은 섬으로의 여행에 사용될 수 없었다.

⊕ leakage 명 누출
⊖ disclose

REVIEW TEST p. 300

01 ★★★ guess
[ges]

동 ~일 것 같다, 추측하다

I **guess** it would be cheaper to go by car. 학평

나는 차로 가는 것이 더 저렴할 것 같다.

⊖ suspect

02 ★★★ temperature
[témpərətʃər]

명 온도, 기온

With your smartphone, you can control the **temperature** and light of your home remotely. 교과서

당신의 스마트폰으로, 당신은 원격으로 집의 온도와 빛을 조절할 수 있다.

TIPS 온도와 관련된 단어들
· thermometer 온도계　· degree (온도 단위인) 도
· Celsius 섭씨의　　　· Fahrenheit 화씨의

03 ★★★ passage
[pǽsidʒ]

명 통과, 통행, 통로

Getting a driver's license has become the rite of **passage** for young adults. 수능

운전면허를 취득하는 것은 젊은 성인들의 통과 의례가 되었다.

04 ★★★ flat
[flæt]

형 평평한, 바람이 빠진, 납작한

As the earth's surface is curved, a path looks curved and hence longer on a **flat** map. 학평

지구의 표면이 구부러져 있기 때문에, 평평한 지도에서 길은 구부러져 보이고 따라서 더 길어 보인다.

⊕ **flatten** 동 납작해지다
⊖ even

05 ★★ enormous
[inɔ́ːrməs]

형 거대한, 엄청난, 막대한

I was shocked by how **enormous** the screen was. 학평

나는 그 화면이 얼마나 거대한지에 충격을 받았다.

⊕ **enormously** 부 엄청나게
⊖ huge

06 ★★ accurate
[ǽkjurət]

형 정확한, 정밀한

Maps became increasingly accurate and factual with the application of scientific methods. (교과서)

지도는 과학적 방법의 적용으로 점점 정확하고 사실적이게 되었다.

➕ accurately 뷔 정확하게 accuracy 명 정확(도)
➖ precise ❌ inaccurate 형 부정확한

07 ★★ freeze
[friːz]

동 얼어붙다, 얼다 명 동결, 한파

The plane shook hard and I froze, feeling like I was not in control of anything.

비행기는 심하게 흔들렸고 나는 아무것도 통제할 수 없는 것처럼 느끼며 얼어붙었다.

➕ fridge 명 냉장고
➖ chill

08 ★★ gear
[giər]

명 장비, 복장, 기구

It's important to always wear protective gear when riding a bike. (교과서)

자전거를 탈 때 항상 보호 장비를 착용하는 것이 중요하다.

➖ equipment

09 ★★★ fuel
[fjúːəl]

명 연료, 에너지원 동 연료를 공급하다

Railroads provide low-cost, fuel-saving transportation. (수능)

철도는 저비용, 연료 절감형 교통수단을 제공한다.

TIPS fuel과 관련된 표현들
·fossil fuel 화석 연료 ·alternative fuel 대체 연료 ·fuel costs 연료비

다의어

10 ★★★ miss
[mis]

동 놓치다, 지나치다

중요한 것을 놓치다
동 그리워하다, 아쉬워하다

If you don't hurry, you will miss the train. (수능)

당신은 서두르지 않으면, 기차를 놓칠 것이다.

I'm going to miss my grandmother a lot. (학평)

나는 나의 할머니를 많이 그리워할 것이다.

REVIEW TEST p. 300

01 ★★ license
[láisəns]

명 면허증, 면허, 승낙 **동** 허가하다

I recently renewed my driver's **license**. 수능

나는 최근에 나의 운전면허증을 갱신했다.

➕ **licensed** 형 면허증을 소지한
➖ **certification**

TIPS license와 관련된 표현들
·renew a license 면허증을 갱신하다 ·revoke a license 면허를 취소하다

02 ★★ construction
[kənstrʌ́kʃən]

명 공사, 건설, 건축물

Once **construction** is complete, there will be enough parking spaces. 수능

공사가 완료되면, 충분한 주차 공간이 있을 것이다.

➕ **construct** 동 건설하다

03 ★ wireless
[wáiərlis]

명 무선 (시스템) **형** 무선의

Cable companies must try to prepare for a **wireless** future.

케이블 회사들은 무선 (시스템) 미래를 준비하기 위해 노력해야 한다.

04 ★★★ nevertheless
[nèvərðəlés]

부 그럼에도 불구하고, 그렇기는 하지만

Public transit is convenient, but some people refuse to use it **nevertheless**.

대중교통은 편리하지만, 그럼에도 불구하고 몇몇 사람들은 그것을 이용하기를 거부한다.

➖ **nonetheless**

05 ★★ barrier
[bǽriər]

명 장벽, 장애물

The mountains form a natural **barrier** between the two countries.

그 산맥은 두 나라 사이에 천연 장벽을 형성한다.

➖ **obstacle**

06 ★★★ lift
[lift]

圖 들어 올리다, 기분이 좋아지다 圓 승강기

The machine lifted the containers onto the ship for transport.

그 기계는 운송을 위해 컨테이너들을 배 위로 들어 올렸다.

⊜ raise

07 ★ curved
[kə:rvd]

圖 꺾인, 곡선인, 굽은

Drivers had to be careful, since the road curved suddenly to the right.

도로가 갑자기 오른쪽으로 꺾이기 때문에, 운전자들은 조심해야 했다.

⊕ curve 圓 곡선, 곡면
⊜ bent

08 ★★ eliminate
[ilímənèit]

圖 없애다, 제거하다

The replacement of human pilots by drones has eliminated some jobs. 학평

드론에 의한 인간 조종사의 대체는 몇몇 일자리를 없앴다.

⊕ elimination 圓 제거

혼동어

VS

09 ★ commit
[kəmít]

圖 (범죄를) 저지르다, (활동 등에) 전념하다

The boy committed his first theft at the age of 12.

그 소년은 12살에 첫 절도를 저질렀다.

⊕ commitment 圓 약속, 전념

10 ★ commute
[kəmjú:t]

圖 통근하다 圓 통근 (거리), 통학

Many city residents commute by subway every day.

많은 도시 거주자들은 매일 지하철로 통근한다.

⊕ commuter 圓 통근자

REVIEW TEST p. 301

01
★★
drag
[dræg]

통 끌다, 끌고 가다

The sled was **dragged** on the snow by a team of horses.
썰매는 말 떼에 의해 눈 위에서 끌렸다.

● **pull**

02
★
fasten
[fǽsən]

통 매다, 채우다, 잠그다

Don't forget to **fasten** your seat belt during the flight. 학평
비행 중에 당신의 안전벨트를 매는 것을 잊지 말아라.

● **tie, bind**

03
★
precise
[prisáis]

형 정확한, 정밀한

A GPS navigation system provides drivers with their **precise** location.
GPS 내비게이션 시스템은 운전자들에게 그들의 정확한 위치를 제공한다.

⊕ **precisely** 부 정확히, 바로
● **exact, accurate**

04
★
vital
[váitl]

형 필수적인, 중요한, 생명에 관한

Public transportation has been **vital** to progress and personal freedom. 학평
대중교통은 (사회의) 진보와 개인의 자유에 필수적이었다.

⊕ **vitality** 명 활력
● **essential**

05
★
component
[kəmpóunənt]

명 부품, 구성 요소

No one person invented all of the **components** of the automobile. 학평
자동차의 모든 부품을 발명한 사람은 없다.

● **part, piece**

06 ★★ seldom
[séldəm]

里 거의 ~이 아닌, 드물게

In the early days of automobiles, tires were **seldom** black. 학평
자동차의 초창기에, 타이어는 거의 검은색이 아니었다.

● **rarely, hardly**

07 ★★ enhance
[inhǽns]

등 향상시키다, 높이다

Home automation can **enhance** your lifestyle. 교과서
가정 자동화는 당신의 라이프스타일을 향상시킬 수 있다.

● **enhancement** 명 증진

08 ★★ sink
[siŋk]

등 가라앉다, 침몰시키다 **명** 싱크대, 개수대

Suddenly the engine died, and the boat began to **sink**. 수능
갑자기 엔진이 꺼지고, 보트가 가라앉기 시작했다.

● **fall** ■ **float** 등 뜨다

TIPS sink와 관련된 표현들
· sink into something (어떤 감정·상태에) 빠져들다 · sink in (말·사건이) 충분히 이해되다

09 ★★ destination
[dèstənéiʃən]

명 목적지, 행선지

The prize is a round-trip airplane ticket to any **destination** in the world. 수능
상품은 세계 어느 목적지로든 지의 왕복 비행기 티켓이다.

다의어

10 ★★★ station
[stéiʃən]

명 역, 정거장, 위치

등 배치하다

Please tell me how to get to the subway **station**. 학평
지하철역에 어떻게 가는지 저에게 알려주세요.

The hospital **stations** at least three night nurses on every floor.
병원은 모든 층에 최소 3명의 야간 간호사를 배치한다.

● **stationary** 형 움직이지 않는

REVIEW TEST p. 301

해커스북 중·고등
www.HackersBook.com

PART 5
자연&환경

DAY 21

동물과 식물

음성 바로 듣기

01
★★★
wild
[waild]

형 야생의, 자연 그대로의   명 황무지, 야생

Some people enjoy searching for **wild** mushrooms in the forest. (수능)

어떤 사람들은 숲에서 야생 버섯을 찾는 것을 즐긴다.

➕ **wildly** 부 거칠게, 야생으로   **wildness** 명 야생, 황폐
➖ **tamed** 형 길들여진

02
★★★
species
[spíːʃiːz]

명 종, 종류

Different **species** of plants respond to drought differently. (학평)

다른 종의 식물들은 가뭄에 서로 다르게 반응한다.

⊜ **kind, type**

TIPS species와 관련된 표현들
·endangered species 멸종 위기에 처한 (동식물) 종   ·invasive species 침입종
·On the Origin of Species 종의 기원(다윈의 저서)

03
★★
bark
[bɑːrk]

동 [개가] 짖다

Please make sure your dogs do not **bark** at night. (학평)

당신의 개들이 밤에 짖지 않도록 확실히 해주세요.

04
★★
nest
[nest]

명 둥지, 보금자리   동 둥지를 틀다

Young crows rely on their parents to bring them food in the **nest**. (학평)

어린 까마귀는 그들에게 둥지 안에 먹이를 가져다주는 부모에게 의존한다.

05
★★★
certain
[sɔ́ːrtn]

형 특정한, 확실한

A particular flower may have a **certain** meaning in one country. (교과서)

어떤 특정 꽃은 한 나라에서 특정한 의미를 가질 수 있다.

➕ **certainly** 부 틀림없이, 분명히   **certainty** 명 확실성
⊜ **specific, particular**   ➖ **uncertain** 형 불확실한

---

06 ★★ greet
[griːt]

동 인사하다, 환영하다

Elephants may **greet** each other by reaching their trunks into each other's mouths. 수능

코끼리들은 서로의 입에 그들의 코를 갖다 대며 서로에게 인사할 수도 있다.

✚ **greeting** 명 인사(말)
⊜ **welcome**

07 ★★ seed
[siːd]

명 씨[앗], 종자

The rafflesia's **seeds** are carried and spread by elephants. 학평

라플레시아의 씨앗은 코끼리에 의해 옮겨지고 퍼진다.

08 ★★★ predator
[prédətər]

명 포식자, 포식 동물, 약탈자

Some **predators**, such as owls, hunt their prey at night.

올빼미와 같은 일부 포식자들은 밤에 그들의 먹이를 사냥한다.

✚ **predatory** 형 포식성의
⬛ **prey** 명 사냥감, 먹이

TIPS predat 먹이 + or 사람 → predator (먹이를 잡아먹는) 포식자

혼동어

09 ★★★ scene
[siːn]

VS

명 현장, 장면, 경치

The police soon arrived on the **scene** and arrested the two thieves. 학평

경찰은 곧 현장에 도착하여 두 도둑을 체포했다.

✚ **scenery** 명 경치, 풍경
⊜ **setting, site**

10 ★★★ scent
[sent]

명 향기, 냄새 동 향기가 나다

Come over here and try this flower **scent**. 학평

이리로 와서 이 꽃향기를 한번 맡아 보세요.

✚ **scentless** 형 향기가 없는
⊜ **smell**

REVIEW TEST p. 302

---

01 ★★★ shape
[ʃeip]

몡 모양, 형태 **통** 형성하다, 모양으로 만들다

Look at these flowers placed in the **shape** of a heart! 학평

하트 모양으로 놓인 이 꽃들을 보세요!

⊜ **appearance**

---

02 ★ fierce
[fiərs]

톙 사나운, 치열한

The hunter owned a few **fierce** and poorly-trained hunting dogs. 학평

그 사냥꾼은 사납고 훈련이 잘 되지 않은 몇 마리의 사냥개를 소유했다.

⊕ **fiercely** **뿐** 거칠게
⊜ **violent**

---

03 ★ ripe
[raip]

톙 익은, 숙성한

He wants to have tomatoes while they are fresh and **ripe**.

그는 토마토가 신선하고 익었을 때 먹기를 원한다.

⊕ **ripen** **통** 익다, 숙성하다
⊜ **mature**

---

04 ★★★ lay
[lei]

통 (알을) 낳다

Female leopard sharks **lay** eggs and hatch them inside their bodies. 학평

암컷 레오파드 상어는 알을 낳아서 그들의 몸 안에서 그것들을 부화시킨다.

---

05 ★★★ male
[meil]

톙 수컷의, 남자의 **몡** 수컷, 남자

Female butterflies attract **male** butterflies with a smell. 학평

암컷 나비는 냄새로 수컷 나비를 유혹한다.

◼ **female** **톙** 암컷의, 여자의 **몡** 암컷, 여자

---

06 ★ foster
[fɔ́:stər]

통 기르다, 조성하다

Interestingly, some animals foster babies that are not their own.

흥미롭게도, 어떤 동물들은 자신의 것이 아닌 새끼들을 기른다.

⊜ raise

07 ★★★ surface
[sə́:rfis]

명 표면, 겉, 외관

Dolphins need to reach the surface of water to breathe. 학평

돌고래는 숨쉬기 위해 물의 표면에 도달해야 한다.

⊜ top, face

08 ★★★ engage
[ingéidʒ]

통 참여하다, 관여하다, 종사하다

Animals as well as humans engage in play. 학평

인간뿐만 아니라 동물들도 놀이에 참여한다.

➍ engagement 명 참여, 간여, 개입

TIPS engage와 관련된 표현들
·engage in ~에 참여하다 ·engage with ~와 관계를 맺다 ·be engaged to ~와 약혼하다

09 ★★★ location
[loukéiʃən]

명 위치, 소재, 장소

Plants can't change location without help. 학평

식물은 도움 없이 위치를 바꿀 수 없다.

➍ locate 통 (~의 위치를) 찾아내다, 위치하게 두다

⊜ place

다의어

10 ★★★ store
[stɔ:r]

명 상점, 가게

물건을 상점에 두다
통 저장하다, 비축하다

The average grocery store carries over 10,000 items. 학평

평균적인 식료품 상점은 1만 개 이상의 물건을 갖추고 있다.

Information that you post publicly can be stored by anyone who finds it. 교과서

당신이 공개적으로 게시한 정보는 그것을 찾은 누군가에 의해 저장될 수 있다.

➍ storage 명 저장, 창고

REVIEW TEST p. 302

01
★★★
attract
[ətrǽkt]

圄 유혹하다, 끌어들이다

The feathers of birds may be used to **attract** mates. 학평

새의 깃털은 짝을 유혹하는 데 사용될 수 있다.

➕ **attractive** 웹 매혹적인   **attraction** 웹 끌림, 매력, 명소
➖ **tempt**

02
★★
poison
[pɔ́izn]

圀 독, 독약   圄 독살하다

Small animals have developed useful weapons such as
poison. 수능

작은 동물들은 독과 같은 유용한 무기를 발달시켰다.

➕ **poisonous** 웹 유독한
➖ **toxin**

03
★★
weigh
[wei]

圄 (무게가) 나가다, 저울에 달다

A mature horse may **weigh** as much as 1,000 kilograms.

다 자란 말은 1천 킬로그램만큼 많이 무게가 나갈 수 있다.

➕ **weight** 웹 무게

04
★
automatic
[ɔ̀ːtəmǽtik]

웹 자동의, 기계적인

A turtle doesn't have **automatic** body temperature control. 학평

거북이는 자동 체온 조절 기능이 없다.

➕ **automatically** 뿐 자동으로   **automated** 웹 자동화된
➖ **manual** 웹 수동의

05
★★★
role
[roul]

圀 역할, 배역

Toys play an important **role** in keeping your pet happy. 학평

장난감은 당신의 반려동물을 행복하게 하는 데 중요한 역할을 한다.

➖ **part**

TIPS role과 관련된 표현들
· role model 롤 모델   · major role 중요한 역할   · role playing 역할 연기

---

06 ★★★ exchange
[ikstʃéindʒ]

🔵 교환하다, 주고받다 🟦 교환

Many mammals, such as elephants and whales, exchange information by sound. 학평

코끼리와 고래 같은 많은 포유동물들은 소리로 정보를 교환한다.

⊜ interchange, trade

07 ★★★ contain
[kəntéin]

🔵 포함하다, 함유하다, 억누르다

Broccoli and berries contains a lot of vitamin C. 학평

브로콜리와 딸기류는 비타민 C를 많이 포함한다.

⊕ container 🟦 용기, 컨테이너
⊜ include

TIPS 상태를 나타내는 동사 contain은 진행형(be동사 + -ing)으로 쓰이지 않는다는 것에 유의하세요.

혼동어

08 ★★ trail
[treil]

🟦 오솔길, 자취, 흔적

The trail curved toward the deep forest. 학평

그 오솔길은 깊은 숲을 향해 구부러져 있었다.

⊜ path, route

VS

09 ★★ trait
[treit]

🟦 특징, 특색

One trait of fish is that they have gills.

물고기의 한 특징은 그들은 아가미가 있다는 것이다.

⊜ characteristic

10 ★ trial
[tráiəl]

🟦 시도, 도전, 재판

In general, every achievement requires trial and error. 수능

일반적으로, 모든 성공은 시도와 실수(시행착오)를 필요로 한다.

⊜ test

REVIEW TEST p. 303

DAY 21

동물과 식물

01
★★★
overcome
[òuvərkʌ́m]

동 극복하다, 이기다

Jasmine can help to overcome sadness and depression. 학평
재스민은 슬픔과 우울증을 극복하는 데 도움을 줄 수 있다.

● conquer

02
★★★
tiny
[táini]

형 작은, 조그마한

The grass was sparkling with tiny drops of water. 학평
잔디가 작은 물방울들로 반짝이고 있었다.

● small   ■ huge 형 거대한

03
★★
exceed
[iksí:d]

동 넘다, 초과하다

The king cobra can exceed six meters in length.
킹코브라는 길이가 6미터를 넘을 수 있다.

⊕ excess 형 초과, 과잉   excessive 형 지나친
● surpass

TIPS ex 밖으로 + ceed 가다 → 정해진 범위 밖으로 가서 그것을 넘다, 즉 초과하다

04
★★
bury
[béri]

동 파묻다, 매장하다

The turtle spends 95 percent of its life buried under the sand in the water. 학평
거북이는 일생 중 95퍼센트를 물 속의 모래 아래에 파묻혀 보낸다.

⊕ burial 형 매장, 장례식

05
★
stem
[stem]

명 줄기, 대 **동** 비롯되다, 유래하다

Birds use dead branches and stems for building materials. 학평
새들은 집 짓는 재료로 죽은 나뭇가지와 줄기를 사용한다.

● trunk

TIPS 'stem from'의 형태로 쓰일 경우 '~에서 비롯되다, ~에서 유래하다'라는 의미를 나타내요.

해커스 보카 중등 기본

06 ★ diameter
[daiǽmətər]

명 지름, 직경

Have you ever seen a flower which is about one meter in diameter? 학평

당신은 지름이 약 1미터 정도인 꽃을 본 적이 있는가?

07 ★★ fascinate
[fǽsəneit]

동 매료하다, 마음을 사로잡다

I was fascinated by the beautiful leaves and flowers of the mangroves. 수능

나는 맹그로브의 아름다운 나뭇잎과 꽃에 매료되었다.

● **fascinating** 형 매력적인   **fascination** 명 매력, 매혹

08 ★★ furthermore
[fə́ːrðərmɔ̀ːr]

부 게다가, 뿐만 아니라

Furthermore, most bees sting when they feel threatened. 수능

게다가, 대부분의 벌들은 위협 당했다고 느낄 때 침을 쏜다.

● **moreover**

09 ★★ concentrate
[kάːnsəntrèit]

동 집중하다, 전념하다   **명** 농축물, 응축물

The guide dog needs to concentrate on leading the blind person. 학평

안내견은 시각장애인을 이끄는 데 집중해야 한다.

● **concentration** 명 집중
● **focus, pay attention**

TIPS concentrate와 관련된 표현들
·concentrate A on B A를 B에 집중시키다   ·protein concentrate 단백질 농축물

다의어

10 ★★★ general
[dʒénərəl]

┌─ **형** 일반적인, 보통의

└─ **명** 장군

The general color of Glass Frogs is green like most frogs. 학평

유리 개구리의 일반적인 색깔은 대부분의 개구리들처럼 초록색이다.

The general who had led the liberating forces called a meeting. 학평

해방군을 이끌었던 장군이 회의를 소집했다.

● **generally** 부 일반적으로

REVIEW TEST p. 303

DAY 22 자연과 생태계

 ① ② ③ ④

01
★★★
ecosystem
[ìːkousístəm]

명 생태계

The role of humans in today's **ecosystems** differs from that of early human settlements. 학평

오늘날 생태계에서 인간의 역할은 초기 인류 정착에서의 그것(역할)과는 다르다.

⊜ ecology

02
★★★
desert
[dézərt]

명 사막, 불모지   동 버리다, 포기하다

Drifting sands had wiped out the track across the **desert**. 학평

떠다니는 모래가 사막을 가로지르는 길을 쓸어버렸다.

⊕ deserted 형 사람이 없는, 버림 받은
⊜ wilderness

03
★★
creature
[kríːtʃər]

명 생명체, 생물, 창조물

Whether large or small, simple or complex, no **creature** lives alone. 학평

크든 작든, 단순하든 복잡하든, 어떤 생명체도 혼자 살지 않는다.

⊕ create 동 창조하다   creation 명 창조, 창작품
⊜ living thing

04
★
mature
[mətjúər]

형 다 자란, 어른스러운   동 익다, 성숙하다

Chuckwallas weigh about 1.5 kilograms when **mature**. 학평

척왈라는 다 자랐을 때 무게가 약 1.5 킬로그램이다.

⊕ maturity 명 성숙함
⊜ grown-up   ◨ immature 형 미숙한

05
★★
habitat
[hǽbitæt]

명 서식지, 거주지

Mammals are able to live in a variety of **habitats**. 학평

포유류는 다양한 서식지에서 살 수 있다.

⊕ habitation 명 거주   habitable 형 거주할 수 있는
⊜ home, dwelling

TIPS habitat와 관련된 표현들
·natural habitat 자연 서식지   ·wildlife habitat 야생 서식지

---

06 ★★★ maintain
[meintéin]

동 유지하다, 지키다, 부양하다

The ecosystem is balanced and able to maintain many species. (교과서)

생태계는 균형이 잡혀 있고 많은 종들을 유지할 수 있다.

⊕ **maintenance** 명 유지, 지속
⊖ **preserve, keep**

07 ★ tide
[taid]

명 조수, 조류, 흐름

When the tide is low, some birds walk along the water's edge and grab small animals. (수능)

조수가 낮을 때, 어떤 새들은 물가를 따라 걸어가서 작은 동물들을 잡아먹는다.

⊖ **current, flow**

08 ★★★ balance
[bǽləns]

명 균형, 평형 상태, 잔액 **동** 균형을 유지하다

Andy was trying to do a jump with his bike, but he lost his balance. (교과서)

Andy는 그의 자전거로 점프를 하려고 하고 있었지만, 그는 균형을 잃었다.

⊕ **balanced** 형 균형 잡힌, 안정된
⊖ **stability**

TIPS balance와 관련된 표현들
·balance the budget 예산의 수지 균형을 맞추다 ·account balance 계좌 잔고

혼동어

VS

09 ★★★ grand
[grænd]

형 웅장한, 위대한

When we observe nature, we are amazed by its beauty and its grand scale. (교과서)

우리가 자연을 관찰할 때, 우리는 그것의 아름다움과 웅장한 규모에 놀란다.

⊖ **great, magnificent**

10 ★★ grant
[grænt]

동 주다, 인정하다, 승인하다 **명** 보조금

A business license has been granted to the company.

사업 허가증이 그 회사에 주어졌다.

⊖ **give, provide**

REVIEW TEST p. 304

01 ★★★ huge
[hju:dʒ]

형 거대한, 막대한

In South Africa, you can see **huge** trees called baobabs. 교과서
남아프리카에서, 당신은 바오밥이라고 불리는 거대한 나무들을 볼 수 있다.

⊕ hugely 부 엄청나게, 크게

02 ★★ pile
[pail]

동 쌓다, 포개다 명 쌓아 올린 것, 더미

The *geojunggi* was used to lift and **pile** up heavy stones with the least amount of energy. 교과서
'거중기'는 가장 적은 양의 에너지로 무거운 돌을 들어 올리고 쌓는 데 사용되었다.

⊜ stack

03 ★★ react
[riǽkt]

동 반응하다, 반작용하다

Plants are known to **react** to environmental pressures. 수능
식물은 환경적 압박에 반응하는 것으로 알려져 있다.

⊕ reaction 명 반응, 반작용
⊜ respond

TIPS react와 관련된 표현들
·react with ~과 반응하다   ·react to ~에 반응하다   ·react against ~에 반발하다

04 ★★★ exist
[igzíst]

동 존재하다, 살아가다, 있다

No living creature can **exist** in complete isolation. 수능
어떤 생명체도 완전한 고립 안에서 존재할 수는 없다.

⊕ existence 명 존재
⊜ live

05 ★ shade
[ʃeid]

명 그늘, 빛 가리개

Today we'll learn about plants that grow even in **shade**. 학평
오늘 우리는 그늘에서도 자라나는 식물에 대해 배울 것이다.

⊜ shadow

06 ★★ element
[éləmənt]

명 요소, 성분, 원소

The **elements** of nature are continually changing, but nature itself remains constant. 수능

자연의 요소들은 끊임없이 변화하고 있지만, 자연 그 자체는 계속 한결같다.

➕ **elementary** 형 초급의, 기본적인
➖ **component**

07 ★★ layer
[léiər]

명 층, 막, 단계

Sea mammals like whales and seals have a **layer** of fat under the skin. 학평

고래나 바다표범과 같은 바다 포유류는 피부 아래에 지방층이 있다.

08 ★ horizon
[həráizn]

명 수평선, 지평선

As I stood on the beach, I looked out to the **horizon**. 학평

나는 해변에 서서, 수평선을 바라보았다.

➕ **horizontal** 형 수평의 **horizontally** 부 수평으로

09 ★★★ observe
[əbzə́rv]

통 관찰하다, 목격하다, 지키다

When we **observe** nature, we can be amazed by its beauty. 교과서

우리가 자연을 관찰할 때, 우리는 그것의 아름다움에 놀랄 수 있다.

➕ **observation** 명 관찰 **observatory** 명 관측소
➖ **watch**

TIPS ob 향하여 + serve 지키다 → 어떤 것을 향하여 지키고 서서 관찰하다

다의어

10 ★★★ block
[blɑːk]

명 덩어리, 토막, 블록 —┐ 덩어리로 막다
통 막다, 차단하다

In the 1800s, traders sold **blocks** of ice to people in the south.

1800년대에, 무역업자들은 남쪽에 있는 사람들에게 얼음덩어리를 팔았다.

Experts explain that the trees serve as a wall to **block** the sand. 교과서

전문가들은 나무가 모래를 막는 벽으로서의 역할을 한다고 설명한다.

REVIEW TEST p. 304

---

01 **reason**
★★★
[ríːzn]

명 원인, 이유

Logging is the main **reason** for the loss of trees. 교과서
벌목은 삼림 소실의 주된 원인이다.

➕ **reasonable** 형 타당한, 합리적인   **reasonably** 부 합리적으로
➖ **cause**

---

02 **herd**
★
[həːrd]

명 무리, 떼   동 (짐승을) 몰다

Tanzania is famous for its wildlife, especially for the **herds** of thousands of buffalo. 학평
탄자니아는 야생 동물, 특히 수천 마리의 버팔로로 무리로 유명하다.

➖ **flock**

---

03 **filter**
★
[fíltər]

동 여과하다, 거르다   명 여과 장치, 필터

Swamps help **filter** the water that enters them.
늪은 그곳으로 들어오는 물을 여과하는 것을 돕는다.

➖ **purify**

---

04 **eco-friendly**
★
[íːkəufrèndli]

형 친환경의, 환경친화적인

Our new online shop offers **eco-friendly** furniture for babies. 학평
우리의 신규 온라인 상점은 아기들을 위한 친환경 가구를 제공한다.

TIPS friendly로 끝나는 표현들
· user-friendly (컴퓨터·시스템이) 사용하기 쉬운   · ozone-friendly 오존층을 파괴하지 않는

---

05 **portion**
★★
[pɔ́ːrʃən]

명 일부, 부분, 1인분   동 나누다, 분배하다

Water for drinking and personal use is only a small **portion** of society's water use. 교과서
식수 및 개인적 사용을 위한 물은 사회의 물 사용량 중 작은 일부일 뿐이다.

➖ **part**

---

06 ★ deadly
[dédli]

형 치명적인, 극도의

Spoiled or toxic food can have deadly consequences. 수능

상했거나 독성이 있는 음식은 치명적인 영향이 있을 수 있다.

⊕ dead 형 죽은
⊖ fatal

TIPS deadly는 -ly로 끝나는 형태라서 부사처럼 보일 수 있지만, 부사가 아닌 형용사라는 점에 유의하세요.

07 ★ tension
[ténʃən]

명 긴장(감), 갈등

There is a constant tension between change and balance in nature. 수능

자연의 변화와 균형 사이에는 끊임없는 긴장감이 있다.

⊕ tense 형 긴장한, 팽팽한

08 ★ migrate
[máigreit]

동 이동하다, 이주하다

The geese migrate from Canada to the US during the fall.

거위는 가을에 캐나다에서 미국으로 이동한다.

⊕ migration 명 이동, 이주   migratory 형 이동하는, 이주하는
⊖ move, travel

혼동어

09 ★★★ access
[ǽkses]

VS

동 접근하다, 입수하다 명 접근, 접속, 입장

Trails serve as a wonderful source for us to access the natural world. 의평

오솔길은 우리가 자연 세계에 접근하는 훌륭한 원천의 역할을 한다.

⊕ accessible 형 접근 가능한   accessibility 명 접근하기 쉬움
⊖ approach

TIPS access와 관련된 표현들
·have access to ~에 접근할 수 있다 ·Internet access 인터넷 접속

10 ★ excess
[iksés]

형 여분의, 초과한 명 과잉, 지나침

Trees protect against landslides by absorbing excess water.

나무는 여분의 물을 흡수함으로써 산사태로부터 보호해준다.

⊕ excessive 형 과도한   exceed 동 넘다, 초과하다
⊖ surplus

REVIEW TEST p. 305

01 ★★ expose
[ikspóuz]

⑧ 드러내다, 노출시키다, 폭로하다

The massive earthquake **exposed** a large underground cave.
대규모 지진은 거대한 지하 동굴을 드러냈다.

⊕ **exposure** ⑲ 노출, 폭로
⊖ **reveal**

02 ★★★ shelter
[ʃéltər]

⑲ 보호소, 대피, 주거지　⑧ 보호하다, 쉴 곳을 제공하다

I will do volunteer work at an animal **shelter**. 학평
나는 동물 보호소에서 봉사 활동을 할 것이다.

⊖ **refuge**

03 ★★★ absorb
[æbsɔ́ːrb]

⑧ 흡수하다, 받아들이다

Forests provide oxygen and **absorb** carbon dioxide. 학평
숲은 산소를 공급하고 이산화탄소를 흡수한다.

⊕ **absorption** ⑲ 흡수, 전념

04 ★★ incredible
[inkrédəbl]

⑱ 놀라운, 훌륭한

The sight of large waterfalls and gleaming rainbows was
incredible. 교과서
커다란 폭포와 반짝이는 무지개의 광경은 놀라웠다.

⊕ **incredibly** ⑭ 믿을 수 없을 정도로
⊖ **unbelievable, amazing**

05 ★★ consist
[kənsíst]

⑧ 구성되다, 이루어지다

Ecosystems **consist** of living things, such as plants,
animals, and tiny organisms. 교과서
생태계는 식물, 동물, 그리고 작은 유기체와 같은 생물들로 구성된다.

⊖ **comprise**

TIPS consist와 관련된 표현들
·consist of ~으로 구성되다, ~으로 이루어지다　·consist in ~에 있다, 존재하다

06 ★★ peak
[pi:k]

명 [산의] 정상, 봉우리, 정점

I really wanted to go up to the **peak** of the mountain. 학평

나는 정말 그 산의 정상에 올라가고 싶었다.

● **top, summit**

07 ★ weed
[wi:d]

명 잡초 **동** 잡초를 제거하다

Goats like eating **weeds**. 수능

염소는 잡초 먹는 것을 좋아한다.

08 ★★ scare
[skɛər]

동 겁먹게 하다, 무서워하다 **명** 두려움, 공포

My dog sometimes barked loudly, and it **scared** the others. 학평

나의 개는 때때로 크게 짖었고, 그것은 다른 사람들을 겁먹게 했다.

➕ **scared** 형 무서워하는
● **frighten**

09 ★ diminish
[dimíniʃ]

동 줄어들다, 약해지다

The world's population of bees is **diminishing**. 교과서

세계의 꿀벌 개체 수가 줄어들고 있다.

● **decrease, lessen**

TIPS di 떨어져 + min 작은 + ish 동·접 → 큰 것을 떨어뜨려 크기가 작게 줄어들다

다의어

10 ★ yield
[ji:ld]

동 굴복하다, 양보하다

동 내다, 산출하다

산출해 낸 농작물
명 수확[량], 생산량

Do not **yield** to public opinion! 교과서

여론에 굴복하지 마라!

Working in groups can **yield** results beyond your imagination. 교과서

그룹으로 일하는 것은 당신의 상상을 능가하는 결과를 낼 수 있다.

The cleared soil provided substantial production **yields**. 수능

개간된 토양은 상당한 생산 수확량을 제공했다.

REVIEW TEST p. 305

기후와 지리

음성 바로 듣기

---

01 ★★★
climate
[kláimit]

명 기후, 분위기

Mexico has a mild **climate** for tourists. 수능
멕시코는 관광객들을 위한 온화한 기후를 가지고 있다.

➕ **climatic** 형 기후의
➖ **weather**

---

02 ★★
landscape
[lǽndskèip]

명 풍경, 경치, 경관

Despite its small size, Puerto Rico has a wide variety of **landscapes**. 학평
그것의 작은 크기에도 불구하고, 푸에르토리코는 매우 다양한 풍경을 가지고 있다.

➖ **scenery, view**

---

03 ★★
storm
[stɔːrm]

명 폭풍, 폭풍우

The **storm** was obviously caused by dramatic changes in the global climate. 교과서
그 폭풍은 분명히 지구 기후의 극적인 변화에 의해 야기되었다.

➖ **hurricane**

---

04 ★★★
average
[ǽvəridʒ]

형 평균의, 보통의 명 평균, 표준

The **average** global temperature is expected to be 3.6 degrees higher by 2100. 교과서
2100년까지 평균 지구 기온은 3.6도가 더 높아질 것으로 예상된다.

➖ **standard, normal**

TIPS average와 관련된 표현들
·on average 평균적으로 ·above average 평균 이상의 ·average life 평균 수명

---

05 ★★
drown
[draun]

동 익사시키다, 침수시키다

In bad weather, sea waves can damage boats and **drown** people. 학평
좋지 않은 날씨에서, 해양 파도는 배를 손상시키고 사람들을 익사시킬 수 있다.

---

06 ★★★ happen
[hǽpən]

동 발생하다, 일어나다

Tsunamis often **happen** because of undersea earthquakes. 학평

쓰나미는 종종 해저 지진으로 인해 발생한다.

⊕ **happening** 명 사건, 일
⊖ **occur**

07 ★ rough
[rʌf]

형 거친, 난폭한, 대강의

He remembered sailing on a **rough** sea. 수능

그는 거친 바다에서 항해했던 것을 기억했다.

⊕ **roughly** 부 대략
⊖ **tough**

08 ★ geography
[dʒiá:grəfi]

명 지리학, 지리, 지형

Students who study **geography** are knowledgeable about the world.

지리학을 공부하는 학생들은 세계에 대해 아는 것이 많다.

⊕ **geographic** 형 지리학의

혼동어

VS

09 ★★★ effect
[ifékt]

명 효과, 영향, 결과

The problem is that burning fossil fuels causes the greenhouse **effect**. 학평

문제는 화석 연료를 태우는 것이 온실 효과를 일으킨다는 것이다.

⊕ **effective** 형 효과적인 **effectively** 부 효과적으로

TIPS effect와 관련된 표현들
·side effect 부작용 ·adverse effect 부정적인 효과, 역효과 ·in effect 사실상, 실제로는

10 ★★★ affect
[əfékt]

동 영향을 미치다, 작용하다

The landscape of a place **affects** the lives of the people who live there. 수능

한 장소의 풍경은 그곳에 사는 사람들의 삶에 영향을 미친다.

⊕ **affection** 명 애정, 영향

REVIEW TEST p. 306

DAY 23 기후와 지리

---

01 valley
★★
[vǽli]

명 계곡, 골짜기

There was a powerful river at the bottom of the valley.

그 계곡의 밑바닥에는 거센 강이 있었다.

---

02 influence
★★★
[ínfluəns]

동 영향을 미치다 **명** 영향, 영향력

Changes in wind patterns influence the amount of rainfall. (학평)

바람 패턴의 변화는 강우량에 영향을 미친다.

➊ influential **형** 영향력이 있는
➊ affect, impact

---

03 damage
★★★
[dǽmidʒ]

명 피해, 손상, 배상금 **동** 손해를 입히다, 훼손하다

A tsunami can cause terrible damage and destruction. (학평)

쓰나미는 끔찍한 피해와 파괴를 일으킬 수 있다.

➊ harm

TIPS damage와 관련된 표현들
·do damage 피해를 입히다, 손상시키다 ·permanent damage 영구적인 피해

---

04 lack
★★★
[læk]

명 부족, 결핍 **동** 부족하다, 모자라다

Climate change in California has resulted in a lack of water. (학평)

캘리포니아의 기후 변화는 물 부족을 초래했다.

➊ lacking **형** 부족한, 빠진
➊ shortage

---

05 predict
★★★
[pridíkt]

동 예측하다, 예보하다

Weather forecasters predict the amount of rain, wind speeds, and so forth. (교과서)

기상 예보관들은 강수량, 풍속 등을 예측한다.

➊ prediction **명** 예측, 예견 predictable **형** 예측할 수 있는
➊ foretell, foresee

---

06 aware
★★★
[əwɛ́ər]

형 알고 있는, 깨달은

Steve Jobs was well aware of the importance of communication among experts from various fields. 교과서
스티브 잡스는 다양한 분야의 전문가들 간에 의사소통의 중요성을 잘 알고 있었다.

➕ awareness **명** 의식, 관심
➖ unaware **형** 알지 못하는

TIPS aware과 관련된 표현들
· be aware of ~을 알고 있다 · without being aware 무의식적으로

07 correct
★★★
[kərékt]

형 정확한, 맞는 **동** 바로잡다, 수정하다

I don't think the weather forecast is always correct. 학평
나는 일기 예보가 항상 정확하다고 생각하지는 않는다.

➕ correction **명** 수정 correctly **부** 정확하게, 바르게
➕ accurate

08 earthquake
★★
[ə́ːrθkweik]

명 지진

About two years ago, the auditorium was damaged by an earthquake. 학평
약 2년 전, 강당은 지진으로 훼손되었다.

09 due
★★★
[djuː]

형 ~으로 인한, ~ 때문인, 예정된

Today's game has been canceled due to heavy rain. 수능
오늘 경기는 폭우로 인해 취소되었다.

다의어

10 level
★★★
[lévəl]

명 [가치·정도 등의] 수준, 위치

명 [수평]면 ── **형** 수평의, 평평한

Some smells can actually lower stress levels. 학평
어떤 냄새들은 실제로 스트레스 수준을 낮출 수 있다.

Rising sea levels may cause the Maldives to sink. 교과서
상승하는 해수면은 몰디브가 침몰하게 할 수도 있다.

He needed to touch down with the wings exactly level. 교과서
그는 날개를 정확히 수평으로 하여 착륙해야 했다.

REVIEW TEST p. 306

DAY 23 기후와 지리

 ① ② ③ ④

01
★★★
shift
[ʃift]

동 바뀌다, 옮기다 명 변화, 교체

Following a flood, a river's course may shift. 학평
홍수의 결과로, 강의 수로가 바뀔 수 있다.

⊕ shifting 형 이동하는, 바뀌는
⊜ move

02
★★★
narrow
[nǽrou]

형 좁은, 편협한 동 좁히다, 한정하다

Adventure-seeking tourists walk across the narrow, swinging bridge. 학평
모험을 추구하는 관광객들은 그 좁고 출렁이는 다리를 건넌다.

⊕ narrowly 부 좁게, 가까스로
◨ broad 형 넓은

03
★
drought
[draut]

명 가뭄, 건조

Trees might hardly grow at all during a drought. 학평
나무는 가뭄 동안 거의 조금도 자라지 않을 수도 있다.

⊜ dryness

TIPS 자연재해와 관련된 단어들
·earthquake 지진 ·landslide 산사태 ·flood 홍수 ·hail 우박

04
★★
boundary
[báundəri]

명 경계(선), 한계

A river formed the boundary between the two countries.
강이 두 나라 사이의 경계를 형성했다.

⊜ border

05
★
alarming
[əlá:rmiŋ]

형 놀라운

The ice continued to melt away at an alarming pace during the 1990s. 학평
빙하는 1990년대 동안 놀라운 속도로 계속 녹았다.

⊕ alarm 동 놀라게 하다 명 경보, 불안

---

06 ★★ harsh

[hɑːrʃ]

📝 혹독한, 가혹한, 거친

Deforestation left the soil exposed to harsh weather. 수능

삼림 벌채는 토양을 혹독한 날씨에 노출되게 했다.

➕ harshly 🔧 매몰차게
➖ severe, rough

TIPS harsh와 관련된 표현들
· harsh environment 가혹한 환경 · harsh punishment 가혹한 벌
· harsh realities of life 삶의 혹독한 현실

07 ★ cease

[siːs]

📝 그치다, 중지하다

The rain had ceased, but a strong wind still blew from the southwest.

비는 그쳤지만 강한 바람이 여전히 남서쪽에서 불었다.

➕ ceaseless 📝 끊임 없는
➖ stop, finish

08 ★★ estimate

📝 [éstəmèit]
📝 [éstəmət]

📝 예상하다, 추정하다, 평가하다 📝 견적(서), 평가

The weather forecaster estimates that 20 centimeters of snow will fall this weekend.

기상 예보관은 이번 주말에 20센티미터의 눈이 내릴 것이라고 예상한다.

➕ estimation 📝 견적, 추정

혼동어

VS

09 ★★★ plane

[plein]

📝 비행기, 평면 📝 평평한

As the plane took off, I looked down at Greenland once again. 교과서

비행기가 이륙했을 때, 나는 다시 한번 그린란드를 내려다보았다.

➖ airplane, aircraft

10 ★★ plain

[plein]

📝 평야, 평지 📝 꾸미지 않은, 무늬가 없는, 보통의

The lowest type of a landform is called a plain. 학평

가장 낮은 형태의 지형은 평야라고 불린다.

➕ plainly 🔧 분명히, 명백히
➖ flatland

REVIEW TEST p. 307

01 forecast ★★
[fɔ́:rkæ̀st]

명 예보, 예측 **동** 예상하다, 예보하다

The weather **forecast** says it'll snow during the holidays. _(학평)

일기 예보는 연휴 동안 눈이 올 거라고 한다.

● prediction

02 incident ★★
[ínsədənt]

명 사건, 일

An **incident** like a hurricane can cause millions of dollars of damage.

허리케인 같은 사건은 수백만 달러의 피해를 일으킬 수 있다.

➕ incidental **형** 흔히 있는, 부수적인
● event, happening

03 continent ★
[kɑ́:ntənənt]

명 대륙, 육지

Australia is a huge **continent**. _(교과서)

호주는 거대한 대륙이다.

➕ continental **형** 대륙의
▪ island **명** 섬

04 spoil ★
[spɔil]

동 상하다, 망치다, 버릇없게 키우다

Food might **spoil** in the hot weather. _(학평)

음식은 더운 날씨에서 상할 수 있다.

➕ spoiled **형** 썩은, 버릇없는

TIPS spoil과 관련된 표현들
·spoil one's appetite 식욕을 떨어뜨리다 ·spoiled kid 버릇없는 아이

05 tremendous ★
[triméndəs]

형 엄청난, 대단한

The earthquake caused **tremendous** damage throughout the city.

지진은 도시 전체에 엄청난 피해를 입혔다.

➕ tremendously **부** 엄청나게
● huge, enormous

06 ★ steep
[stiːp]

⃟ 가파른, 비탈진, 급격한

The **steep** angle of the mountain made it impossible to climb.
그 산의 가파른 각도는 산을 오르는 것을 불가능하게 만들었다.

➕ **steepness** ⃟ 가파름, 험준함

07 ★★ territory
[térətɔ̀ːri]

⃟ 영토, 영역

The country gave up much of its **territory** after losing the war.
그 나라는 전쟁에서 패한 후 영토의 많은 부분을 포기했다.

⊖ **land, area, district**

TIPS territory와 관련된 표현들
·expand the territory 영토를 확장하다 ·disputed territory 분쟁 영역

08 ★ split
[split]

⃟ 나뉘다, 쪼개다 ⃟ 쪼개진, 갈라진

Groups with an even number of members can **split** into halves. ⃞능

짝수의 구성원을 갖춘 그룹은 반으로 나뉠 수 있다.

⊖ **divide, separate**

09 ★★ flash
[flæʃ]

⃟ 섬광, 번쩍임 ⃟ 번쩍이다, 비치다

People saw a bright **flash** when the lightning struck the building.
사람들은 번개가 그 건물을 강타했을 때 밝은 섬광을 보았다.

다의어

10 ★ deposit
[dipá:zit]

The Nile flooded each year, **depositing** soil on its banks. ⃞능
나일강은 매년 범람하여, 그 강의 둑에 흙을 퇴적시켰다.

The Earth will eventually run out of oil in existing **deposits**.
지구는 현재 매장량에서 석유가 결국 고갈될 것이다.

I **deposited** some of my salary into a bank account.
나는 내 월급의 일부를 은행 계좌에 예금했다.

I paid the **deposit** for the second week program. ⃞능
나는 2주 프로그램에 대해 보증금을 지불했다.

REVIEW TEST p. 307

DAY 24 자원과 에너지

① ② ③ ④

음성 바로 듣기

---

01 ★★★ **resource**

[rí:sɔːrs]

명 자원, 재원, 수단

We need to find ways to survive before we consume all the available **resources** on Earth. 교과서

우리는 지구상에서 이용 가능한 모든 자원을 소비하기 전에 생존할 방법을 찾아야 한다.

➕ **resourceful** 형 자원이 풍부한

TIPS resource와 관련된 표현들
· renewable resource 재생 가능 자원　· human resource 인적 자원

---

02 ★★★ **fossil**

[fάːsəl]

명 화석

We get energy mainly from burning **fossil** fuels. 교과서

우리는 주로 화석 연료를 태우는 것으로부터 에너지를 얻는다.

---

03 ★★★ **supply**

[səplái]

명 공급(량), 배급　**동** 공급하다, 지급하다

A sufficient **supply** of clean water has been provided by using the new technology. 교과서

새로운 기술을 사용함으로써 깨끗한 물의 충분한 공급이 제공되었다.

➖ **demand** 명 수요

---

04 ★★★ **common**

[kάːmən]

형 흔한, 공동의

Hunger was a **common** part of everyday life in 18th century Europe. 교과서

굶주림은 18세기 유럽에서 일상생활의 흔한 부분이었다.

➕ **commonly** 부 흔히, 보통
➖ **ordinary, usual**　➖ **special** 형 특별한

---

05 ★★ **explanation**

[èksplənéiʃən]

명 설명, 해석, 해명

My uncle gave me a short **explanation** of the equipment. 교과서

나의 삼촌은 나에게 장비에 대해 간단한 설명을 해주었다.

➕ **explain** 동 설명하다
➖ **description**

---

06 nuclear
*
[njú:kliər]

형 핵의, 원자력의

Nuclear weapons are a threat to all life on the planet.
핵 무기는 지구상의 모든 생명체에 대한 위협이다.

07 material
***
[mətíəriəl]

명 재료, 물질, 자료

Wood is a material that was commonly used to build houses in the past. (학평)
나무는 과거에 집을 짓기 위해 흔히 사용되었던 재료이다.

➕ **materialism 명** 물질주의
➖ **substance, matter**

08 essential
***
[isénʃəl]

형 필수적인, 본질의

Breathing properly is essential when you're exercising. (학평)
적절하게 호흡하는 것은 당신이 운동 중일 때 필수적이다.

➕ **essence 명** 본질, 핵심 **essentially 부** 근본적으로
➖ **fundamental**

TIPS essential과 관련된 표현들
·essential element 필수 요소 ·essential nutrients 필수 영양소

혼동어

VS

09 metal
***
[métl]

명 금속 **형** 금속의

We use many natural materials such as cotton, wool, and metal. (학평)
우리는 면, 양모, 그리고 금속과 같은 많은 천연 재료를 사용한다.

➕ **metallic 형** 금속성의

10 mental
***
[méntl]

형 정신적인, 마음의

Anxiety has a damaging effect on mental performance. (수능)
불안은 정신적 (작업) 수행에 해로운 영향을 미친다.

➕ **mentally 부** 정신적으로 **mentality 명** 사고방식, 심리

REVIEW TEST p. 308

---

01 **solve**
★★★
[saːlv]

🔵 해결하다, 풀다

Hydrogen cars will help **solve** the energy crisis. 교과서
수소차는 에너지 위기를 해결하는 데 도움이 될 것이다.

⊕ **solution** 🔺 해결책

---

02 **survive**
★★★
[sərváiv]

🔵 생존하다, 견디다

Most of the world's population today has enough food available to **survive**. 학평
오늘날 세계 인구의 대부분은 생존하기 위해 사용할 수 있는 충분한 식량을 가지고 있다.

⊕ **survival** 🔺 생존   **survivor** 🔺 생존자
⊖ **live on**

---

03 **source**
★★★
[sɔːrs]

🔺 공급원, 원천, 출처

Water buffalos are the main **source** of milk in India. 학평
물소는 인도에서 주된 우유 공급원이다.

⊖ **origin**

TIPS source와 관련된 표현들
· energy source 에너지원   · source of information 정보의 출처

---

04 **produce**
★★★
🔵[prədjúːs]
🔺[prάdjuːs]

🔵 생산하다, 제조하다   🔺 생산품, 농산물

The majority of the world's energy is **produced** by fossil fuels. 교과서
세계 에너지의 대부분은 화석 연료에 의해 생산된다.

⊕ **product** 🔺 상품, 제품   **productive** 🔺 생산적인
⊖ **manufacture**

---

05 **electronic**
★★
[ilektrάːnik]

🔺 전자의, 전자공학의

Unplug **electronic** devices when they're not in use. 학평
전자 기기를 사용하지 않을 때는 플러그를 뽑으세요.

⊕ **electronically** 🔵 전자적으로

---

06 ★ coal
[koul]

명 석탄

Coal dust is responsible for black lung disease. 교과서
석탄 가루는 흑폐증의 원인이 된다.

07 ★★★ benefit
[bénəfit]

명 이점, 장점, 혜택 **동** 이익을 얻다

Taking a nap has many **benefits**, especially for people who easily get tired in the afternoon. 학평
낮잠을 자는 것은 특히 오후에 쉽게 피곤해지는 사람들에게 많은 이점이 있다.

➕ **beneficial** 형 유익한, 이로운
➖ **advantage**

TIPS benefit와 관련된 표현들
·benefit from ~으로부터 이익을 얻다 ·be of benefit to ~에게 유익하다, ~에게 도움이 되다

08 ★★ vacuum
[vǽkjuəm]

명 진공청소기, 진공 (상태) **동** 진공청소기로 청소하다

Press the power button to turn on the **vacuum**. 학평
진공청소기를 켜려면 전원 버튼을 누르세요.

09 ★★ treasure
[tréʒər]

명 보물, 귀중품 **동** 소중히 하다

One person's trash may be another's **treasure**. 수능
한 사람의 쓰레기가 다른 사람의 보물일 수 있다.

➖ **wealth, valuables**

다의어

10 ★★★ address
명 [ǽdres]
동 [ədrés]

┌─ **명** 주소

├─ **동** 연설하다

└─ **동** (문제를) 해결하다

I'd like to change the shipping **address**. 학평
저는 배송 주소를 변경하고 싶어요.

Several speakers were invited to **address** the students.
여러 명의 연설자는 학생들에게 연설하기 위해 초대되었다.

ICT-based agriculture can help humankind **address** the challenges of the future. 교과서
ICT 기반 농업은 인류가 미래의 과제를 해결하는 데 도움이 될 수 있다.

REVIEW TEST p. 308

01
★
shortage
[ʃɔ́:rtidʒ]

图 부족, 결핍

Korea is still classified as a country with a serious water **shortage**. 교과서

한국은 심각한 물 부족이 있는 국가로 여전히 분류된다.

● lack, deficiency

02
★
renewable
[rinjúːəbl]

톙 재생 가능한

It is costly to use **renewable** energy sources compared to fossil fuels. 학평

재생 가능한 에너지원을 사용하는 것은 화석 연료에 비해 비용이 많이 든다.

✚ renew 图 재개하다, 갱신하다 renewal 톙 재개, 갱신

03
★★★
potential
[pəténʃəl]

图 잠재력, 가능성 톙 잠재적인, 가능한

It is hard to realize our **potential** in difficult situations. 학평

어려운 상황에서 우리의 잠재력을 인식하는 것은 어렵다.

✚ potentially 图 잠재적으로
● possibility, prospect

TIPS potential과 관련된 표현들
·potential threat 잠재적 위협 ·growth potential 성장 가능성

04
★★★
native
[néitiv]

톙 토착의, 원주민의, 타고난 图 원주민, 현지인

In Alaska, the **native** people have a mixed economic system. 학평

알래스카에서, 토착민들은 혼합 경제 체제를 가지고 있다.

✚ natively 图 선천적으로
● indigenous

05
★★
grain
[grein]

图 곡물, 곡식, 낟알

Meat production uses vast amounts of water, land, **grain**, and energy. 학평

육류 생산은 막대한 양의 물, 토지, 곡물, 그리고 에너지를 사용한다.

● cereal

---

06 ★★ extreme
[ikstrí:m]

형 극단적인, 극도의, 지나친 **명** 극단, 극도

More irregular and extreme weather has impacted bee populations. 교과서

더 불규칙하고 극단적인 날씨는 벌의 개체 수에 영향을 끼쳤다.

➕ **extremely** 甼 극도로

07 ★★★ typical
[típikəl]

형 대표적인, 전형적인

Coconut milk is a typical ingredient in Southeast Asian dishes.

코코넛 우유는 동남아시아 음식의 대표적인 재료이다.

➕ **typically** 甼 전형적으로, 보통
➖ **representative**

혼동어

08 ★★★ contact
[kά:ntækt]

동 연락하다, 접촉시키다 **명** 연락, 접촉

If you have any questions about our products, please contact us.

저희 제품에 대해 어떤 문의 사항이라도 있으시면 저희에게 연락하세요.

➖ **call, reach**

TIPS contact는 타동사이므로 목적어 앞에 to를 쓰지 않는다는 것에 유의하세요.

VS

09 ★★★ content
명[kά:ntent]
형[kəntént]

명 콘텐츠, 내용물, 목차 **형** 만족하는

The television network produces educational content.

그 텔레비전 방송국은 교육적인 콘텐츠를 제작한다.

➕ **contentment** 명 만족감
➖ **matter, subject**

10 ★★★ context
[kά:ntekst]

명 맥락, 문맥, 전후 관계

Individual events can only be understood in a broader historical context.

각각의 사건은 더 넓은 역사적 맥락에서만 이해될 수 있다.

➕ **contextual** 형 맥락과 관련된

REVIEW TEST p. 309

자원과 에너지

01
★★★

aspect
[ǽspekt]

명 측면, 양상, 국면

Be mindful about every single **aspect** of purchasing food. 학평

음식을 구매하는 것의 모든 각각의 측면에 대해 신경을 쓰세요.

◉ feature

02
★★

float
[flout]

동 떠다니다, 뜨다

Plastic tends to **float**, so it travels in ocean currents for thousands of miles. 학평

플라스틱은 떠다니는 경향이 있어서, 해류를 타고 수천 마일을 이동한다.

✚ **floating** 형 유동적인
✖ **sink** 동 가라앉다

03
★★

ingredient
[ingríːdiənt]

명 구성 요소, 재료, 성분

Rare metals are key **ingredients** in green technologies such as electric cars. 수능

희귀 금속은 전기차와 같은 친환경 기술의 핵심 구성 요소이다.

◉ element, component

TIPS ingredient와 관련된 표현들
·basic ingredient 기본 재료   ·main ingredient 주요 성분

04
★

ban
[bæn]

명 규제, 금지, 금지법 **동** 금지하다

The global **ban** on fossil fuels gave a boost to alternative energy. 교과서

화석 연료에 대한 세계적인 규제는 대체 에너지에 활력을 불어넣었다.

◉ prohibition

05
★★

witness
[wítnis]

동 목격하다, 입증하다 **명** 목격자, 증인

We are now **witnessing** a fundamental shift in our resource demands. 수능

우리는 현재 우리 자원 수요의 근본적인 변화를 목격하고 있다.

◉ observe

---

06 ★★ solar
[sóulər]

형 태양의, 태양열을 이용한

Solar energy can be a practical alternative energy source for us. 수능

태양 에너지는 우리에게 실용적인 대체 에너지원이 될 수 있다.

07 ★★ starve
[stɑːrv]

동 굶주리다, 갈망하다

An adequate food supply is required to make sure no one **starves**.

충분한 식량 공급은 반드시 아무도 굶주리지 않게 하기 위해 요구된다.

➕ **starvation** 명 굶주림, 기아

08 ★ attribute
동[ətríbjuːt]
명[ǽtrəbjuːt]

동 (~의) 결과라고 생각하다, ~의 탓으로 돌리다 명 속성, 자질

The world's increase in energy use can be **attributed** to population growth.

세계의 에너지 사용 증가는 인구 증가의 결과라고 생각될 수 있다.

➕ **attribution** 명 귀속, 속성

TIPS 'attribute A to B'의 형태로 쓰일 경우 'A를 B의 탓으로 돌리다'라는 의미를 나타내요.

09 ★ appliance
[əpláiəns]

명 가전제품, (가정용) 기기, 장치

Appliances create a huge demand for electric power. 학평

가전제품은 막대한 전력 수요를 일으킨다.

⊖ **device**

다의어

10 ★★★ plant
[plænt]

동 심다

땅에 심어져 있는
명 식물, 초목

땅에 심어 (설비를 갖춘)
명 공장

Farmers know when to **plant** crops. 학평

농부들은 언제 농작물을 심어야 하는지 안다.

Some **plants** grow well without rain. 학평

어떤 식물들은 비 없이 잘 자란다.

Plants require lots of energy to operate. 교과서

공장들은 작동하는 데 많은 에너지를 필요로 한다.

➕ **plantation** 명 농장, 재배

REVIEW TEST p. 309

DAY 25

환경 문제

음성 바로 듣기

01
★★★
environment
[inváiərənmənt]

명 환경, 주위

We should protect the **environment** by reducing, reusing, and recycling. 교과서

우리는 줄이고, 재사용하고, 재활용함으로써 환경을 보호해야 한다.

⊕ **environmental** 형 환경의
⊖ **surroundings**

02
★★★
release
[rilíːs]

동 배출하다, 풀어주다 명 발표, 개봉, 발간

Burning fossil fuels **releases** harmful chemicals into the air.

화석 연료를 태우는 것은 해로운 화학 물질을 공기 중으로 배출한다.

⊖ **discharge**

03
★★★
disaster
[dizǽstər]

명 재난, 재해, 참사

The nuclear **disaster** released large amounts of radioactive material. 교과서

핵 재난은 대량의 방사성 물질을 방출했다.

⊕ **disastrous** 형 처참한, 피해가 막심한
⊖ **catastrophe**

04
★★
destroy
[distrɔ́i]

동 파괴하다, 망치다

Actions such as building roads can **destroy** the Amazon Rainforest. 교과서

도로를 건설하는 것과 같은 행위는 아마존 열대 우림을 파괴할 수 있다.

⊕ **destructive** 형 파괴적인   **destruction** 명 파괴, 말살
⊖ **ruin**

05
★★★
waste
[weist]

명 쓰레기, 낭비 동 낭비하다, 허비하다

Upcycling can turn **waste** into something useful. 교과서

업사이클링은 쓰레기를 유용한 무언가로 바꿀 수 있다.

⊕ **wasteful** 형 낭비하는, 낭비적인
⊖ **garbage**

TIPS waste와 관련된 표현들
·wastewater 폐수   ·industrial waste 산업 폐기물
·radioactive waste 방사성 폐기물

---

06 ★★★ period
[píːəriəd]

명 기간, 시대, 마침표

To grow properly, apple trees need a certain period of cold weather. (학평)

잘 자라기 위해서, 사과나무는 일정 기간의 추운 날씨가 필요하다.

➕ **periodic** 혱 주기적인 **periodical** 명 정기간행물
➖ **term**

07 ★★★ announce
[ənáuns]

동 알리다, 발표하다

I'm happy to announce a special event to reduce waste. (학평)

나는 쓰레기를 줄이기 위한 특별 행사를 알리게 되어 기쁘다.

➕ **announcement** 명 발표 **announcer** 명 방송 진행자
➖ **declare, report**

08 ★★★ occur
[əkə́ːr]

동 발생하다, 생기다

An accident or injury can occur in any part of your home. (학평)

사고나 부상은 당신의 집의 어떠한 부분에서라도 발생할 수 있다.

➕ **occurrence** 명 발생, 존재 **occurrent** 혱 현재 일어나고 있는
➖ **happen**

TIPS occur와 관련된 표현들
· occur to (아이디어·생각이) ~에게 떠오르다 · co-occur 함께 발생하다

혼동어

09 ★★★ quality
[kwáːləti]

명 질, 품질, 특성 **형** 좋은 품질의, 고급의

A desk lamp improves the quality of your working environment. (학평)

탁상용 램프는 당신의 업무 환경의 질을 향상시킨다.

➖ **condition**

VS

10 ★★ quantity
[kwáːntəti]

명 양, 수량, 다량

We are pumping huge quantities of CO_2 into the atmosphere. (수능)

우리는 막대한 양의 이산화탄소를 대기 중으로 밀어내고 있다.

➖ **amount**

REVIEW TEST p. 310

환경 문제

01
★★★
protect
[prətékt]

동 보호하다, 막다

Recycling helps **protect** the environment. (학평)

재활용은 환경을 보호하는 데 도움이 된다.

➕ **protection** 명 보호 **protective** 형 보호하는
➖ **guard**

02
★★★
loss
[lɔːs]

명 손실, 상실, 죽음

We tried to reduce potential **losses** from natural disasters. (수능)

우리는 자연재해로 인한 잠재적 손실을 줄이기 위해 노력했다.

➕ **lose** 동 잃다, 지다 **loser** 명 패자
➖ **damage**

03
★★
generate
[dʒénərèit]

동 생산하다, 발생시키다, 야기하다

Fossil fuels have been used to **generate** electricity.

화석 연료는 전기를 생산하기 위해 사용되어왔다.

➕ **generator** 명 발전기

TIPS generate와 관련된 표현들
·generate power 동력을 발생시키다 ·generate energy 에너지를 생산하다

04
★
amazed
[əméizd]

형 놀란, 경악한

Farmers were **amazed** by the effectiveness of the new pesticide.

농부들은 새로운 살충제의 효능에 놀랐다.

➕ **amaze** 동 놀라게 하다 **amazing** 형 놀라운, 굉장한

05
★★
harm
[hɑːrm]

동 해를 끼치다, 손상시키다 명 피해, 손해

What we throw away now will **harm** ourselves and eventually our descendants as well. (수능)

우리가 지금 버리는 것은 우리 자신, 그리고 결국 우리의 후손들에게도 해를 끼칠 것이다.

➕ **harmful** 형 해로운 **harmless** 형 무해한
➖ **damage**

---

06 ★ intense
[inténs]

형 강렬한, 심한, 열정적인

Artificial lighting is very intense in urban areas. (교과서)

인공조명은 도시 지역에서 매우 강렬하다.

➕ intensely 🖭 강렬히, 몹시 intensity 🖲 강렬함, 강도

07 ★★★ amount
[əmáunt]

명 양, 총액

Destruction of the rainforest increases the amount of CO_2 in the air. (교과서)

열대 우림의 파괴는 공기 중의 이산화탄소의 양을 증가시킨다.

➖ quantity

08 ★ marine
[mərí:n]

형 해양의, 바다의

Many marine animals ingest plastics and get sick.

많은 해양 동물들은 플라스틱을 먹고 병에 걸린다.

➖ oceanic

09 ★ permanent
[pə́:rmənənt]

형 영구적인, 불변의

Global warming can cause permanent damage to the health of coral reefs.

지구 온난화는 산호초의 건강에 영구적인 피해를 줄 수 있다.

➕ permanently 🖭 영구적으로
➖ lasting ◼ temporary 형 임시적인

TIPS permanent와 관련된 표현들
·permanent teeth 영구치 ·permanent employment 종신 고용

다의어

10 ★★★ fine
[fain]

─ 형 좋은, 멋진

─ 형 미세한, 섬세한

─ 명 벌금

Everything's going to be fine. (학평)

모든 것이 다 좋아질 것이다.

I agree that fine dust is a serious problem. (학평)

나는 미세먼지가 심각한 문제라는 것에 동의한다.

What is the difference between fines and fees? (학평)

벌금과 수수료의 차이는 무엇인가?

REVIEW TEST p. 310

01
★
□
□
□
pesticide
[péstisàid]

명 살충제, 농약

Farmers use **pesticides** to kill harmful insects.

농부들은 해로운 곤충들을 죽이기 위해 살충제를 사용한다.

02
★★
□
□
□
alternative
[ɔːltə́ːrnətiv]

명 대안, 양자택일 형 대체 가능한, 대안적인

The bottle made from seaweed can be an **alternative** to plastic bottles.

해초로 만들어진 병은 플라스틱 병의 대안이 될 수 있다.

➕ **alternatively** 부 그 대신에   **alternate** 동 교체하다 형 교대의
➖ **substitute**

TIPS alternative와 관련된 표현들
·alternative energy 대체 에너지 ·alternative fuel 대체 연료

03
★★★
□
□
□
respect
[rispékt]

동 존중하다, 존경하다 명 존경심, 경의

Going green requires that you **respect** animals, people, and the environment. 교과서

친환경적이게 되는 것은 당신이 동물, 사람, 그리고 환경을 존중할 것을 필요로 한다.

➕ **respectful** 형 존경심을 보이는
➖ **admire**

04
★★
□
□
□
vast
[væst]

형 엄청난, 막대한, 광활한

A one-degree increase in global temperatures would cause **vast** changes.

지구 기온에 있어 1도의 상승은 엄청난 변화를 야기할 것이다.

➕ **vastly** 부 대단히, 막대하게
➖ **huge, massive**

05
★
□
□
□
refreshing
[rifréʃiŋ]

형 상쾌한, 신선한, 가슴이 후련한

After a **refreshing** walk, you'll feel alive and relaxed. 학평

상쾌한 산책을 한 후에, 당신은 활기참과 편안해짐을 느낄 것이다.

➕ **refreshment** 명 다과, 원기 회복
➖ **stimulating**

06 ★★★ responsible
[rispáːnsəbl]

형 책임이 있는, 원인이 되는

Borrowers are responsible for returning items on time and in good condition. (수능)

대여자는 물품을 정시에 좋은 상태로 돌려줄 책임이 있다.

➕ **responsibility** 명 책임, 책무
➖ **accountable**

07 ★★ confuse
[kənfjúːz]

동 혼란스럽게 하다, 혼동시키다

Artificial lights can confuse sea turtles and cause them not to reach the sea and die. (학평)

인공조명은 바다거북을 혼란스럽게 하여 그들이 바다에 도달하지 않고 죽게 할 수 있다.

➕ **confusion** 명 혼란, 혼동
➖ **puzzle**

08 ★★★ separate
동 [sépərèit]
형 [sépərət]

동 분리하다, 구분하다 **형** 분리된, 각각의

I think I won't be able to separate the trash. (학평)

나는 쓰레기를 분리하지 못할 것 같다.

➕ **separately** 부 각자, 별도로   **separation** 명 분리, 헤어짐
➖ **distinguish**

TIPS 'separate A from B'의 형태로 쓰일 경우 'A를 B로부터 분리하다'라는 의미를 나타내요.

혼동어

09 ★ delicate
[délikət]

형 섬세한, 정교한, 연약한

The eye is the most delicate part of the body. (학평)

눈은 신체에서 가장 섬세한 부분이다.

➕ **delicately** 부 섬세하게
➖ **subtle**

VS

10 ★ dedicate
[dédikèit]

동 헌신하다, 전념하다

For almost three decades, Robert dedicated himself to the business. (학평)

거의 30년 동안, Robert는 그 사업에 자신을 헌신했다.

➕ **dedication** 명 헌신, 전념
➖ **devote, commit**

REVIEW TEST p. 311

| 01 ★ | **extinction** [ikstíŋkʃən] | 명 멸종, 절멸, (권리 등의) 소멸 |

extinction
[ikstíŋkʃən]

명 멸종, 절멸, (권리 등의) 소멸

Gorillas are in danger of extinction because of hunting in Congo. 학평

고릴라는 콩고에서 수렵으로 인해 멸종의 위험이 있다.

➕ **extinct** 형 멸종된

---

superior
[səpíəriər]

형 더 나은, 우수한, 우세한

Riding a bus is superior to driving a car from an environmental perspective.

환경적인 관점에서 버스를 타는 것이 차를 운전하는 것보다 더 낫다.

➖ **better** ⊟ **inferior** 형 열등한

---

consequence
[kάːnsəkwèns]

명 결과, 영향, 중요성

Smog is a consequence of the increased number of cars in the city.

스모그는 도시 내에 증가한 자동차 수의 결과이다.

➕ **consequently** 부 그 결과
➖ **result, conclusion**

---

fabric
[fǽbrik]

명 직물, 천, 구조

Green consumers choose organically produced fabrics. 교과서

친환경 소비자들은 유기농으로 생산된 직물을 선택한다.

➖ **cloth, textile**

---

interrupt
[ìntərʌ́pt]

동 방해하다, 가로막다

Light pollution interrupts the mating activities of tree frogs at night. 학평

광공해는 밤에 청개구리의 짝짓기 활동을 방해한다.

➕ **interrupted** 형 방해된, 가로막힌 **interruption** 명 방해, 중단

TIPS interrupt와 의미가 비슷한 prevent의 쓰임을 구별하여 외워보세요.
· interrupt 가로막다 (일이 진행되지 못하게 저지하는 것)
· prevent 막다 (일이 일어나지 못하게 막는 것)

06 concrete
★
[kάːnkriːt]

형 구체적인, 실제의, 콘크리트로 된

Concrete action must be taken to stop global warming.
구체적인 조치는 지구 온난화를 막기 위해 취해져야 한다.

● **specific** ■ **abstract** 형 추상적인

07 acknowledge
★
[æknάlidʒ]

동 인정하다, 시인하다

Upcycling is acknowledged as a good way to reduce waste. 교과서
업사이클링은 쓰레기를 줄이는 좋은 방법으로 인정된다.

❶ **acknowledgement** 명 인정, 감사
● **admit, recognize, accept**

08 considerable
★
[kənsídərəbl]

형 상당한, 꽤 많은, 중요한

Our shopping habits can have considerable effects on the environment. 수능
우리의 쇼핑 습관은 환경에 상당한 영향을 미칠 수 있다.

❶ **considerably** 부 많이, 상당히
● **large, plentiful**

09 discard
★
[diskάːrd]

동 버리다, 폐기하다

Everyone should discard their paper, glass, and plastic waste into separate recycling boxes.
모든 사람들은 종이, 유리, 그리고 플라스틱 폐기물을 별도의 재활용 상자들에 버려야 한다.

● **dump, abandon**

다의어

10 matter
★★★
[mǽtər]

명 물질

명 문제 ── 문제가 될 정도로 동 중요하다

The scientists removed foreign matter from the surface. 교과서
그 과학자들은 표면에서 이물질을 제거했다.

Light pollution can be a serious matter for some animals. 학평
광공해는 몇몇 동물들에게 심각한 문제가 될 수 있다.

It doesn't matter how long it took or what tools you used. 학평
시간이 얼마나 걸렸는지 또는 당신이 어떤 도구를 사용했는지는 중요하지 않다.

TIPS matter과 관련된 표현들
·no matter how 아무리 ~해도 ·as a matter of fact 사실은

REVIEW TEST p. 311

PART 6

사회

DAY 26

법과 사회

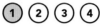 ① ② ③ ④

음성 바로 듣기

---

01 ★ legal
[líːgəl]

형 법률의, 합법적인

Free **legal** advice should be offered to more people. 학평

무료 법률 조언은 더 많은 사람들에게 제공되어야 한다.

➕ **legalize** 통 합법화하다   **legally** 부 법률상으로
⊖ **lawful, legitimate**   ⊟ **illegal** 형 불법의

TIPS legal과 관련된 표현들
·legal age 법정 연령 ·legal status 법적 지위 ·legal holiday 법정 공휴일

---

02 ★ obey
[oubéi]

통 지키다, 순종하다

Please **obey** speed limits for the safety of kids. 학평

어린이들의 안전을 위해 속도 제한을 지켜주세요.

➕ **obedient** 형 순종적인   **obedience** 명 순종
⊟ **disobey** 통 위반하다, 반항하다

---

03 ★ arrest
[ərést]

통 체포하다, 억류하다

The mayor authorized the police to **arrest** the demonstrators.

시장은 경찰에게 시위자들을 체포할 권한을 부여했다.

⊖ **capture, catch**

---

04 ★★★ report
[ripɔ́ːrt]

통 신고하다, 알리다   명 보고서

I'm going to the police station to **report** what happened. 수능

나는 무슨 일이 있었는지 신고하기 위해 경찰서에 갈 것이다.

➕ **reporter** 명 기자
⊖ **declare**

---

05 ★★ innocent
[ínəsənt]

형 무죄인, 결백한, 순진한

He is considered **innocent** until the court proves that he is guilty. 수능

그는 법원이 그가 유죄임을 입증할 때까지 무죄인 것으로 간주된다.

⊖ **guiltless**   ⊟ **guilty** 형 유죄의, 가책을 느끼는

---

06 ★ caution
[kɔ́ːʃən]

명 주의, 조심, 경고

Red indicates "stop," yellow indicates "**caution**," and green indicates "go." 학평

빨간색은 '정지'를 나타내고, 노란색은 '주의'를 나타내고, 녹색은 '진행'을 나타낸다.

➕ **cautious** 형 조심스러운
➖ **care, warning**

07 ★★★ charge
[tʃɑːrdʒ]

동 청구하다, 부과하다, 맡기다 **명** 요금, 책임

Most people accept that lawyers can **charge** them $400 an hour. 학평

대부분의 사람들은 변호사가 그들에게 시간당 400달러를 청구할 수 있다는 것을 인정한다.

➖ **claim**

TIPS charge와 관련된 표현들
·in charge of ~을 맡고 있는 ·free of charge 무료로 ·extra charge 추가 요금

08 ★ violate
[váiəlèit]

동 위반하다, 어기다, 침해하다

Prisoners must not **violate** any rules to be considered for early release.

죄수들은 조기 석방이 검토되려면 어떤 규칙도 위반해서는 안 된다.

➕ **violent** 형 폭력적인 **violence** 명 폭력
➖ **break, disobey**

혼동어

09 ★★★ law
[lɔː]

명 법, 법률, 법칙

Many countries have passed **laws** which limit fishing in certain areas. 학평

많은 나라들이 특정 지역에서 낚시를 제한하는 법을 통과시켰다.

➕ **lawyer** 명 변호사
➖ **regulation**

VS

10 ★★ raw
[rɔː]

형 날것의, 익히지 않은, 가공되지 않은

Consuming **raw** eggs can cause one to become sick from bacteria.

날달걀을 먹는 것은 세균으로 인해 사람을 아프게 할 수 있다.

➖ **uncooked, fresh**

REVIEW TEST p. 312

DAY 26 법과 사회

01
***
search
[səːrtʃ]

몡 수색, 검색 통 수색하다, 찾다

The thief was captured by the police during an extensive **search**.

그 도둑은 광범위한 수색 중에 경찰에 잡혔다.

⊜ investigation

02
***
raise
[reiz]

통 제기하다, 들어 올리다, 기르다 몡 증가

Some people **raised** concerns about the lack of security. 교과서

어떤 사람들은 보안의 부족에 대한 우려를 제기했다.

03
★★
aim
[eim]

몡 목적, 목표 통 목표로 하다

The **aim** of the nation's new law is to reduce air pollution.

그 국가의 새로운 법의 목적은 대기오염을 줄이는 것이다.

⊕ aimless 휑 목적 없는
⊜ goal

04
★★
criminal
[kríminl]

몡 범죄자, 범인 휑 범죄의

Lock the windows in your home so as not to be a target for **criminals**. 학평

범죄자의 표적이 되지 않도록 네 집의 창문을 잠가라.

⊕ crime 몡 범죄, 범행

TIPS criminal과 관련된 표현들
·suspected criminals 범죄 용의자 ·criminal investigation 범죄 수사

05
★
suspect
통[səspékt]
몡[sʌ́spekt]

통 의심하다, 짐작하다 몡 용의자

Samantha **suspected** that something might be wrong. 학평

Samantha는 뭔가 잘못되었을지도 모른다고 의심했다.

⊕ suspected 휑 미심쩍은
⊜ doubt

---

06 ★ neutral
[njúːtrəl]

형 중립적인, 중립(국)의, 공평한

Neutral judges are a requirement for a fair legal system.

중립적인 법관은 공정한 법체계를 위한 필수 조건이다.

➕ **neutrality** 명 중립
➖ **unbiased**

07 ★ accuse
[əkjúːz]

동 비난하다, 고발하다

A guard at Windsor Castle was **accused** of being asleep on duty. (학평)

윈저 성의 경비원은 근무 중에 잠든 것으로 비난받았다.

➕ **accusation** 명 비난, 혐의
➖ **blame**

TIPS 'accuse A of B'의 형태로 쓰일 경우 'A를 B로 고소하다'라는 의미를 나타내요.

08 ★★ firm
[fəːrm]

명 회사 형 굳은, 확고한

The law **firm** is going to hire four new lawyers.

그 법률 회사는 네 명의 새로운 변호사를 고용할 것이다.

➕ **firmly** 분 단호하게

09 ★★ aid
[eid]

동 돕다, 거들다 명 원조, 지원, 도움

Winton set up an office in his hotel to **aid** the children. (학평)

Winton은 아이들을 돕기 위해 그의 호텔에 사무실을 차렸다.

➖ **help, support**

다의어

10 ★★★ interest
[íntərəst]

> 명 관심, 호기심

> 명 이익, 이해 ──── 은행의 이익
> 명 이자, 이율

Gaudi took an **interest** in architecture at a young age. (교과서)

가우디는 어린 나이에 건축에 관심을 가졌다.

Look beyond your own **interests** and your own world. (학평)

스스로의 이익과 스스로의 세계를 넘어 바라보아라.

The **interest** on the loan was 8%.

대출에 대한 이자는 8퍼센트였다.

➕ **interesting** 형 재미있는, 흥미로운   **interestingly** 분 흥미롭게도

REVIEW TEST p. 312

DAY 26 법과 사회

---

01 complex ★★★

형[kəmpléks]
명[ká:mpleks]

형 복잡한, 뒤얽힌 명 복합 단지

The world has become more **complex** and increasingly specialized. 수능

세계는 더 복잡해지고 점점 전문화되었다.

⊕ **complexity** 명 복잡성
⊖ **complicated**

TIPS complex와 관련된 표현들
· industrial complex 공업 단지   · hospital complex 종합 병원
· inferiority complex 열등감

---

02 organize ★★★

[ɔ́:rgənàiz]

통 정리하다, 조직하다, 준비하다

Debating teaches you to **organize** ideas logically. 학평

토론하는 것은 당신이 생각을 논리적으로 정리하도록 가르친다.

⊕ **organization** 명 조직, 기구, 준비
⊖ **arrange**

---

03 plenty ★★

[plénti]

명 많음, 다량, 풍부 형 풍부한, 충분한

Human beings cooperate in **plenty** of ways. 교과서

인간은 많은 면에서 협력한다.

⊖ **abundance**

---

04 phenomenon ★★

[finá:mənà:n]

명 현상, 사건

Many people do not understand that hypnosis is a natural **phenomenon**. 학평

많은 사람들은 최면이 자연스러운 현상이라는 것을 이해하지 못한다.

⊕ **phenomenal** 형 경이적인

---

05 mount ★★

[maunt]

통 오르다, 올라타다 명 산, 언덕

The homeowner became concerned as the renovation costs **mounted**.

집주인은 보수 비용이 올라서 걱정하게 되었다.

⊕ **mountain** 명 산

---

06 found
★★
[faund]

동 설립하다, 기초를 세우다

Doctors Without Borders was **founded** in 1971. 학평

국경없는의사회는 1971년에 설립되었다.

⊕ **foundation** 명 설립, 기초
⊖ **establish**

07 prove
★★★
[pruːv]

동 입증하다, 증명하다

It is the responsibility of the court to **prove** that a person is guilty. 수능

어떤 사람이 유죄임을 입증하는 것은 법원의 책무이다.

⊕ **proof** 명 증거, 증명
⊖ **verify, confirm**

08 forbid
★★
[fərbíd]

동 금지하다, 용납하지 않다

They passed a law **forbidding** the sale of pork. 학평

그들은 돼지고기의 판매를 금지하는 법을 통과시켰다.

⊕ **forbidden** 형 금지된
⊖ **prohibit, ban** ■ **allow, permit** 동 허락하다

혼동어

VS

09 contrast
★★★
[káːntræst]

명 차이, 대조, 대비 동 대조하다

Much of James's work deals with the **contrast** between the values of Americans and Europeans. 학평

James의 작품 대부분은 미국인과 유럽인의 가치관 간의 차이를 다룬다.

⊖ **difference, distinction**

TIPS contrast와 관련된 표현들
· in contrast 그에 반해서 · by contrast 대조적으로

10 contract
★★
명 [káːntrækt]
동 [kəntrǽkt]

명 계약(서) 동 계약하다

I think a three-year **contract** is too long. 학평

나는 3년 계약은 너무 길다고 생각한다.

⊕ **contractor** 명 계약자
⊖ **agreement**

REVIEW TEST p. 313

01
★
stamp
[stæmp]

图 도장을 찍다 **圀** 도장, 우표

To receive the discount, visitors must have their parking tickets **stamped**. 수능

할인을 받으려면, 방문객은 그들의 주차권에 도장이 찍혀야 한다.

02
★
secure
[sikjúər]

图 보호하다, 획득하다 **圀** 안전한, 확실한

Every citizen can fully exercise the right to **secure** private information. 수능

모든 시민은 개인 정보를 보호할 권리를 충분히 행사할 수 있다.

➕ **security** 圀 안전, 보안, 보장

03
★★
conference
[káːnfərəns]

圀 회의, 학회, 협의

I'm on my way to the **conference** being held at city hall. 학평

나는 시청에서 열리고 있는 회의에 가는 길이다.

⊜ **meeting, forum**

TIPS conference와 관련된 표현들
· press conference 기자 회견   · summit conference 정상 회담

04
★
urge
[əːrdʒ]

圀 충동, 욕구 **图** 촉구하다, 주장하다

People experience **urges** when trying to break a habit. 수능

사람들은 습관을 깨려고 할 때 충동을 경험한다.

➕ **urgent** 圀 긴급한   **urgently** 閉 급히
⊜ **impulse, desire**

05
★
confront
[kənfrʌ́nt]

图 맞서다, 직면하다

By **confronting** failures and learning from them, we can become wiser and stronger. 교과서

실패에 맞서고 그것으로부터 배움으로써, 우리는 더 현명해지고 더 강해질 수 있다.

➕ **confrontation** 圀 대치, 대립
⊜ **face, encounter**   ⊟ **avoid** 图 피하다, 회피하다

---

06 ** persuade
[pərswéid]

图 설득하다, 납득시키다

Sometimes you need to **persuade** others in situations such as debates. 교과서

때때로 당신은 토론과 같은 상황에서 다른 사람들을 설득해야 한다.

⊕ persuasive 혱 설득력 있는　**persuasion** 몡 설득, 납득
⊜ convince

TIPS 'persuade A of B'의 형태로 쓰일 경우 'A에게 B를 설득하다'라는 의미를 나타내요.

07 * scan
[skæn]

图 꼼꼼하게 살피다, 훑어보다

I **scanned** the town, and there was no sign of movement. 수능

나는 마을을 꼼꼼하게 살폈는데, 움직임의 흔적은 없었다.

⊜ examine

08 * prohibit
[prouhíbit]

图 금지하다, 방해하다

In all cases, tricks and physical threats are **prohibited**. 수능

모든 경우에서, 속임수와 물리적 위협은 금지된다.

⊕ prohibition 몡 금지
⊜ forbid, ban

09 *** moreover
[mɔːróuvər]

円 게다가, 더욱이

Moreover, working with others builds teamwork. 학평

게다가, 다른 사람들과 일하는 것은 팀워크를 길러준다.

⊜ furthermore

다의어

10 *** determine
[ditə́ːrmin]

图 결정하다

图 밝혀내다, 알아내다

Genes **determine** the color of your eyes and the shape of your face. 학평

유전자는 당신의 눈의 색깔과 얼굴 모양을 결정한다.

It was difficult to **determine** exactly where the accident had taken place. 수능

그 사고가 어디서 발생했는지 정확히 밝혀내는 것은 어려웠다.

⊕ determination 몡 결심, 투지

REVIEW TEST p. 313

정치와 행정

음성 바로 듣기

01
★
politics
[páːlətiks]

명 정치(학)

Benjamin Franklin was a very smart man in **politics**. 교과서
벤자민 프랭클린은 정치에서 매우 똑똑한 사람이었다.

✚ **political** 형 정치적인　**politician** 명 정치인

02
★★
facility
[fəsíləti]

명 시설, 기관, 설비

Registration is required before you use the center's
facilities. 학평
당신이 센터의 시설을 이용하기 전에 등록이 요구된다.

✚ **facilitate** 동 가능하게 하다

03
★★
vote
[vout]

명 투표, 표　동 투표하다, 선출하다

The winning design will be chosen through a fan **vote**. 학평
우승 디자인은 팬 투표를 통해 선정될 것이다.

✚ **voter** 명 유권자
⊜ **poll**

04
★★
candidate
[kǽndidèit]

명 후보(자), 지원자

Attractive candidates received two times as many votes as
unattractive **candidates**. 수능
매력적인 후보들은 매력적이지 않은 후보들보다 두 배만큼 많은 표를 받았다.

05
★
civil
[sívəl]

형 시민의, 민간의

Shirley Chisholm spoke out for **civil** rights, women's rights,
and poor people. 학평
Shirley Chisholm은 시민의 권리, 여성의 권리, 그리고 가난한 사람들을 위해
목소리를 높였다.

✚ **civilization** 명 문명 (사회)
⊜ **civic**

TIPS civil과 관련된 표현들
·civil law 민법　·civil rights 시민의 권리, 평등권　·civil war 내전, 내란

---

06 ★★★ limit
[límit]

명 제한, 한도, 한계 **동** 제한하다, 한정하다

We've requested that they enforce speed **limits** in the area around the school. (학평)

우리는 그들이 학교 주변 지역에서 속도 제한을 시행할 것을 요청해왔다.

➕ **limitation** 명 제약, 국한   **limited** 형 한정된
➖ **restriction**

07 ★ conservative
[kənsə́ːrvətiv]

형 보수의, 보수적인

Conservative and liberal political parties rarely agree on issues these days.

요즘 보수 정당과 진보 정당들은 현안에 대해 거의 합의하지 않는다.

➕ **conservation** 명 보호, 보존

08 ★★ belong
[bilɔ́ːŋ]

동 속하다, 소속감을 느끼다

All members of the school community feel as if they **belong** to the school. (수능)

학교 공동체의 모든 구성원들은 자신들이 학교에 속한 것처럼 느낀다.

➕ **belongings** 명 재산, 소유물

TIPS be 되다 + long 갈망하다 → 어떤 것이 되기를 갈망한 결과 그 집단에 속하다

혼동어

VS

09 ★★★ official
[əfíʃəl]

형 공식적인, 공인된 **명** 공무원

Nauru has no **official** capital, but the government buildings are located in Yaren. (학평)

나우루는 공식적인 수도는 없지만, 정부 청사는 야렌에 위치해 있다.

➕ **officially** 부 공식적으로
➖ **formal, authorized**   ❌ **unofficial** 형 비공식적인

10 ★★ officer
[ɔ́ːfisər]

명 직원, 관리, 장교

The **officer** at the embassy said the photos needed to be one centimeter longer on each side. (수능)

대사관에 있는 직원은 사진이 양쪽에 1센티미터가 더 길어야 한다고 말했다.

REVIEW TEST p. 314

01 ★★★ result
[rizʌ́lt]

명 결과 **동** (~의 결과로) 발생하다, 기인하다

Kevin decided to accept the **result** of the election. 학평

Kevin은 선거 결과를 받아들이기로 결심했다.

⊜ outcome, consequence

02 ★★★ survey
명 [sə́ːrvei]
동 [sərvéi]

명 설문 조사 **동** 조사하다, 바라보다

After you have completed the **survey**, please hand it to me. 학평

당신이 설문 조사를 완료한 후에, 그것을 저에게 제출해 주세요.

⊕ **surveyor** 명 측량사, 조사관
⊜ poll

03 ★★★ notice
[nóutis]

명 통지, 공고문 **동** 알아차리다, 인지하다

Please remain inside until further **notice**. 수능

추후 통지까지 실내에 머물러 주세요.

⊕ **notify** 동 통지하다, 알리다　**notification** 명 통지, 공고
⊜ announcement

TIPS notice와 관련된 표현들
·a month's notice 한 달 전의 통지　·on short notice 갑자기, 충분한 예고 없이

04 ★★ guard
[gɑːrd]

동 경호하다, 지키다 **명** 경비 요원

It is the duty of the Secret Service to **guard** the President of the United States.

미국 대통령을 경호하는 것은 비밀 경호국의 임무이다.

⊕ **guardian** 명 후견인
⊜ protect, shield

05 ★★ profit
[prɑ́ːfit]

명 수익금, 이익 **동** 이득을 얻다

All the **profits** from the festival will go to local college scholarships. 수능

축제의 모든 수익금은 지역 대학 장학금으로 전달될 것이다.

⊕ **profitable** 형 수익성이 있는
⊜ earnings, gain　■ **loss** 명 손실

06 ★★ deny
[dinái]

图 부인하다, 부정하다

He **denied** the rumor that he would run for mayor.
그는 그가 시장 선거에 출마할 것이라는 소문을 부인했다.

✚ **denial** 图 부인, 거부
➖ **refuse, reject** ■ **admit** 图 인정하다, 시인하다

07 ★★★ opinion
[əpínjən]

图 의견, 여론, 생각

It's impossible for everyone to have the same **opinion**. 학평
모든 사람이 같은 의견을 갖는 것은 불가능하다.

08 ★★ rural
[rúərəl]

图 시골의, 지방의

Facilities in the **rural** areas should be improved. 수능
시골 지역의 시설은 개선되어야 한다.

■ **urban** 图 도시의

TIPS 시골과 관련된 단어들
·suburban 교외의 ·rustic 시골의, 소박한 ·countryside 시골 지역

09 ★★ urban
[ə́ːrbən]

图 도시의, 도회지의

Urban and rural residents often have different views about society.
도시와 지방의 거주자들은 종종 사회에 대해 다른 견해를 지닌다.

➖ **civic** ■ **rural** 图 시골의

다의어

10 ★★★ issue
[íʃuː]

┌─ 图 문제, 쟁점, 사안

├─ 图 발행물, [출판물의] 호

└─ 图 발급하다, 교부하다

Food was the most critical **issue** in the shelter. 교과서
음식은 대피소에서 가장 중요한 문제였다.

You won't want to miss even one upcoming **issue**. 수능
당신은 곧 나올 한 개의 발행물조차도 놓치고 싶지 않을 것이다.

Donors are **issued** membership cards. 수능
기부자들에게는 회원증이 발급된다.

REVIEW TEST p. 314

01
★
simplify
[símpləfài]

图 단순화하다, 간소화하다

The process for getting a driver's license is too complex and needs to be **simplified**.

운전면허를 취득하는 과정은 너무 복잡해서 단순화될 필요가 있다.

⊕ simplification 명 단순화 **simplicity** 명 간단함

02
★
committee
[kəmíti]

图 위원회

The **committee** outlined a business strategy.

위원회는 사업 전략의 개요를 설명했다.

⊜ council, board

03
★★
accompany
[əkʌ́mpəni]

图 동행하다, 동반하다

Children under eight must be **accompanied** by an adult. 수능

8세 미만의 어린이는 반드시 성인과 동행되어야 한다.

⊜ follow

04
★★
proportion
[prəpɔ́ːrʃən]

图 비율, 부분, 규모

A large **proportion** of the Canadian population lives near the US border.

캐나다 인구의 많은 비율이 미국 국경 근처에 거주한다.

⊕ proportional 형 비례하는 **proportionally** 부 비례해서

05
★★
household
[háushòuld]

图 가구, 가정, 가족 **형** 가족의

The number of single-person **households** has increased in recent years.

1인 가구의 수가 최근 몇 년 동안 증가했다.

TIPS household와 관련된 표현들
· household appliances 가전제품 · household gas 가정용 가스

---

06 ★★ absence
[ǽbsəns]

명 부재, 결석

Due to the **absence** of qualified candidates, few people voted in the recent election.

적격한 후보자들의 부재로 인해, 극소수의 사람들이 최근 선거에서 투표했다.

✚ **absent** 형 부재한, 결석한
⊖ **leave**　✚ **presence** 명 있음, 참석

TIPS absence와 관련된 표현들
·in the absence of ~이 없을 때　·leave of absence 휴가, 휴직

07 ★★ primary
[práimeri]

형 주요한, 최초의

Health care, a **primary** concern of many people, is limited to developed countries. 학평

많은 사람들의 주요 관심사인 의료 서비스는 선진국에만 국한된다.

✚ **primarily** 부 주로
⊖ **chief, main**

08 ★★★ spot
[spɑːt]

동 발견하다, 찾다　**명** 점, 얼룩, 지점

Officials **spotted** many people trying to cross the border illegally.

공무원들은 불법으로 국경을 넘으려고 하는 많은 사람들을 발견했다.

✚ **spotless** 형 티끌 하나 없는
⊖ **detect, find**

혼동어

VS

09 ★★★ bother
[báːðər]

동 방해하다, 신경 쓰다

Please try not to **bother** anybody while they're working. 수능

그들이 작업하고 있는 동안 아무도 방해하지 않도록 하세요.

✚ **bothersome** 형 성가신, 귀찮은
⊖ **disturb, annoy**

10 ★ border
[bɔ́ːrdər]

명 국경, 경계, 가장자리

It takes thirty minutes to walk from the **border** of Rome to the Vatican City. 교과서

로마 국경에서 바티칸 시국까지 걷는 것은 30분이 걸린다.

⊖ **boundary**

REVIEW TEST p. 315

01 ★★★ available
[əvéiləbl]

형 (이용) 가능한, 구할 수 있는

Registration is only **available** on the conference website. 수능

등록은 학회 웹사이트에서만 가능하다.

➕ **availability** 명 이용 가능성
➖ **unavailable** 형 이용할 수 없는, 부재의

TIPS available과 의미가 비슷한 possible의 쓰임을 구별하여 외워보세요.
· available 이용할 수 있는 (상품·서비스 등이 이용 가능하다는 의미)
· possible 가능한 (어떤 일이 일어날 가능성이 있다는 의미)

02 ★ harbor
[háːrbər]

명 항구, 항만 동 정박하다, 숨기다

She performed at the restaurants at the **harbor** in Mindelo. 학평

그녀는 민델루의 항구에 있는 식당에서 공연했다.

⊜ **port**

03 ★★ garage
[gərάːdʒ]

명 주차장, 차고

All vehicles in the office **garage** must have a parking pass.

사무실 주차장에 있는 모든 차량은 주차권이 있어야 한다.

04 ★★ notion
[nóuʃən]

명 개념, 관념

During the 17th century, the **notion** of women voting was very progressive.

17세기 동안, 여성 투표에 대한 개념은 매우 진보적이었다.

➕ **notional** 형 개념상의
⊜ **idea, concept**

05 ★ suburb
[sΛbəːrb]

명 교외, 시외

Cities in Western Europe tend to be economically healthy compared with their **suburbs**. 수능

서유럽의 도시들은 교외와 비교해서 경제적으로 건강한 경향이 있다.

➕ **suburban** 형 교외의
⊜ **countryside, outskirts**

06 ★★★ resident
[rézədənt]

명 거주자, 주민, 투숙객

Residents will be billed separately for gas and electricity.
거주자들은 가스와 전기에 대해 별도로 청구서를 받을 것이다.

➕ **residence** 명 주택, 거주   **reside** 동 살다

07 ★ investigate
[invéstəgèit]

동 조사하다, 수사하다

The students started **investigating** the mysterious situation. 학평
학생들은 그 이상한 상황을 조사하기 시작했다.

➕ **investigation** 명 수사, 조사   **investigative** 형 수사의, 조사의
➖ **examine, research**

08 ★ reinforce
[rìːinfɔ́ːrs]

동 보강하다, 강화하다

They needed extra troops to **reinforce** the army.
그들은 군대를 보강하기 위해 추가 병력이 필요했다.

➕ **reinforcement** 명 보강
➖ **strengthen, support**   ⬛ **weaken** 동 약화시키다

09 ★ govern
[gʌ́vərn]

동 통치하다, 다스리다

In a democracy, citizens choose who will **govern** the country.
민주주의에서는, 시민들이 누가 국가를 통치할지 선택한다.

➕ **government** 명 정부, 통치
➖ **rule, control**

10 ★★★ rate
[reit]

Italy is one of the countries with a lower birth **rate**. 학평
이탈리아는 좀 더 낮은 출산율을 나타내는 나라들 중 하나이다.

Professional workers are leaving Korea at an alarming **rate**. 학평
전문직 노동자들이 무서운 속도로 한국을 떠나고 있다.

I hope the **rate** is not over 60 euros. 학평
나는 요금이 60유로를 넘지 않기를 바란다.

They were asked to **rate** how much they liked the researcher. 교과서
그들은 그 연구원을 얼마나 좋게 생각하는지 평가해 달라는 요청을 받았다.

REVIEW TEST p. 315

DAY 28

경제와 금융

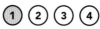
① ② ③ ④

음성 바로 듣기

01
***
economic
[èkəná:mik]

형 경제의, 경제상의

A variety of **economic** issues led to the Great Depression.

다양한 경제 문제들이 대공황을 야기했다.

➕ **economics** 형 경제학 **economical** 형 절약하는, 경제적인
🔵 **financial**

TIPS economic과 관련된 표현들
·economic activities 경제 활동 ·economic value 경제적 가치

02
***
budget
[bʌ́dʒit]

명 예산, 비용 통 예산을 세우다

Be sure to make your **budget** for the trip realistic. 수능

여행에 대한 당신의 예산을 반드시 현실성 있게 만드세요.

🔵 **allowance**

03
***
possible
[pá:səbl]

형 가능한

The sail made it **possible** to trade with many countries. 학평

항해는 많은 나라들과 무역하는 것을 가능하게 했다.

➕ **possibly** 부 아마 **possibility** 명 가능성
🔴 **impossible** 형 불가능한

04
**
income
[ínkʌm]

명 소득, 수입

Clients need regular **income** to qualify for a credit card. 학평

고객들은 신용카드를 위한 자격을 얻으려면 정기적인 소득이 필요하다.

🔵 **earnings, revenue**

05
**
crisis
[kráisis]

명 위기, 중대한 기로

The stock market crash was an economic **crisis** that affected many people.

주식 시장 붕괴는 많은 사람들에게 영향을 준 경제 위기였다.

---

06 ★★★ trade
[treid]

통 거래하다, 교환하다 **명** 거래, 무역

Trade routes were established and spices were **traded**. (학평)
교역로가 만들어졌고 향신료가 거래되었다.

➕ **trader** 명 무역업자, 상인
➖ **exchange, transact**

07 ★★★ offer
[ɔ́:fər]

통 제공하다, 제의하다 **명** 제공, 제의

We **offer** full refunds if you cancel at least 10 days in advance. (학평)
우리는 당신이 적어도 10일 전에 취소하면 전액 환불을 제공한다.

➖ **provide**

TIPS offer와 관련된 표현들
· offer a discount 할인을 제공하다   · accept an offer 제의를 받아들이다

08 ★★★ specific
[spisífik]

형 특정한, 구체적인

Classifying things is to put them into **specific** categories. (교과서)
물건을 분류하는 것은 그것들을 특정한 범주에 넣는 것이다.

➕ **specifically** 부 구체적으로
➖ **particular**

혼동어

VS

09 ★★★ several
[sévərəl]

형 몇몇의, 여러 가지의

Thousands of people have participated in **several** big projects. (교과서)
수천 명의 사람들이 몇몇의 큰 프로젝트들에 참여했다.

➖ **some**

10 ★★ severe
[sivíər]

형 심각한, 극심한, 엄격한

The world will face **severe** water shortages unless we prevent water pollution. (교과서)
우리가 수질오염을 막지 않는다면 세계는 심각한 물 부족에 직면할 것이다.

➕ **severely** 부 심하게
➖ **serious**

REVIEW TEST p. 316

01 ★★ invest
[invést]

⑤ 투자하다, (시간·노력 등을) 쏟다

I'll give you a chance to **invest** in a great new product. 수능
나는 당신에게 굉장한 신제품에 투자할 기회를 줄 것이다.

➕ investment 몡 투자   **investor** 몡 투자자

02 ★★ wealth
[welθ]

몡 부, 재산

In a commercial society, having money or **wealth** is important. 수능
상업 사회에서, 돈이나 부를 갖는 것은 중요하다.

➕ wealthy 혱 부유한
➖ fortune

03 ★★★ provide
[prəváid]

⑤ 제공하다, 공급하다

We **provide** a 50 percent discount for children under 12. 수능
우리는 12세 미만 어린이에게 50퍼센트 할인을 제공한다.

➕ provider 몡 제공자, 공급자

04 ★ merchant
[mɔ́:rtʃənt]

몡 상인, 무역상

Gregorio was a successful **merchant** of Florence. 수능
Gregorio는 피렌체의 성공적인 상인이었다.

➕ merchandise 몡 물품 **⑤** 판매하다
➖ trader, dealer

05 ★ finance
[fáinæns]

몡 재무, 재정, 금융 **⑤** 자금을 대다

The new manager will work in the **finance** department. 학평
새 매니저는 재무 부서에서 일할 것이다.

➕ financial 혱 재무의, 금융의

TIPS finance와 관련된 표현들
·handle the finance 재정을 관리하다 ·finance capital 금융 자본

06 ★ derive
[diráiv]

동 얻다, 끌어내다, 비롯되다

Early traders **derived** large profits from the spice trade.

초기 무역업자들은 향신료 무역에서 큰 이익을 얻었다.

⊜ originate

07 ★★★ credit
[krédit]

명 신용, 신뢰 **동** 믿다, ~의 공으로 인정하다

She realized that one of her **credit** cards is missing. 학평

그녀는 그녀의 신용카드 중 하나가 사라진 것을 깨달았다.

⊕ **credible** 형 믿을 수 있는

⊜ **trust, confidence**

TIPS 'be credited to'의 형태로 쓰일 경우 '~의 덕택이다'라는 의미를 나타내요.

08 ★ substitute
[sʌ́bstətjùːt]

명 대체품, 대안 **동** 대체하다, 대신하다

Rice seemed a good **substitute** for the more expensive wheat cakes. 학평

쌀이 더 비싼 밀케이크의 좋은 대체품인 것 같았다.

⊜ replacement

09 ★★ debt
[det]

명 빚, 부채

Within a few months, he got out of **debt** and started making money once again. 학평

몇 달 안에, 그는 빚을 갚았고 다시 많은 돈을 벌기 시작했다.

다의어

10 ★★★ bill
[bil]

Did you see that twenty dollar **bill** on the counter? 학평

당신은 계산대에 있는 20달러 지폐를 봤나요?

Present your credit card with your ID upon paying your **bill**. 학평

계산서를 내실 때 당신의 신분증과 함께 당신의 신용카드를 제시하세요.

Journalists have raised issues with the healthcare reform **bill**.

기자들은 의료 개혁 법안에 대해 문제를 제기했다.

The bird uses its **bill** to open cones of pine trees. 학평

새는 솔방울을 까기 위해 그들의 부리를 사용한다.

REVIEW TEST p. 316

경제와 금융

① ② ③ ④

01
★★★
cancel
[kǽnsəl]

동 취소하다, 무효화하다 **명** 취소, 해제

The membership fee will be charged if I don't **cancel** it after the free trial. 학평

만약 내가 무료 체험 후에 취소하지 않으면 회비가 청구될 것이다.

➕ **cancellation** 명 취소, 무효화
➖ **withdraw**

02
★★★
replace
[ripléis]

동 교체하다, 대체하다, 바꾸다

The marketing director was **replaced** by an advertisement specialist.

그 마케팅 책임자는 광고 전문가로 교체되었다.

➕ **replacement** 명 교체, 대체
➖ **substitute**

03
★★
property
[prá:pərti]

명 부동산, 재산, 소유물

A wealthy couple purchased the **property**.

한 부유한 부부가 그 부동산을 구입했다.

➖ **real estate**

TIPS property와 관련된 표현들
· private property 사유 재산   · public property 공공 재산

04
★★
refund
명 [rí:fʌnd]
동 [rifʌnd]

명 환불, 환불금 **동** 환불하다

I'd like to get a **refund** for my bike. 수능

나는 내 자전거를 환불받고 싶다.

➕ **refundable** 형 환불 가능한

05
★★
branch
[bræntʃ]

명 지점, 지사, 나뭇가지

Fenway Bank is seeking a new manager for its Phoenix **branch**.

Fenway 은행은 Phoenix 지점의 새 매니저를 찾고 있다.

➖ **office, department**

해커스 보카 고등 기본

06 ★★ recover
[rikʌ́vər]

동 회복하다, 되찾다

Disaster relief funds will help the flood victims **recover** some of their losses. 수능

재난 구호 기금은 홍수 이재민들이 손실의 일부를 회복하는 것을 도울 것이다.

➕ **recovery** 명 회복, 되찾음
➖ **restore**

07 ★ hardship
[háːrdʃip]

명 어려움, 고난

In the middle of global economic **hardship**, many people lose their jobs. 학평

세계 경제의 어려움 가운데에서, 많은 사람들이 그들의 일자리를 잃는다.

➕ **hard** 형 어려운, 단단한
➖ **difficulty, suffering**

08 ★ assemble
[əsémbl]

동 모이다, 집합시키다, 조립하다

Antique sellers and buyers **assembled** in the market square.

골동품 판매자와 구매자들이 시장 광장에 모였다.

➕ **assembly** 명 의회, 집회, 조립(품)
➖ **gather** ◾ **scatter** 동 흩어지게 만들다

> **TIPS** assemble과 의미가 비슷한 joint의 의미를 구별하여 기억하세요.
> ·assemble 조립하다 (여러 부품을 모아 하나의 구조물을 만드는 경우)
> ·joint 접합하다 (두 개를 한 데 이어 붙이는 경우)

혼동어

VS

09 ★ proceed
[prəsíːd]

동 진행하다, 나아가다

Mary had to fill out a form before the banker could **proceed** with the transaction.

Mary는 은행원이 거래를 진행할 수 있기 전에 양식을 작성해야 했다.

➕ **process** 명 과정, 절차
➖ **progress**

10 ★ precede
[prisíːd]

동 선행하다, 앞서다

Failure **precedes** success. 학평

실패는 성공에 선행한다.

➕ **precedent** 명 선례, 전례
◾ **follow** 동 따르다, 뒤를 잇다

REVIEW TEST p. 317

경제와 금융

01
★
stir

[stəːr]

통 불러일으키다, 젓다 명 동요, 젓기

The prospect seems to have **stirred** more fears than hopes.

그 전망은 희망보다는 더 많은 두려움을 불러일으킨 것 같다.

● lead, stimulate

TIPS stir과 관련된 표현들
· stirring 마음을 뒤흔드는 · stir-fry 볶다

02
★
independent

[ìndipéndənt]

형 독립적인, 자치적인

Countries were economically **independent** of one another in the past. 수능

과거에 국가들은 경제적으로 서로 독립적이었다.

⊕ **independently** 뷔 독립하여 **independence** 명 독립
● **self-reliant** ■ **dependent** 형 의존적인

혼자 설레

03
★★★
overall

[óuvərɔ̀ːl]

형 전반적인, 종합적인 뷔 전반적으로, 대체로

The **overall** profitability of the bikes with minimal features is much higher than the more complex ones. 학평

최소한의 특징을 갖춘 자전거들의 전반적인 수익성은 더 복잡한 것들보다 훨씬 더 높다.

● general

04
★★★
approach

[əpróutʃ]

통 다가오다, 접촉하다 명 접근, 방법

Demand for our products should increase as the holidays **approach**.

우리 제품에 대한 수요는 휴일이 다가오면서 증가할 것이다.

⊕ **approachable** 형 접근할 수 있는
● **access**

05
★★★
challenge

[tʃǽlindʒ]

명 과제, 도전 통 의욕을 북돋우다, 도전하다

One of the biggest **challenges** in the Internet world is security. 수능

인터넷 세계에서 가장 큰 과제 중 하나는 보안이다.

⊕ **challenger** 명 도전자 **challenging** 형 도전적인

---

06 ★★★ impact
[ ] 통[ímpækt]
[ ] 명[ímpækt]

통 영향을 미치다, 충격을 주다 명 영향, 충격

The trade treaty will positively **impact** the relationship of the two countries.
그 무역 조약은 양국의 관계에 긍정적으로 영향을 미칠 것이다.

⊖ influence

TIPS 'have an impact on'의 형태로 쓰일 경우 '~에 영향을 주다'라는 의미를 나타내요.

07 ★ accelerate
[ ] [æksélərèit]

통 가속하다, 촉진시키다

The purpose of the system was to **accelerate** the circulation of money. 교과서
그 시스템의 목적은 통화의 유통을 가속하는 것이었다.

⊕ **acceleration** 명 가속, 가속도 **accelerator** 명 가속 장치
⊟ **decelerate** 통 감속하다

08 ★ collapse
[ ] [kəlǽps]

통 실패하다, 무너지다, 붕괴되다 명 붕괴, 실패

George left school after his father's business **collapsed**. 학평
George는 아버지의 사업이 실패한 후 학교를 떠났다.

⊖ fail, fall

09 ★★★ purchase
[ ] [pə́ːrtʃəs]

통 구매하다 명 구매, 구입한 것

Tickets you **purchased** for today's event will be fully refunded. 수능
오늘 행사를 위해 당신이 구매했던 표는 전액 환불될 것이다.

다의어

10 ★★★ account
[ ] [əkáunt]

명 계좌, 계정 ── 계좌의 내역을 자세하게 → 통 설명하다

통 차지하다

I'd like to open a savings **account**. 학평
저는 예금 계좌를 개설하고 싶어요.

Chomsky's theories **account** for the origins of language.
촘스키의 이론들은 언어의 기원을 설명한다.

Women **account** for over 40% of all doctors. 학평
여성이 전체 의사의 40퍼센트 이상을 차지한다.

⊕ **accountant** 명 회계사 **accountable** 형 책임이 있는

REVIEW TEST p. 317

DAY 29

산업과 경영

 ① ② ③ ④

음성 바로 듣기

01
★★★
industry
[índəstri]

명 산업, 공업

The e-business **industry** is faced with a labor shortage. _{수능}
전자 상거래 산업은 노동력 부족에 직면해 있다.

⊕ **industrial** 혱 산업의 **industrialize** 동 산업화하다

02
★★★
policy
[pú:ləsi]

명 방침, 정책, 보험 증권

It is our company's **policy** that all new employees must gain experience in all departments.
모든 신입사원은 모든 부서에서 경험을 쌓아야 한다는 것이 우리 회사의 방침이다.

⊜ **rule**

03
★★
commercial
[kəmə́:rʃəl]

형 상업의, 상업적인 **명** 광고 방송

The objective of a **commercial** advertisement is to sell a product. _{교과서}
상업 광고의 목적은 상품을 판매하는 것이다.

⊕ **commerce** 명 상업, 무역

04
★★
convey
[kənvéi]

동 전달하다, 운송하다

I hope the new logo will **convey** our brand message. _{학평}
나는 새로운 로고가 우리의 브랜드 메시지를 전달할 것을 바란다.

⊜ **deliver, transfer**

TIPS convey와 관련된 표현들
·convey a message 메시지를 전달하다 ·convey a point 요지를 전달하다

05
★★★
international
[ìntərnǽʃənəl]

형 국제의, 국제적인

Advances in transportation technology have made **international** trade more cost-effective. _{학평}
운송 기술의 발전은 국제 무역을 더 비용 효율적이게 만들었다.

⊕ **internationally** 뷔 국제적으로
⊜ **global**

---

06 ★★★ reveal
[riví:l]

图 드러내다, 밝히다, 폭로하다

Bottles can **reveal** their contents without being opened. (수능)
병은 열리지 않고도 그것의 내용물을 드러낼 수 있다.

⊕ **revelation** 명 드러냄, 폭로
⊖ **disclose, uncover**　❏ **hide** 동 숨기다

07 ★★★ increase
동 [inkrí:s]
명 [ínkri:s]

图 증가하다, 늘다, 인상되다　명 증가, 증대

Hybrid car sales continued to **increase** in Asia. (학평)
하이브리드 자동차의 판매는 아시아에서 계속 증가했다.

⊕ **increasingly** 부 점점, 더욱더
⊖ **raise**　❏ **decrease** 동 감소하다 명 감소

08 ★★★ depend
[dipénd]

图 의존하다, 의지하다

Most consumer magazines **depend** on subscriptions and advertising. (수능)
대부분의 소비자 잡지는 구독과 광고에 의존한다.

⊕ **dependence** 명 의존　**dependent** 형 의존하는
⊖ **rely**

TIPS 'depend on'의 형태로 쓰일 경우 '~에 의존하다, ~에 달려있다'라는 의미를 나타내요.

혼동어

VS

09 ★★ transfer
동 [trænsfə́:r]
명 [trǽnsfər]

图 갈아타다, 옮기다, 이동하다　명 이동, 환승

In Atlanta, we had to **transfer** to another flight. (학평)
애틀랜타에서, 우리는 다른 비행기로 갈아타야 했다.

⊕ **transferable** 형 이동 가능한, 양도할 수 있는
⊖ **transport**

10 ★★ transform
[trænsfɔ́:rm]

图 변형시키다, 바꾸다

Even unwanted items can be **transformed** into artwork. (교과서)
쓸모없는 물건들조차도 예술 작품으로 변형될 수 있다.

⊕ **transformation** 명 변화, 변신　**transformative** 형 변화시키는
⊖ **change, turn**

REVIEW TEST p. 318

01
launch
[lɔːntʃ]

⑧ 출시하다, 시작하다 ⑲ 개시 (행사)

We'll **launch** a new logo to celebrate our 10th anniversary. (학평)

우리는 10주년을 기념하기 위해 새로운 로고를 출시할 것이다.

➕ **launching** ⑲ 개시, 착수

TIPS launch와 의미가 비슷한 issue, publish의 쓰임을 구별하여 기억하세요.
· launch (신제품을) 출시하다 · issue (간행물을) 발행하다 · publish (서적 등을) 출판하다

02
★★★
deliver
[dilívər]

⑧ 배달하다, 연설하다, 출산하다

We can **deliver** the package to you by next Monday. (학평)

우리는 다음 주 월요일까지 당신에게 소포를 배달할 수 있다.

➕ **delivery** ⑲ 배달, 출산
➖ **carry, transport**

03
★★★
measure
[méʒər]

⑧ 측정하다, 재다 ⑲ 측정, 계량

Consumer surveys help companies **measure** demand for their products.

소비자 조사는 기업들이 그들의 제품에 대한 수요를 측정하는 것을 돕는다.

➕ **measurement** ⑲ 측정, 치수 **measurable** ⑲ 측정할 수 있는

04
★★★
claim
[kleim]

⑧ 주장하다, 요구하다 ⑲ 주장, 요구, 권리

The customer **claimed** that he was overcharged for the service.

그 고객은 그가 서비스에 대해 과잉 청구 받았다고 주장했다.

➖ **insist, assert**

05
★★★
satisfy
[sǽtisfài]

⑧ 만족시키다, 충족시키다

The store's number one policy is to **satisfy** all its customers.

그 가게의 가장 중요한 방침은 그곳의 모든 고객을 만족시키는 것이다.

➕ **satisfaction** ⑲ 만족 **satisfactory** ⑲ 만족스러운
➖ **fulfill, meet**

---

06 ★★★ opposite
[ápəzit]

명 반대, 반대의 사람 **형** 반대의, 맞은 편의

We should not view failure as the **opposite** of success. (학평)

우리는 실패를 성공의 반대로 보면 안 된다.

➕ **oppose** 통 반대하다   **opposition** 명 반대, 상대측

07 ★★★ strategy
[strǽtədʒi]

명 계획, 전략

Our **strategy** for expansion includes opening new stores around the city.

우리의 확장 계획은 도시 곳곳에 새로운 점포들은 여는 것을 포함한다.

➕ **strategic** 형 전략적인
➖ **plan, scheme**

TIPS strategy와 관련된 표현들
·learning strategy 학습 전략   ·management strategy 경영 전략

08 ★★ import
형통[impɔ́:rt]
명[ímpɔ:rt]

통 수입하다 **명** 수입(품)

The less fuel we must **import**, the better. (학평)

우리가 수입해야 하는 연료가 더 적을수록 더 좋다.

➖ **export** 통 수출하다 명 수출(품)

09 ★★ trap
[træp]

명 함정, 덫, 궁지 **통** 가두다, 함정에 빠뜨리다

Successful people avoid the **trap** of negative self-talk. (학평)

성공한 사람들은 부정적인 자기 대화의 함정을 피한다.

다의어

10 ★★★ present
형명[préznt]
통[prizént]

형 존재하는 ── 지금 눈앞에 존재하는 순간 **형** 현재의

통 발표하다, 제시하다 ── 누군가에게 주려고 제시된 물건 **명** 선물

No species can detect all the molecules that are **present** in the environment. (학평)

어떤 종도 환경에 존재하는 모든 분자를 감지할 수는 없다.

I'm content with my **present** job position and wage.

나는 내 현재 직책과 임금에 만족한다.

The directors want you to **present** your business proposal at the meeting. (수능)

이사들은 당신이 회의에서 사업 제안서를 발표하기를 원한다.

I'm wrapping a birthday **present** for my friend. (학평)

나는 친구의 생일 선물을 포장하고 있다.

➕ **presence** 명 존재함, 참석

REVIEW TEST p. 318

01 consult
★
[kənsʌ́lt]

⑧ 상담하다, 상의하다

Consumers can collect additional information by **consulting** an expert. (학평)

소비자는 전문가와 상담함으로써 추가 정보를 수집할 수 있다.

➕ **consultant** ⑲ 상담가　**consultation** ⑲ 상담, 회담

02 organic
★
[ɔːrgǽnik]

⑱ 유기농의, 유기체의

Many retail clothing chains are increasing their use of **organic** cotton. (교과서)

많은 소매 의류 체인점들이 유기농 면의 사용을 늘리고 있다.

TIPS organic과 관련된 표현들
·organic food 유기농 음식　·organic farming 유기 농업　·organic material 유기 물질

03 manufacture
★
[mænjufǽktʃər]

⑧ 제조하다, 생산하다　**⑲** 제조, 생산

To **manufacture** electronics products, resources must be mined, purchased, or produced. (교과서)

전자 제품을 제조하기 위해서, 자원은 채굴되고, 구매되거나 또는 생산되어야 한다.

➕ **manufacturer** ⑲ 제조사
➖ **produce**

04 negative
★★★
[néɡətiv]

⑱ 부정적인, 비관적인

A boycott is a punishment of a company for **negative** behavior. (학평)

불매 운동은 부정적인 행동을 한 회사에 대한 처벌이다.

➕ **negatively** ⑨ 부정적으로
➖ **pessimistic**　🔲 **positive** 긍정적인

05 peasant
★★
[pézənt]

⑲ 소작농, 영세 농민

The **peasant** farmers had to pay rent or give the owner half of what they grew. (학평)

소작농 농부들은 임대료를 지불하거나 그들이 재배한 것의 절반을 주인에게 내야 했다.

06 ★ agriculture

[ǽgrəkʌ̀ltʃər]

명 농업

The percentage of the population involved in **agriculture** is declining. (수능)

농업에 종사하는 인구의 비율이 감소하고 있다.

✚ **agricultural** 형 농업의, 농사의
⊜ **farming**

TIPS 농업과 관련된 단어들
·irrigation 관개 ·drought 가뭄 ·cultivation 경작, 재배 ·harvest 추수

07 ★ alter

[ɔ́ːltər]

동 바꾸다, 변경하다

Online shopping has **altered** the way goods flow between sellers and buyers.

온라인 쇼핑은 판매자와 구매자 사이에서 상품이 이동하는 방식을 바꿨다.

✚ **alteration** 명 변화, 개조
⊜ **change, modify**

08 ★★ combine

[kəmbáin]

동 결합시키다, 연합시키다

Executives regularly **combine** business meetings with meals. (학평)

경영진은 정기적으로 업무 회의와 식사를 결합시킨다.

✚ **combination** 명 조합, 연합
⊜ **integrate**

혼동어

09 ★★ compete

[kəmpíːt]

VS

동 경쟁하다, 겨루다

Every four years, athletes from all over the world meet to **compete** in many sports. (수능)

4년마다, 전 세계의 운동선수들은 많은 스포츠에서 경쟁하기 위해 만난다.

✚ **competitive** 형 경쟁력 있는 **competition** 명 경쟁
⊜ **fight, battle**

10 ★★★ complete

[kəmplíːt]

동 완료하다, 마치다 형 완성된, 완전한

Nick overcame all obstacles to **complete** the project. (교과서)

Nick은 프로젝트를 완료하기 위해 모든 장애를 극복했다.

✚ **completely** 부 완전히 **completion** 명 완료, 완성
⊜ **finish**

REVIEW TEST p. 319

01
★★★
advance
[ædvǽns]

⑧ 진보하다, 다가가다 **®** 진보, 발전

Nuclear technology has **advanced** considerably.

핵 기술은 상당히 진보해왔다.

⊕ advanced **®** 선진의, 고급의 **advancement** **®** 진보, 승진
⊖ progress

TIPS advance와 관련된 표현들
· make an advance 전진하다 · technological advance 기술적 진보

02
★★
imply
[implái]

⑧ 시사하다, 암시하다

Management **implied** that the leave policy would be changed.

경영진은 휴가 정책이 변경될 것이라고 시사했다.

⊕ implication **®** 암시, 함축

03
★★
guarantee
[gærəntí:]

⑧ 보장하다, 약속하다 **®** 보증, 품질보증서

The introduction of unique products alone does not **guarantee** market success. ⓐ

단순히 독특한 제품의 도입이 시장에서의 성공을 보장하지는 않는다.

⊕ guaranteed **®** 보장된
⊖ assure, ensure

04
★★
chief
[tʃi:f]

® 주요한, 최고의 **®** 지배자, 장관

The government's **chief** concern is to improve the nation's economy.

정부의 주요한 관심사는 국가 경제를 개선시키는 것이다.

⊕ chiefly **®** 주로
⊖ prime

05
★
thrive
[θraiv]

⑧ 번창하다, 번성하다

The business had **thrived** for so long because of its effective marketing strategies.

그 사업은 효과적인 마케팅 전략 때문에 매우 오랫동안 번창해 왔다.

⊕ thriving **®** 번성하는
⊖ prosper

---

06 ★★★ gain
[gein]

🕑 얻다, 벌다, 획득하다 📖 증가, 이득

Only authorized personnel can **gain** access to client files.

오직 허가된 직원만 고객 파일에 대한 접근 권한을 얻을 수 있다.

⊖ obtain, acquire

---

07 ★ overlook
[òuvərlúk]

🕑 간과하다, 못 본 체하다

The engineer **overlooked** a serious flaw in the car.

기술자는 그 차량의 심각한 결함을 간과했다.

⊖ ignore

---

08 ★★★ disappear
[dìsəpíər]

🕑 사라지다, 없어지다

Some jobs may **disappear** in the next 20 years. 교과서

몇몇 일자리는 앞으로 20년 안에 사라질 수도 있다.

⊕ disappearance 🔲 실종
⊖ vanish

---

09 ★★ initial
[iníʃəl]

🔲 초기의, 처음의 🔲 머리글자

After negotiation, they compare their final outcome to their **initial** expectations. 학평

협상 후, 그들은 최종 결과를 초기의 예상과 비교한다.

⊕ initially 🔲 처음에
⊖ first, early　❌ final 🔲 마지막의

TIPS initial과 관련된 표현들
·initial projection 초기 예상치 　·initial stage 초창기 　·initial plan 초기 계획

다의어

10 ★ domestic
[dəméstik]

🔲 국내의, 국산의

🔲 가정의, 집안의

Slow sales in the **domestic** market forced companies to expand overseas.

국내 시장에서의 부진한 판매는 기업들을 해외로 확장시키도록 만들었다.

Parents should provide children with a stable **domestic** life.

부모는 아이들에게 안정적인 가정생활을 제공해야 한다.

⊕ domesticate 🕑 자국화하다, 길들이다

REVIEW TEST p. 319

DAY 30

언론과 뉴스

음성 바로 듣기

---

01 magazine
★★★
[mǽgəzí:n]

명 잡지

Some **magazines** are distributed only by subscription. 수능

일부 잡지는 예약 구독으로만 배포된다.

TIPS 잡지와 관련된 단어들
·newspaper 신문 ·editorial 사설 ·comment 논평, 비판 ·column 기고란, 칼럼

---

02 article
★★★
[á:rtikl]

명 기사, 글, 조항, 관사

Each **article** should be more than 500 words. 학평

각 기사는 500 단어 이상이어야 한다.

---

03 press
★★★
[pres]

명 언론, 신문사 동 누르다, 재촉하다

Big discoveries are covered in the **press**. 수능

큰 발견들은 언론에서 다루어진다.

➕ **pressure** 명 압박

---

04 advertise
★★★
[ǽdvərtàiz]

동 광고하다, 선전하다

The media agency must help businesses **advertise** their products. 학평

언론 기관은 기업들이 그들의 제품을 광고하는 것을 도와야 한다.

➕ **advertisement** 명 광고
➖ **promote**

---

05 recent
★★★
[rí:snt]

형 최근의, 근래의

A **recent** survey has found that people want more time for themselves. 수능

한 최근의 조사는 사람들이 스스로를 위해 더 많은 시간을 원한다는 것을 알아냈다.

➕ **recently** 부 최근에

---

06 ★★ diverse
[divə́:rs]

웹 다양한, 여러 가지의

It's important that the media provide us with **diverse** views. 수능

매체가 우리에게 다양한 관점을 제공한다는 것은 중요하다.

➕ **diversity** 웹 다양성   **diversify** 통 다양화하다
➖ **various**

07 ★★ document
[dá:kjumənt]
통 [dá:kjumènt]

웹 문서, 서류, 파일 통 기록하다, (서류로) 입증하다

Before you hit the "send" button, you should read your **document** carefully. 학평

당신은 '전송하기' 버튼을 누르기 전에, 당신의 문서를 주의 깊게 읽어야 한다.

➖ **record**

TIPS document와 관련된 표현들
·submit a document 서류를 제출하다   ·sign the document 서류에 서명하다

08 ★★★ expert
[ékspə:rt]

웹 전문가, 숙련가

The **experts** described the new virus as a serious threat.

전문가들은 새로운 바이러스를 심각한 위협으로 묘사했다.

➕ **expertise** 웹 전문지식
➖ **specialist, professional**

혼동어

09 ★★★ explore
[ikspló:r]

통 탐험하다, 답사하다, 조사하다

Historical sites can be interesting areas to **explore**. 학평

유적지는 탐험하기에 흥미로운 지역이 될 수 있다.

➕ **exploration** 웹 탐험, 탐구   **explorer** 웹 탐험가

VS

10 ★★ explode
[ikspl óud]

통 (폭탄이) 터지다, 폭발하다

A bomb **exploded** without any warning, and 22 people died.

어떠한 경고도 없이 폭탄이 터졌고, 22명이 사망했다.

➕ **explosion** 웹 폭발
➖ **burst, erupt**

REVIEW TEST p. 320

01 ★★★ handle

[hǽndl]

⑧ 다루다, 처리하다, 만지다 ⑲ 손잡이, 자루

One difference between winners and losers is how they **handle** losing. (수능)

승자와 패자 사이의 한 가지 차이점은 그들이 실패를 어떻게 다루느냐는 것이다.

● manage, deal with

TIPS handle과 관련된 표현들
· handle a problem 문제를 처리하다 · fly off the handle 버럭 화를 내다

02 ★★★ phrase

[freiz]

⑲ 문구, 구절, 관용구

Key **phrases** are often repeated for emphasis in the article.

기사에서 주요 문구들은 강조를 위해 종종 반복된다.

⊕ phrasal ⑲ 구의, 구로 된
● expression

03 ★★★ annoy

[ənɔ́i]

⑧ 짜증 나게 하다

Reporters **annoyed** the celebrity by asking lots of personal questions.

기자들은 많은 개인적인 질문을 물어봄으로써 그 유명인사를 짜증 나게 했다.

⊕ annoying ⑲ 짜증 나는, 성가신
● irritate, bother

04 ★★ obvious

[ɑ́:bviəs]

⑲ 분명한, 확실한

It was **obvious** that people were surprised by the news.

사람들이 그 뉴스에 놀란 것은 분명했다.

⊕ obviously ⑤ 분명히, 확실히
● apparent

05 ★★ mention

[ménʃən]

⑲ 언급하다, 말하다

The news report **mentioned** that nobody was injured in the apartment fire.

뉴스 보도는 아파트 화재에서 아무도 다치지 않았다고 언급했다.

06 ★ entertain
[èntərtéin]

동 즐겁게 하다, 대접하다

Some of the most talented singers will **entertain** you. 수능
가장 재능 있는 가수들 중 몇몇이 당신을 즐겁게 할 것이다.

⊕ entertainment 명 오락, 연예
⊖ amuse, please

07 ★★★ detail
[ditéil]

명 세부 사항, 세부 묘사

Does it have **details** that keep the interest of the reader? 교과서
독자의 흥미를 유지시키는 세부 사항이 있는가?

⊕ detailed 형 상세한

08 ★★★ conflict
형[káːnflikt]
동[kənflíkt]

명 갈등, 충돌 **동** 상충하다

Conflict is the driving force of a good story. 학평
갈등은 좋은 이야기의 원동력이다.

⊖ dispute, collision

TIPS conflict와 관련된 표현들
· come into conflict with ~와 충돌하다, ~와 싸우다 · conflict of interest 이해의 충돌

09 ★★★ thus
[ðʌs]

부 따라서, 이와 같이

The suspect was proven innocent and was **thus** released from jail.
용의자는 결백하다고 판명되었고, 따라서 감옥에서 풀려났다.

⊖ therefore, hence

다의어

10 ★★★ medium
[míːdiəm]

형 중간의

중간에서 둘 사이를 이어주는
명 매(개)체, 도구

중간에서 전달하는
명 수단, 도구

Large candles and **medium** ones are on sale now. 학평
큰 양초와 중간 (크기의) 양초가 지금 세일 중이다.

Air is not the only **medium** through which sound is carried. 학평
공기는 소리가 전달되는 유일한 매체가 아니다.

Money is merely a convenient **medium** of exchange. 수능
돈은 단지 편리한 교환 수단일 뿐이다.

REVIEW TEST p. 320

01 depress
★★
[diprés]

통 우울하게 하다, 낙담시키다

The news about the natural disaster **depressed** us.

자연재해에 대한 뉴스는 우리를 우울하게 했다.

➕ **depressed** 형 우울한, 의기소침한　**depression** 명 우울증, 불경기

02 demand
★★★
[diménd]

통 요구하다, 필요로 하다　명 요구, 청구, 수요

Television viewing doesn't **demand** complex mental activities.

텔레비전 시청은 복잡한 정신적인 활동을 요구하지 않는다.

➕ **demanding** 형 요구가 많은, 힘든
➖ **supply** 통 공급하다　명 공급

03 identify
★★★
[aidéntifài]

통 확인하다, 알아보다

It is important to **identify** context related to information. (학평)

정보와 관련된 맥락을 확인하는 것이 중요하다.

➕ **identification** 명 신분증, 신원 확인　**identifiable** 형 인식 가능한
➖ request

04 award
★★★
[əwɔ́ːrd]

명 상, 상패　통 수여하다, 주다

The student was given an **award** for his insightful writing.

그 학생은 그의 통찰력 있는 글로 상을 받았다.

➖ prize

05 regret
★★
[rigrét]

통 후회하다, 유감으로 생각하다　명 후회, 유감

I wonder if you've ever **regretted** becoming a diver. (수능)

저는 당신이 다이빙 선수가 된 것을 후회한 적이 있는지 궁금합니다.

➕ **regretful** 형 후회하는

TIPS regret와 관련된 표현들
·regret + V-ing ~한 것을 후회하다　·regret + to V ~하게 되어 유감이다

06 ★★★ regard
[rigá:rd]

통 여기다, 간주하다 명 관심, 고려, 존경

The enjoyment of reading has been **regarded** among the charms of a cultured life. (학평)

독서의 즐거움은 교양 있는 삶의 매력 중 하나로 여겨져 왔다.

➕ **regarding** 전 ~에 관하여   **regardless** 형 부주의한, 무관심한
➖ **consider**

TIPS regard와 관련된 표현들
· in regard to ~과 관련하여   · regardless of ~에 상관없이   · self-regard 자존감

07 ★ inquire
[inkwáiər]

통 질문하다, 알아보다

The journalist **inquired** about the actor's new movie.

기자는 그 배우의 새 영화에 대해 질문했다.

➕ **inquiry** 명 질문, 조사
➖ **ask**

08 ★★ script
[skript]

명 대본, 각본

I finished writing a TV **script** and rushed to print it. (학평)

나는 TV 대본을 쓰는 것을 끝내고 서둘러 그것을 인쇄했다.

혼동어

VS

09 ★★ decline
[dikláin]

명 쇠퇴, 감소 통 감소하다, 쇠퇴하다

Amongst younger people, the habit of reading newspapers has been on the **decline**. (수능)

젊은 사람들 사이에서, 신문을 읽는 습관은 쇠퇴해 가고 있다.

➖ **reduction, decrease, downturn**

10 ★★ declare
[diklέər]

통 선언하다, 선포하다

The founder of the Muslim religion **declared** pork to be unclean. (학평)

이슬람교의 창시자는 돼지고기가 부정하다고 선언했다.

➕ **declaration** 명 선언

REVIEW TEST p. 321

01
★★
☐
☐
☐
deceive
[disíːv]

통 기만하다, 속이다

The news broadcaster **deceived** the public with false information.

그 뉴스 방송사는 허위 정보로 대중을 기만했다.

➕ **deceptive** 형 속이는, 기만하는　**deceit** 명 속임(수), 기만
➖ **cheat**

02
★
☐
☐
external
[ikstə́ːrnl]

형 외부의, 밖의

External events, such as overseas wars, can influence local economies.

해외 전쟁과 같은 외부 사건은 지역 경제에 영향을 미칠 수 있다.

➕ **externality** 명 외면성, 외재성
⊟ **internal** 형 내부의, 안의

03
★
☐
☐
☐
instantly
[ínstəntli]

부 즉시, 즉각적으로

With smartphones, reporters can post a news story **instantly**. 학평

스마트폰으로, 기자들은 즉시 뉴스 기사를 올릴 수 있다.

➕ **instant** 형 즉각적인
➖ **immediately**

04
★★
☐
☐
☐
norm
[nɔːrm]

명 표준, 기준, 규범

The employees as a whole had a higher job satisfaction than industry **norms**.

그 직원들은 전체적으로 산업 표준보다 더 높은 직무 만족도를 가지고 있었다.

➕ **normal** 형 보통의　**normally** 부 보통, 정상적으로
➖ **standard**

TIPS norm과 관련된 표현들
·ethical norm 윤리적 규범　·group norm 집단 규범　·social norm 사회적 규범

05
★★
☐
☐
☐
analyze
[ǽnəlàiz]

통 분석하다, 해석하다

Use your experience to **analyze** the situation. 수능

상황을 분석하기 위해 당신의 경험을 이용해라.

➕ **analysis** 명 분석　**analytic** 형 분석적인

---

06 ★ clarify
[klǽrəfài]

图 명확히 하다, 분명히 말하다

Writing down thoughts might help to **clarify** them.

생각을 적어 보는 것이 그것들을 명확히 하는 데 도움이 될 수 있다.

⊕ **clarification** 몡 설명, 해명
⊜ **explain**

07 ★★ defend
[difénd]

图 지키다, 방어하다, 변호하다

We're trying to **defend** the rights of the general public. 교과서

우리는 일반 대중의 권리를 지키기 위해 애쓰고 있다.

⊕ **defense** 몡 방어   **defensive** 몡 방어의, 방어적인
⊜ **protect**   ▣ **attack** 통 공격하다

08 ★★ reputation
[rèpjutéiʃən]

몡 평판, 명성

The **reputation** of an airline will be damaged if a survey is conducted just after a plane crash. 수능

만약 비행기 추락 직후 설문 조사가 행해지면 항공사의 평판이 훼손될 것이다.

09 ★★ exclude
[iksklú:d]

图 제외하다, 차단하다

The editors must make decisions about what to include and what to **exclude**. 학평

편집자들은 무엇을 포함하고 무엇을 제외할지에 대해 결정을 내려야 한다.

⊕ **exclusion** 몡 제외   **exclusive** 몡 독점적인

다의어

10 ★ net
[net]

몡 망, 그물망

혱 (에누리 없는) 순

The article states that dolphins are becoming trapped in fishing **nets**.

그 기사는 돌고래들이 어망에 가둬지고 있다고 말한다.

The **net** income of many companies has declined due to new taxes.

많은 기업의 순이익이 신규 세금으로 인해 감소했다.

REVIEW TEST p. 321

해커스북 ^{중·고등}
www.HackersBook.com

REVIEW TEST

1

영어는 우리말로, 우리말은 영어로 쓰세요.

01 chore　＿＿＿＿＿＿＿＿＿＿　**03** 음료, 마실 것　＿＿＿＿＿＿＿＿＿＿

02 flavor　＿＿＿＿＿＿＿＿＿＿　**04** 꽤, 상당히　＿＿＿＿＿＿＿＿＿＿

다음 한글 문장을 읽고 영어 문장의 빈칸에 알맞은 단어를 쓰세요.

05 이 로봇 진공청소기는 완전히 충전되면 40분 동안 작동할 수 있다.

This robotic vacuum can ＿＿＿＿＿＿＿＿＿＿ for 40 minutes when fully charged.

06 그 지역에는 많은 식용 버섯들이 있다.

There are many ＿＿＿＿＿＿＿＿＿＿ mushrooms in the area.

- -

2

영어는 우리말로, 우리말은 영어로 쓰세요.

01 sweep　＿＿＿＿＿＿＿＿＿＿　**03** 흘끗 보다, 대충 훑어보다　＿＿＿＿＿＿＿＿＿＿

02 grocery　＿＿＿＿＿＿＿＿＿＿　**04** 어울리다, 맞다　＿＿＿＿＿＿＿＿＿＿

다음 한글 문장을 읽고 영어 문장의 빈칸에 알맞은 단어를 쓰세요.

05 당신은 전동과 수동 칫솔 중에 선택할 수 있다.

You can choose between an electric and a ＿＿＿＿＿＿＿＿＿＿ toothbrush.

06 부엌에 대한 개조가 그 집에 가치를 더했다.

The renovations to the kitchen added ＿＿＿＿＿＿＿＿＿＿ to the house.

③

영어는 우리말로, 우리말은 영어로 쓰세요.

01 bitter _____

02 appearance _____

03 (액체에) 적시다, 담그다 _____

04 강요하다, ~하게 만들다 _____

다음 한글 문장을 읽고 영어 문장의 빈칸에 알맞은 단어를 쓰세요.

05 화려한 장식의 블라우스가 이번 가을의 유행이다.

Blouses with _____ decorations are this autumn's trend.

06 당신은 같은 선반에 있는 서로 다른 브랜드의 우유를 비교할 수 있다.

You can _____ different brands of milk sitting on the same shelf.

---

④

영어는 우리말로, 우리말은 영어로 쓰세요.

01 browse _____

02 lean _____

03 식욕, 욕구 _____

04 오두막집, 작은 집 _____

다음 한글 문장을 읽고 영어 문장의 빈칸에 알맞은 단어를 쓰세요.

05 요리사는 고기가 부드러워질 때까지 그것을 요리했다.

The chef cooked the meat until it was _____.

06 우리는 집 수리 기간 동안 임시 거주지에 머물 것이다.

We will stay in a _____ residence during our home repairs.

1

영어는 우리말로, 우리말은 영어로 쓰세요.

01 debate _____

02 principle _____

03 학문적인, 학업의 _____

04 북돋아 주다, 장려하다 _____

다음 한글 문장을 읽고 영어 문장의 빈칸에 알맞은 단어를 쓰세요.

05 교사들은 학생들의 이해를 발달시키고 심화시키는 데 적극적인 역할을 맡는다.

Teachers take a(n) _____ role in developing and deepening students' comprehension.

06 학부모들은 교사들 및 교장 선생님과 회의를 할 것이다.

Parents are going to have a meeting with teachers and the _____.

2

영어는 우리말로, 우리말은 영어로 쓰세요.

01 graduate _____

02 collect _____

03 자신감이 있는, 확신하는 _____

04 포함하다, 함유하다 _____

다음 한글 문장을 읽고 영어 문장의 빈칸에 알맞은 단어를 쓰세요.

05 수학은 아마도 대부분의 학생들에게 가장 어려운 과목일 것이다.

Math is probably the most difficult _____ for most students.

06 우리 학교 연례 장기 자랑 대회가 곧 다가온다.

Our _____ school talent show is coming soon.

③

영어는 우리말로, 우리말은 영어로 쓰세요.

01 inform _____ 03 참여하다, 참가하다 _____

02 conceal _____ 04 의무, 임무, 세금 _____

다음 한글 문장을 읽고 영어 문장의 빈칸에 알맞은 단어를 쓰세요.

05 대학생들은 학기 말에 그들의 교수들을 평가한다.

College students _____ their professors at the end of the term.

06 나는 다른 대부분의 지원자들처럼 학생 의회 경험이 없다.

I don't have any student _____ experience like most of the other candidates.

----

④

영어는 우리말로, 우리말은 영어로 쓰세요.

01 session _____ 03 쏟다, 흘리다 _____

02 maximum _____ 04 엄격한, 엄밀한 _____

다음 한글 문장을 읽고 영어 문장의 빈칸에 알맞은 단어를 쓰세요.

05 티켓은 학생 연합회 사무실에서 구매할 수 있다.

Tickets can be purchased from the student _____ office.

06 Mike의 학기 성적은 그가 기대했던 것보다 낮다.

Mike's grades for the _____ are lower than he had expected.

①

영어는 우리말로, 우리말은 영어로 쓰세요.

01 nervous   _____

02 vocation   _____

03 여행, 여정, 이동   _____

04 준비하다, 대비하다   _____

다음 한글 문장을 읽고 영어 문장의 빈칸에 알맞은 단어를 쓰세요.

05 기념품은 입장 요금에 포함된다.

Souvenirs are included in the admission _____.

06 나는 여름 방학 동안 수영 레슨을 받는 것을 고려하고 있다.

I'm considering taking swimming lessons during the summer _____.

---

②

영어는 우리말로, 우리말은 영어로 쓰세요.

01 pack   _____

02 craft   _____

03 개인의, 사적인, 사립의 _____

04 주최하다, 진행하다   _____

다음 한글 문장을 읽고 영어 문장의 빈칸에 알맞은 단어를 쓰세요.

05 여행을 가는 것은 스트레스를 푸는 좋은 방법이다.

Taking a trip is a great way to _____ stress.

06 나는 Wayne Island 호텔에 방을 예약하려고 한다.

I'm trying to _____ a room at Wayne Island Hotel.

③

영어는 우리말로, 우리말은 영어로 쓰세요.

01 reserve _____

02 confirm _____

03 궁금해하다 _____

04 돌아다니다, 헤매다 _____

다음 한글 문장을 읽고 영어 문장의 빈칸에 알맞은 단어를 쓰세요.

05 모든 여행자들은 반드시 적절한 여행 보험에 가입하도록 해야 한다.

All travelers should _____ they have adequate travel insurance.

06 일부 사람들은 박물관 입장료가 무료여야 한다고 주장한다.

Some people _____ that admission to museums should be free.

---

④

영어는 우리말로, 우리말은 영어로 쓰세요.

01 absolute _____

02 undergo _____

03 여가의, 남는, 여분의 _____

04 갈채를 보내다, 박수를 치다 _____

다음 한글 문장을 읽고 영어 문장의 빈칸에 알맞은 단어를 쓰세요.

05 충분한 여가 시간을 가진 사람들은 여유롭고 행복한 경향이 있다.

People with sufficient _____ time tend to be relaxed and happy.

06 우리가 당신에게 답례로 무료 뮤지컬 티켓을 드릴게요.

We'll give you a free ticket for the musical in _____.

1

영어는 우리말로, 우리말은 영어로 쓰세요.

01 task _____

02 hire _____

03 ~하는 경향이 있다 _____

04 (표시, 라벨 등을) 붙이다 _____

다음 한글 문장을 읽고 영어 문장의 빈칸에 알맞은 단어를 쓰세요.

05 불행하게도, 자동차 사고는 그녀의 경력이 끝을 맺게 만들었다.

Unfortunately, a car accident forced her to end her _____.

06 직원들은 그들의 노동에 대해 공정하게 보상되어야 한다.

Employees must be fairly compensated for their _____.

2

영어는 우리말로, 우리말은 영어로 쓰세요.

01 retire _____

02 arrange _____

03 시도하다, 시도, 기도 _____

04 반대인, 다른 _____

다음 한글 문장을 읽고 영어 문장의 빈칸에 알맞은 단어를 쓰세요.

05 대부분, 우리는 우리에게 익숙한 것들을 좋아한다.

For the most part, we like things that are _____ to us.

06 Bill은 그의 승진을 지연시키는 많은 장애물에 부딪혔다.

Bill encountered many _____ (e)s that delayed his promotion.

③

영어는 우리말로, 우리말은 영어로 쓰세요.

01 accomplish _____

02 former _____

03 청중, 시청자 _____

04 임금, 급료 _____

다음 한글 문장을 읽고 영어 문장의 빈칸에 알맞은 단어를 쓰세요.

05 우리는 발표 전에 연습할 충분한 시간이 없다.

We don't have enough time to practice before the _____.

06 심리학자들은 좋은 스트레스와 나쁜 스트레스를 구분한다.

Psychologists _____ between good stress and bad stress.

---

④

영어는 우리말로, 우리말은 영어로 쓰세요.

01 envious _____

02 dismiss _____

03 건축가, 설계자 _____

04 바람직한, 매력 있는 _____

다음 한글 문장을 읽고 영어 문장의 빈칸에 알맞은 단어를 쓰세요.

05 반드시 당신은 이력서에서 당신의 관련된 업무 경험을 강조하세요.

Make sure you highlight your _____ work experience on your résumé.

06 발레에 대한 그녀의 열정은 그녀가 그 동작들을 수백 번 연습하게 만들었다.

Her _____ for ballet made her practice the moves hundreds of times.

①

영어는 우리말로, 우리말은 영어로 쓰세요.

01 warn _____

02 recommend _____

03 정기적인, 규칙적인 _____

04 느슨한, 헐거운 _____

다음 한글 문장을 읽고 영어 문장의 빈칸에 알맞은 단어를 쓰세요.

05 헬멧을 쓰는 것은 머리 부상의 위험을 줄일 수 있다.

Wearing a helmet can _____ the risk of head injuries.

06 수면 부족은 기분 문제를 일으킬 수 있다.

A lack of sleep may _____ mood problems.

정답 01 경고하다, 주의를 주다 02 권하다, 추천하다 03 regular 04 loose 05 reduce 06 cause

- -

②

영어는 우리말로, 우리말은 영어로 쓰세요.

01 meanwhile _____

02 encounter _____

03 방해하다, 어지럽히다 _____

04 보통의, 일상적인, 평범한 _____

다음 한글 문장을 읽고 영어 문장의 빈칸에 알맞은 단어를 쓰세요.

05 나는 접을 수 있는 자전거보다 차라리 보통 자전거를 선택하겠다.

I'd _____ choose a regular bike than a foldable one.

06 지속적인 수면 부족은 심각한 질병을 발생시킬 위험을 증가시킨다.

A _____ lack of sleep increases the risk for developing serious diseases.

정답 01 한편에, 그동안에 02 맞닥뜨리다, 우연히 만나다, 만나다 03 disturb 04 ordinary 05 rather 06 continuous

3

영어는 우리말로, 우리말은 영어로 쓰세요.

01 capable ＿＿＿＿＿＿＿＿＿

02 struggle ＿＿＿＿＿＿＿＿＿

03 강화시키다, 증강하다 ＿＿＿＿＿＿＿＿＿

04 (얇게 썬) 조각, 일부분 ＿＿＿＿＿＿＿＿＿

다음 한글 문장을 읽고 영어 문장의 빈칸에 알맞은 단어를 쓰세요.

05 올바른 자세는 건강한 컴퓨터 사용의 첫 단계라는 것을 기억해라.

Remember that ＿＿＿＿＿＿＿ posture is the first step to healthy computer use.

06 세계보건기구는 사람들이 하루에 25그램 미만의 설탕을 섭취할 것을 권고한다.

The WHO recommends that people ＿＿＿＿＿＿＿ less than 25 grams of sugar a day.

4

영어는 우리말로, 우리말은 영어로 쓰세요.

01 sufficient ＿＿＿＿＿＿＿＿＿

02 fatigue ＿＿＿＿＿＿＿＿＿

03 섭취(량), 흡입 ＿＿＿＿＿＿＿＿＿

04 보충(제), 추가 ＿＿＿＿＿＿＿＿＿

다음 한글 문장을 읽고 영어 문장의 빈칸에 알맞은 단어를 쓰세요.

05 특정한 신체 활동을 하는 것은 관절에 압력을 준다.

Doing certain ＿＿＿＿＿＿＿ activities puts stress on the joints.

06 전문가들은 사람들이 아침에 스트레칭을 할 것을 제안한다.

Experts ＿＿＿＿＿＿＿ that people stretch in the morning.

1

영어는 우리말로, 우리말은 영어로 쓰세요.

01 delighted _____

02 temple _____

03 불평하다, 항의하다 _____

04 인식하다, 인정하다 _____

다음 한글 문장을 읽고 영어 문장의 빈칸에 알맞은 단어를 쓰세요.

05 나는 나의 남편의 목숨을 구해준 것에 대해 그 남자에게 매우 감사했다.

I was very _____ to that man for saving my husband's life.

06 그 소년의 부모는 그의 나쁜 성질을 걱정했다.

The boy's parents were concerned about his bad _____.

정답 01 기쁜, 아주 즐거워하는 02 사원, 절, 사찰 03 complain 04 recognize 05 grateful 06 temper

---

2

영어는 우리말로, 우리말은 영어로 쓰세요.

01 sudden _____

02 insist _____

03 물건, 물체, 대상 _____

04 불안한, 걱정하는 _____

다음 한글 문장을 읽고 영어 문장의 빈칸에 알맞은 단어를 쓰세요.

05 요즘 사람들은 항상 즉각적인 결과를 기대한다.

People nowadays expect _____ results all the time.

06 우리 박물관을 대표하여, 우리는 당신의 기부에 감사드립니다.

On behalf of our museum, we _____ your donation.

정답 01 갑작스러운, 돌연한 02 고집하다, 주장하다, 우기다 03 object 04 anxious 05 immediate 06 appreciate

3

영어는 우리말로, 우리말은 영어로 쓰세요.

01 stare _____

02 crucial _____

03 낙담한, 낙심한 _____

04 비참한, 불쌍한 _____

다음 한글 문장을 읽고 영어 문장의 빈칸에 알맞은 단어를 쓰세요.

05 그의 얼굴 표정은 분위기와 일치하지 않았다.

His facial expressions didn't _____ with the mood.

06 때때로 사람들이 매우 잔인할 수 있다는 것은 슬프다.

It's sad that people can be so _____ sometimes.

정답 01 응시하다, 빤히 쳐다보다 02 매우 중요한, 결정적인 03 discouraged 04 miserable 05 correspond 06 cruel

---

4

영어는 우리말로, 우리말은 영어로 쓰세요.

01 sympathy _____

02 cognitive _____

03 어색한, 곤란한, 불편한 _____

04 낙관적인, 낙천적인 _____

다음 한글 문장을 읽고 영어 문장의 빈칸에 알맞은 단어를 쓰세요.

05 해외에서 공부하는 학생들은 종종 매우 고립되었다고 느낀다.

Students studying abroad often feel so _____.

06 안전하도록, 당신의 옷에 빛을 반사하는 테이프를 좀 붙이세요.

To be safe, attach some tape that _____(e)s light to your clothes.

정답 01 동정(심), 공감 02 인지의, 인식의 03 awkward 04 optimistic 05 isolated 06 reflect

1

영어는 우리말로, 우리말은 영어로 쓰세요.

01 suppose   _____   03 사회적인, 사회의   _____

02 district   _____   04 흐트러뜨리다, 산만하게 하다 _____

다음 한글 문장을 읽고 영어 문장의 빈칸에 알맞은 단어를 쓰세요.

05 의지력은 한 사람의 성공 및 행복과 관련이 있다.

Willpower is _____ to a person's success and happiness.

06 Alex와 Sally는 심지어 그가 도시를 떠난 후에도 긴밀한 연락을 유지했다.

Alex and Sally _____(e)d in close touch even after he left the city.

2

영어는 우리말로, 우리말은 영어로 쓰세요.

01 refer   _____   03 답장, 대답   _____

02 assume   _____   04 동료   _____

다음 한글 문장을 읽고 영어 문장의 빈칸에 알맞은 단어를 쓰세요.

05 Peter는 자신의 실수를 깨닫고, Claire에게 사과하고 싶어 한다.

Peter realizes his mistake, and he wants to _____ to Claire.

06 그녀는 내가 의지할 수 있는 멋진 친구가 되었다.

She has become a wonderful friend that I can _____ on.

③

영어는 우리말로, 우리말은 영어로 쓰세요.

01 surround _____

02 capacity _____

03 정말, 참으로, 실제로 _____

04 나눠주다, 분배하다 _____

다음 한글 문장을 읽고 영어 문장의 빈칸에 알맞은 단어를 쓰세요.

05 그녀는 지역사회에 기여할 자원봉사 일을 찾을 계획이다.

She plans on finding volunteer work to _____ to the community.

06 사람들은 손쉽게 얻을 수 없는 것들에 끌린다.

People are attracted to things they cannot readily _____.

④

영어는 우리말로, 우리말은 영어로 쓰세요.

01 casual _____

02 gaze _____

03 신세를 지다, 빚지다 _____

04 상호 간의, 서로의 _____

다음 한글 문장을 읽고 영어 문장의 빈칸에 알맞은 단어를 쓰세요.

05 너는 네가 만든 케이크나 파이를 그녀에게 대접할 수 있다.

You can _____ her to a cake or pie you made.

06 나는 우리가 함께 했던 행복한 시간들을 소중히 간직할 것이다.

I'll _____ the happy times we had together.

①

영어는 우리말로, 우리말은 영어로 쓰세요.

01 comment _____

02 evolve _____

03 대중, 일반 사람들 _____

04 관련 있다, 참여시키다 _____

다음 한글 문장을 읽고 영어 문장의 빈칸에 알맞은 단어를 쓰세요.

05 나는 대중 연설에 대한 재능을 개발하기 위해 노력했다.

I tried to _____ a talent for public speaking.

06 Steve는 잠시 동안 생각하고 나서 대답했다.

Steve thought for a _____ and then answered.

정답 01 의견, 논평, 비평, 주석 02 진화하다, 시사히 발전하다 03 public 04 involve 05 develop 06 moment

---

②

영어는 우리말로, 우리말은 영어로 쓰세요.

01 range _____

02 translate _____

03 ~하지 않으면, 그 외에는 _____

04 질투하는, 시기가 많은 _____

다음 한글 문장을 읽고 영어 문장의 빈칸에 알맞은 단어를 쓰세요.

05 그는 그의 어머니에게 여행을 위해 그의 물건을 준비해달라고 부탁했다.

He asked his mother to get his _____ ready for the trip.

06 의사소통을 함으로써, 사람들은 생각과 정보를 공유한다.

By communicating, people _____ ideas and information.

정답 01 범위, 영역 02 번역하다, 통역하다 03 otherwise 04 jealous 05 stuff 06 share

(3)

영어는 우리말로, 우리말은 영어로 쓰세요.

01 conclude _____

02 worth _____

03 의도하다, 의미하다 _____

04 핵심, 중심부 _____

다음 한글 문장을 읽고 영어 문장의 빈칸에 알맞은 단어를 쓰세요.

05 약간의 휴식을 취하는 것은 환자가 병을 치료하는 데 도움을 줄 수 있다.

Getting some rest can help a patient _____ a disease.

06 강력한 언어 능력은 토론에서 좋은 성과를 내기 위해서 필요하다.

Strong _____ skills are necessary to perform well in a debate.

(4)

영어는 우리말로, 우리말은 영어로 쓰세요.

01 gratitude _____

02 weird _____

03 은유, 비유 _____

04 말, 발언, 주목 _____

다음 한글 문장을 읽고 영어 문장의 빈칸에 알맞은 단어를 쓰세요.

05 의도하지 않고 사람들을 모욕하는 것은 가능하다.

It is possible to _____ people without intending to.

06 당신은 당신이 원하는 어떤 방식으로든 이야기를 해석해도 된다.

You can _____ the story any way you want.

①

영어는 우리말로, 우리말은 영어로 쓰세요.

01 peer _____

02 necessary _____

03 정의로운, 공정한, 정당한 _____

04 취하다, 채택하다, 입양하다 _____

다음 한글 문장을 읽고 영어 문장의 빈칸에 알맞은 단어를 쓰세요.

05 많은 동화는 도덕적인 교훈을 포함한다.

　　Many fairy tales include _____ lessons.

06 남에게 상처를 주는 이기적인 행동은 우리에게 행복을 가져다줄 수 없다.

　　_____ behavior that hurts others cannot bring us happiness.

정답　01 또래, 동년배　02 필수적인, 필요한　03 just　04 adopt　05 moral　06 selfish

- -

②

영어는 우리말로, 우리말은 영어로 쓰세요.

01 sacrifice _____

02 pretend _____

03 멈추어 서다, 잠시 멈추다 _____

04 누릴 자격이 있다, ~할 만하다 _____

다음 한글 문장을 읽고 영어 문장의 빈칸에 알맞은 단어를 쓰세요.

05 나는 잠을 자지 않고 몇 시간 동안 침대에 누워 있다.

　　I _____ in bed for hours without sleeping.

06 선량한 시민들은 어려움에 처한 그들의 이웃을 무시하지 않고 돕는다.

　　Good citizens do not _____ but help their neighbors in need.

정답　01 희생(하다), 단념하다　02 하는 척하다, 가장하다　03 pause　04 deserve　05 lie　06 neglect

3

영어는 우리말로, 우리말은 영어로 쓰세요.

01 devote _____

02 ethical _____

03 허용하다, 허락하다 _____

04 배우자, 남편, 아내 _____

다음 한글 문장을 읽고 영어 문장의 빈칸에 알맞은 단어를 쓰세요.

05 가능한 한 빨리 당신의 궁극적인 인생 목표를 세우세요.

Set your _____ life goal as soon as possible

06 가장 널리 보급된 민족 요리는 중국, 이탈리아, 멕시코식이다.

The most widespread _____ cuisines are Chinese, Italian, and Mexican.

정답 01 (시간, 노력 등을) 바치다, 헌신하다 02 윤리적인, 도덕적인 03 permit 04 spouse 05 ultimate 06 ethnic

---

4

영어는 우리말로, 우리말은 영어로 쓰세요.

01 fundamental _____

02 conscious _____

03 본능, 직감, 직관 _____

04 유혹하다, 부추기다 _____

다음 한글 문장을 읽고 영어 문장의 빈칸에 알맞은 단어를 쓰세요.

05 사람들의 행동을 바꾸는 방법은 그들의 인식에 달려 있다.

The way to _____ people's behavior depends on their perception.

06 나는 나의 편견을 극복하기 위해 매우 열심히 노력한다.

I try very hard to overcome my _____.

정답 01 필수적인, 근본적인 02 의식하는, 깨닫고 있는 03 instinct 04 tempt 05 modify 06 prejudice

1

영어는 우리말로, 우리말은 영어로 쓰세요.

01 donate _____

02 personnel _____

03 피해자, 희생자 _____

04 기금, 자금 _____

다음 한글 문장을 읽고 영어 문장의 빈칸에 알맞은 단어를 쓰세요.

05 우리는 다른 사람들에게 해를 끼치고 그들의 고통을 무시하는지도 모른다.

We may do harm to others and _____ their pain.

06 우리는 인간의 즐거움과 동물 복지의 균형을 유지할 필요가 있다.

We need to keep a balance between human pleasure and animal _____.

정답 01 기부하다, 기증하다 02 인사과, 직원 03 victim 04 fund 05 ignore 06 welfare

---

2

영어는 우리말로, 우리말은 영어로 쓰세요.

01 charity _____

02 rage _____

03 단결하다, 연합하다 _____

04 걱정, 관심, 중요성 _____

다음 한글 문장을 읽고 영어 문장의 빈칸에 알맞은 단어를 쓰세요.

05 그녀는 병원 비용을 지불할 여유가 없었다.

She could not _____ to pay the hospital expenses.

06 첫 번째 구조 대원이 광부들에게 내려보내졌다.

The first _____ worker was sent down to the miners.

정답 01 자선, 자선 단체 02 분노, 격노 03 unite 04 concern 05 afford 06 rescue

③

영어는 우리말로, 우리말은 영어로 쓰세요.

01 establish _____

02 abandon _____

03 부담, 짐 _____

04 탐지하다, 발견하다 _____

다음 한글 문장을 읽고 영어 문장의 빈칸에 알맞은 단어를 쓰세요.

05 나는 당신이 그 문제를 빨리 해결해 주면 고마울 거예요.

I would be grateful if you could _____ the matter quickly.

06 그들은 그들의 빵집을 홍보하기 위해 간단한 웹사이트를 만들었다.

They made a simple website to _____ their bakery.

- -

④

영어는 우리말로, 우리말은 영어로 쓰세요.

01 aggressive _____

02 contradict _____

03 친구, 동반자, 동행 _____

04 관점, 시각, 원근법 _____

다음 한 문장을 읽고 영어 문장의 빈칸에 알맞은 단어를 쓰세요.

05 전쟁 지역에서 온 난민들은 안전한 피난처를 찾기 위해 필사적이었다.

Refugees from the war zone were _____ to find safe refuge.

06 대행사는 단체 관광 요금에 타협하기로 동의했다.

The agent agreed to _____ on the group tour fee.

①

영어는 우리말로, 우리말은 영어로 쓰세요.

01 literature _____

02 fiction _____

03 줄거리, 구성, 음모 _____

04 지위, 신분, 상태 _____

다음 한글 문장을 읽고 영어 문장의 빈칸에 알맞은 단어를 쓰세요.

05 용은 여기 한국에서 행운의 상징이다.

The dragon is a(n) _____ of good luck here in Korea.

06 당신의 감정 상태는 그 자체를 당신의 자세에 반영할 수 있다.

Your emotional _____ can reflect itself in your posture.

정답 01 문학, 문예, 문헌 02 소설, 상상, 허구 03 plot 04 status 05 symbol 06 state

---

②

영어는 우리말로, 우리말은 영어로 쓰세요.

01 brilliant _____

02 outline _____

03 종류, 유형 _____

04 초상화, 인물 사진 _____

다음 한글 문장을 읽고 영어 문장의 빈칸에 알맞은 단어를 쓰세요.

05 현금 거래량이 감소했다.

The _____ of cash transactions dropped.

06 르네상스 이전에, 그림 속 사물들은 평평했다.

_____ to the Renaissance, objects in paintings were flat.

정답 01 훌륭한, 뛰어난 02 윤곽, 개요 03 sort 04 portrait 05 volume 06 Prior

③

영어는 우리말로, 우리말은 영어로 쓰세요.

01 admire _____

02 terrific _____

03 강조하다, 역설하다 _____

04 여러, 다수의 _____

다음 한글 문장을 읽고 영어 문장의 빈칸에 알맞은 단어를 쓰세요.

05 우리는 잘 보존된 암각화에 깊은 인상을 받았다.

We're _____ by the well-preserved rock paintings.

06 해외에서 그의 시간은 그의 그림에 깊은 영향을 미쳤다.

His time abroad had a _____ effect on his drawings.

정답 **01** 감탄하다, 존경하다 **02** 아주 멋진, 훌륭한 **03** emphasize **04** multiple **05** impressed **06** profound

- -

④

영어는 우리말로, 우리말은 영어로 쓰세요.

01 fade _____

02 spirit _____

03 계산하다, 추정하다 _____

04 세대, 동시대의 사람들 _____

다음 한글 문장을 읽고 영어 문장의 빈칸에 알맞은 단어를 쓰세요.

05 많은 유명한 작가들은 과거를 회상하기 위해 일기를 써왔다.

Many famous writers have kept diaries to _____ the past.

06 그들은 화가의 초기 작품보다 열등하다는 것으로 그 그림을 비판했다.

They criticized the painting for being _____ to the artist's earlier work.

정답 **01** 시들해지다, 바래다, 희미해지다 **02** 영혼, 정신, 마음 **03** calculate **04** generation **05** recall **06** inferior

①

영어는 우리말로, 우리말은 영어로 쓰세요.

01　feature　_____

02　broadcast　_____

03　어울리다, 맞다　_____

04　신념, 믿음, 생각　_____

다음 한글 문장을 읽고 영어 문장의 빈칸에 알맞은 단어를 쓰세요.

05　당신을 향한 우리의 메시지는 간단하지만, 중요하다.

　　Our message to you is _____, but important.

06　그림은 음악가가 음악을 창조하도록 영감을 줄 수 있다.

　　A painting can _____ a musician to create music.

- -

②

영어는 우리말로, 우리말은 영어로 쓰세요.

01　respond　_____

02　compose　_____

03　안정된, 꾸준한　_____

04　유명인, 연예인　_____

다음 한글 문장을 읽고 영어 문장의 빈칸에 알맞은 단어를 쓰세요.

05　시각 예술에 대한 음악의 영향은 칸딘스키에서 가장 잘 보일 수 있다.

　　The influence of music on the _____ arts can be best seen with Kandinsky.

06　음악이 무엇인지 정의하려는 많은 시도들이 있어왔다.

　　There have been many attempts to _____ what music is.

(3)

영어는 우리말로, 우리말은 영어로 쓰세요.

01 poll _____

02 barely _____

03 우스꽝스러운, 어리석은 _____

04 끊임없는, 불변의 _____

다음 한글 문장을 읽고 영어 문장의 빈칸에 알맞은 단어를 쓰세요.

05 나는 그가 노래하는 것을 직접 너무 보고 싶다.

A humid setting can help singers achieve the right _____.

06 사람의 행동은 그의 윤리적 신념과 일치해야 한다.

A person's actions should be _____ with his ethical beliefs.

---

(4)

영어는 우리말로, 우리말은 영어로 쓰세요.

01 funeral _____

02 illusion _____

03 사용하다, 고용하다 _____

04 속삭이다 _____

다음 한글 문장을 읽고 영어 문장의 빈칸에 알맞은 단어를 쓰세요.

05 많은 수의 사람들이 콘서트를 듣기 위해 모였다.

A _____ of people gathered to listen to the concert.

06 사무실 내의 좋은 음악은 전체 분위기를 바꾼다.

Good music in the office changes the whole _____.

①

영어는 우리말로, 우리말은 영어로 쓰세요.

01 exhibit _____

02 minister _____

03 고려하다, 숙고하다 _____

04 개념, 생각, 사상 _____

다음 한글 문장을 읽고 영어 문장의 빈칸에 알맞은 단어를 쓰세요.

05 식사 예절은 장소마다 다르다.

Table manners _____ from place to place.

06 독수리는 엄청난 거리에서도 먹이를 쉽게 발견할 수 있다.

An eagle can easily spot its _____ from great distances.

정답   01 전시하다, 전시(물)   02 장관, 성직자   03 consider   04 concept   05 vary   06 prey

---

②

영어는 우리말로, 우리말은 영어로 쓰세요.

01 attitude _____

02 approve _____

03 신화, 신화적 인물 _____

04 침략하다, 침해하다 _____

다음 한글 문장을 읽고 영어 문장의 빈칸에 알맞은 단어를 쓰세요.

05 불안감은 갑작스러운 문화적 변화가 다가올 때 생긴다.

Anxieties _____ when sudden cultural changes are coming.

06 입장료는 없지만, 참가하기 위해서 당신은 사전에 등록해야 한다.

There's no admission fee, but to participate, you must _____ in advance.

정답   01 태도, 자세, 사고방식   02 인정하다, 찬성하다, 승인하다   03 myth   04 invade   05 arise   06 register

3

영어는 우리말로, 우리말은 영어로 쓰세요.

01 punish _____

02 stack _____

03 통찰(력), 간파, 식견 _____

04 귀족, 상류층 _____

다음 한글 문장을 읽고 영어 문장의 빈칸에 알맞은 단어를 쓰세요.

05 지위의 상징은 한 사회의 문화적 가치를 나타낼 수 있다.

Status symbols can _____ the cultural values of a society.

06 나는 내가 좋아하는 소설을 원어로 읽기 위해 프랑스어를 배우고 있다.

I'm learning French to read my favorite _____ in the original language.

4

영어는 우리말로, 우리말은 영어로 쓰세요.

01 restore _____

02 associate _____

03 뛰어난, 두드러진 _____

04 인식하다, 지각하다, 이해하다 _____

다음 한글 문장을 읽고 영어 문장의 빈칸에 알맞은 단어를 쓰세요.

05 상담 서비스를 요청하는 것을 주저하지 마세요.

Please don't _____ to ask for counseling services.

06 호텔은 1에서 5성 등급으로 분류된다.

Hotels are graded on a _____ of 1 to 5 stars.

①

영어는 우리말로, 우리말은 영어로 쓰세요.

01 ancient _____

02 religion _____

03 지역, 지방, 범위 _____

04 의식 (절차), 의례 _____

다음 한글 문장을 읽고 영어 문장의 빈칸에 알맞은 단어를 쓰세요.

05 수원 화성의 기원은 조선 후기로 거슬러 올라간다.

The _____ of Suwon Hwaseong goes back to the late Joseon period.

06 추석 전야에는, 온 가족이 모여 전통 음식을 만든다.

On Chuseok Eve, the _____ family gathers to make traditional food.

---

②

영어는 우리말로, 우리말은 영어로 쓰세요.

01 settle _____

02 fame _____

03 다량, 다수 _____

04 위안, 위로, 편안함 _____

다음 한글 문장을 읽고 영어 문장의 빈칸에 알맞은 단어를 쓰세요.

05 새로 조직된 그 회사는 성공할 굉장한 잠재력을 가지고 있다.

The newly formed company has great potential to _____.

06 그녀의 이야기는 독일의 폴란드 점령 동안에 일어났다.

Her story took place during Germany's _____ of Poland.

③

영어는 우리말로, 우리말은 영어로 쓰세요.

01 loyal _____

02 combat _____

03 일과, 일상의 일 _____

04 수많은, 다수의 _____

다음 한글 문장을 읽고 영어 문장의 빈칸에 알맞은 단어를 쓰세요.

05 학생들은 역사적 사실이 이야기와 연결될 때 그것을 기억한다.

Students remember _____ facts when they are tied to a story.

06 가죽 신발은 고대 이집트에서 왕의 가족이나 부자들만을 위한 것이었다.

Leather shoes were only for the _____ family or rich people in ancient Egypt.

④

영어는 우리말로, 우리말은 영어로 쓰세요.

01 illustrate _____

02 conventional _____

03 현대의, 당대의, 동시대의 _____

04 정복하다, 이기다, 극복하다 _____

다음 한글 문장을 읽고 영어 문장의 빈칸에 알맞은 단어를 쓰세요.

05 감히 모든 것을 포기하고 새롭게 시작하는 사람은 거의 없을 것이다.

Few people would _____ to give up everything and start anew.

06 함무라비는 그의 제국을 더 안정되게 만들려고 시도했다.

Hammurabi attempted to make his empire more _____.

①

영어는 우리말로, 우리말은 영어로 쓰세요.

01 university _____

02 profession _____

03 교육 _____

04 참가, 입장, 가입 _____

다음 한글 문장을 읽고 영어 문장의 빈칸에 알맞은 단어를 쓰세요.

05 실패는 과정의 일부라는 것을 그저 받아들여라.

Simply _____ that failure is part of the process.

06 Charles Henry Turner는 곤충 행동 분야의 초기 선구자였다.

Charles Henry Turner was an early _____ in the field of insect behavior.

정답 01 대학 02 직업, 직종 03 education 04 entry 05 accept 06 pioneer

---

②

영어는 우리말로, 우리말은 영어로 쓰세요.

01 praise _____

02 standard _____

03 이론, 학설 _____

04 의도, 목적 _____

다음 한글 문장을 읽고 영어 문장의 빈칸에 알맞은 단어를 쓰세요.

05 그는 수학과 자연 철학을 독학했다.

He taught himself mathematics and natural _____.

06 당신은 우리 학교 웹사이트에서 그 프로그램을 신청할 수 있다.

You can _____ for the program on our school website.

정답 01 칭찬, 찬사 02 표준의, 일반적인 03 theory 04 intention 05 philosophy 06 apply

영어는 우리말로, 우리말은 영어로 쓰세요.

01 discipline _____

02 swallow _____

03 제출하다, 항복하다 _____

04 얕은, 피상적인 _____

다음 한글 문장을 읽고 영어 문장의 빈칸에 알맞은 단어를 쓰세요.

05 어른들은 아이들이 잘못했을 때 그들을 비난해서는 안 된다.

Adults shouldn't _____ kids when they do wrong.

06 토론에 참여하는 것은 당신의 논리적 사고를 향상시키는 데 도움이 될 것이다.

Participating in debates will help improve your _____ thinking.

영어는 우리말로, 우리말은 영어로 쓰세요.

01 examination _____

02 rational _____

03 불우한, 궁핍한, 박탈당한 _____

04 오해, 착오, 의견 차이 _____

다음 한글 문장을 읽고 영어 문장의 빈칸에 알맞은 단어를 쓰세요.

05 과학자들은 그들의 실험에서 편견을 줄이도록 유의해야 한다.

Scientists should be careful to reduce _____ in their experiments.

06 영어는 철자를 맞게 쓰기에 쉬운 언어가 아니다.

English is not an easy language to _____.

1

영어는 우리말로, 우리말은 영어로 쓰세요.

01 experiment _____

02 chemical _____

03 자연, 본질 _____

04 환경, 조건, 상황 _____

다음 한글 문장을 읽고 영어 문장의 빈칸에 알맞은 단어를 쓰세요.

05 NASA는 최근 화성의 물에 대한 새로운 증거를 발견했다.

NASA has recently discovered new _____ of water on Mars.

06 그는 과학적 진보가 세계의 문제를 치유하지 못한 것에 실망했다.

He was disappointed that scientific _____ has not cured the world's ills.

정답 01 실험, 실험 정치하다 02 화학의, 화학적인 03 nature 04 condition 05 evidence 06 progress

---

2

영어는 우리말로, 우리말은 영어로 쓰세요.

01 oxygen _____

02 melt _____

03 우주 비행사 _____

04 고체인, 단단한 _____

다음 한글 문장을 읽고 영어 문장의 빈칸에 알맞은 단어를 쓰세요.

05 과학자들은 실험을 하고, 통계를 분석하고, 이론을 형성한다.

Scientists _____ experiments, analyze statistics, and form theories.

06 16살에, 그녀는 그녀의 가족을 부양하기 위해 직장을 얻었다.

At the age of sixteen, she got a job to _____ her family.

정답 01 산소 02 녹이다, 녹다, 차차 없어지게 하다 03 astronaut 04 solid 05 conduct 06 support

③

영어는 우리말로, 우리말은 영어로 쓰세요.

01 extend _____

02 atom _____

03 궤도, 활동 범위 _____

04 액체, 유동체 _____

다음 한글 문장을 읽고 영어 문장의 빈칸에 알맞은 단어를 쓰세요.

05 물은 칼로리도 없고, 산도 없고, 카페인도 없다.

Water has no calories, no _____, and no caffeine.

06 강의 중에 다뤄지는 주제들의 범위는 꽤 다양했다.

The _____ of topics covered during the lecture was quite diverse.

- -

④

영어는 우리말로, 우리말은 영어로 쓰세요.

01 invisible _____

02 particle _____

03 수분, 습기 _____

04 관념적인, 추상적인 _____

다음 한글 문장을 읽고 영어 문장의 빈칸에 알맞은 단어를 쓰세요.

05 비록 눈에 보이지는 않지만, 수증기는 공기 중에 존재한다.

Even though it is not visible, water _____ exists in the air.

06 유효한 실험은 측정 가능한 데이터를 가지고 있어야 한다.

_____ experiments must have data that is measurable.

1

영어는 우리말로, 우리말은 영어로 쓰세요.

01　biology　_____

02　intelligent　_____

03　한숨을 쉬다　_____

04　유전자　_____

다음 한글 문장을 읽고 영어 문장의 빈칸에 알맞은 단어를 쓰세요.

05　학습은 뇌에 물리적 '흔적'을 발생시킨다.

　　Learning causes a physical '_____' in the brain.

06　나는 나의 생물학 논문을 위해 연구를 하고 있다.

　　I'm doing _____ for my biology paper.

정답　01 생물학　02 지능이 있는, 지적인　03 sigh　04 gene　05 trace　06 research

---

2

영어는 우리말로, 우리말은 영어로 쓰세요.

01　improve　_____

02　resemble　_____

03　정상적인, 보통의　_____

04　단백질　_____

다음 한글 문장을 읽고 영어 문장의 빈칸에 알맞은 단어를 쓰세요.

05　위협에 직면했을 때, 뇌는 신호를 보낸다.

　　When confronted with a _____, the brain sends a signal.

06　그는 그의 상황을 설명하기 위해 여행사에 전화했다.

　　He called his travel agent to explain his _____.

정답　01 향상시키다, 개선하다　02 닮다, 비슷하다　03 normal　04 protein　05 threat　06 circumstance

③

영어는 우리말로, 우리말은 영어로 쓰세요.

01 silent _____

02 bleed _____

03 약간, 조금 _____

04 섬유(질) _____

다음 한글 문장을 읽고 영어 문장의 빈칸에 알맞은 단어를 쓰세요.

05 혈액 암은 개인의 면역 체계를 공격한다.

Blood cancer attacks the immune system of a(n) _____.

06 연어는 번식하기 위해 항상 담수 지역으로 돌아간다.

Salmon always return to freshwater areas to _____.

---

④

영어는 우리말로, 우리말은 영어로 쓰세요.

01 crawl _____

02 interfere _____

03 동일한, 일란성의 _____

04 명시적인, 명확한 _____

다음 한글 문장을 읽고 영어 문장의 빈칸에 알맞은 단어를 쓰세요.

05 댄스 스텝의 순서는 정확히 따라져야 한다.

The _____ of the dance steps should be followed exactly.

06 우리 뇌 조직의 85퍼센트는 물이라고 알려져 있다.

It is known that 85% of our brain _____ is water.

(1)

영어는 우리말로, 우리말은 영어로 쓰세요.

01 stomach _____

02 wound _____

03 잡다, 움켜잡다 _____

04 (내과) 의사 _____

다음 한글 문장을 읽고 영어 문장의 빈칸에 알맞은 단어를 쓰세요.

05 물리 치료는 허리 부상으로부터 회복하는 좋은 방법이다.

Physical _____ is a good way to recover from a back injury.

06 그는 아침에 예정된 치과 수술이 있다.

He has dental _____ scheduled in the morning.

정답 01 배, 위, 복부 02 상처, 부상 03 grab 04 physician 05 therapy 06 surgery

---

(2)

영어는 우리말로, 우리말은 영어로 쓰세요.

01 prevent _____

02 nutrition _____

03 대신에 _____

04 망치다, 파멸시키다 _____

다음 한글 문장을 읽고 영어 문장의 빈칸에 알맞은 단어를 쓰세요.

05 요즘 많은 젊은이들이 목 통증으로 고통받는다.

Many young people these days _____ from neck pain.

06 반려동물과의 접촉은 혈압을 낮출 수 있다.

Contact with pets can _____ blood pressure.

정답 01 예방하다, 막다, 방지하다 02 영양 (상태), 영양분 03 instead 04 ruin 05 suffer 06 decrease

③

영어는 우리말로, 우리말은 영어로 쓰세요.

01 modest _____

02 spine _____

03 기민한, 경계하는 _____

04 장애를 가진, 불구가 된 _____

다음 한글 문장을 읽고 영어 문장의 빈칸에 알맞은 단어를 쓰세요.

05 웨어러블 기기는 당신의 활력 징후를 추적한다.

The wearable devices _____ your vital signs.

06 바이러스의 빠른 확산은 많은 과부하가 된 병원들을 야기했다.

The _____ spread of the virus resulted in many overloaded hospitals.

---

④

영어는 우리말로, 우리말은 영어로 쓰세요.

01 antibiotic _____

02 sew _____

03 만성의, 장기간에 걸친 _____

04 치명적인, 죽음을 초래하는 _____

다음 한글 문장을 읽고 영어 문장의 빈칸에 알맞은 단어를 쓰세요.

05 파킨슨병은 사람의 손을 떨리게 하는 병이다.

Parkinson's is a disease that causes a person's hands to _____.

06 많은 의사들이 희귀한 뇌 질환의 원인을 연구해왔다.

Many doctors have searched for the cause of the _____ brain disease.

(1)

영어는 우리말로, 우리말은 영어로 쓰세요.

01 mobile _____

02 efficient _____

03 혁신, 획기적인 것 _____

04 현대의, 최신의 _____

다음 한글 문장을 읽고 영어 문장의 빈칸에 알맞은 단어를 쓰세요.

05 그 노트북은 절전 기능이 딸려 있다.

The laptop comes with a power-saving _____.

06 엄마는 그가 그녀에게 진실을 말한다면 그를 용서할 것이다.

Mom will forgive him if he tells her the _____.

정답 01 이동식의, 기동성의 02 효율적인, 능률적인 03 innovation 04 modern 05 function 06 truth

---

(2)

영어는 우리말로, 우리말은 영어로 쓰세요.

01 portable _____

02 artificial _____

03 수집하다, 모으다 _____

04 상상하다, 가정하다 _____

다음 한글 문장을 읽고 영어 문장의 빈칸에 알맞은 단어를 쓰세요.

05 그들은 그들의 그림자를 면 가림막에 드리우기 위해 빛을 사용한다.

They use a light to cast their shadows onto a cotton _____.

06 노트북의 큰 화면은 그래픽 디자이너에게 이상적이다.

The laptop's huge screen is _____ for graphic designers.

정답 01 휴대용의, 이동이 쉬운 02 인공의, 인조의, 부자연스러운 03 gather 04 imagine 05 screen 06 ideal

③

영어는 우리말로, 우리말은 영어로 쓰세요.

01 virtual _____

02 acquire _____

03 쫓아 버리다, 흩뿌리다 _____

04 바꾸다, 전환하다 _____

다음 한글 문장을 읽고 영어 문장의 빈칸에 알맞은 단어를 쓰세요.

05 Linda는 자신에게 일정을 상기시키기 위해 달력 앱을 사용한다.

Linda uses a calendar app to _____ herself of the schedule.

06 고도로 훈련된 직원은 네트워크 문제를 쉽게 처리했다.

The highly trained staff handled the network problem with _____.

정답 01 가상의 02 ~을 습득하다, 얻다 03 scatter 04 convert 05 remind 06 ease

- -

④

영어는 우리말로, 우리말은 영어로 쓰세요.

01 emerge _____

02 reproduce _____

03 다르다, 의견을 달리하다 _____

04 위성, 인공위성 _____

다음 한글 문장을 읽고 영어 문장의 빈칸에 알맞은 단어를 쓰세요.

05 터치 스크린의 중요한 장점 중 하나는 사용하기 쉽다는 것이다.

One of the _____ benefits of the touch screen is that it's easy to use.

06 위성 기반의 GPS는 운전 중에 당신이 길을 찾는 것을 도와준다.

The satellite-based GPS helps you _____ while driving.

정답 01 모습을 드러내다, 드러나다 02 복제하다, 번식시키다 03 differ 04 satellite 05 significant 06 navigate

①

영어는 우리말로, 우리말은 영어로 쓰세요.

01 vehicle _____

02 utilize _____

03 외진, 멀리 떨어진 _____

04 돌진하다, 서두르다 _____

다음 한글 문장을 읽고 영어 문장의 빈칸에 알맞은 단어를 쓰세요.

05 만약 당신이 알지 못한다면, 결론으로 건너뛰지 않도록 조심해라.

If you don't know, be careful not to _____ to conclusions.

06 버스는 그 지역 전체에 걸쳐 많은 사람들을 수송한다.

Buses _____ many people throughout the area.

---

②

영어는 우리말로, 우리말은 영어로 쓰세요.

01 accurate _____

02 fuel _____

03 장비, 복장, 기구 _____

04 통과, 통행, 통로 _____

다음 한글 문장을 읽고 영어 문장의 빈칸에 알맞은 단어를 쓰세요.

05 나는 그 화면이 얼마나 거대한지에 충격을 받았다.

I was shocked by how _____ the screen was.

06 당신은 서두르지 않으면, 기차를 놓칠 것이다.

If you don't hurry, you will _____ the train.

③

영어는 우리말로, 우리말은 영어로 쓰세요.

01 commute _____

02 eliminate _____

03 면허증, 면허, 승낙 _____

04 공사, 건설, 건축물 _____

다음 한글 문장을 읽고 영어 문장의 빈칸에 알맞은 단어를 쓰세요.

05 케이블 회사들은 무선 (시스템) 미래를 준비하기 위해 노력해야 한다.

Cable companies must try to prepare for a _____ future.

06 그 산맥은 두 나라 사이에 천연 장벽을 형성한다.

The mountains form a natural _____ between the two countries.

정답 01 통근하다 02 없애다, 제거하다 03 license 04 construction 05 wireless 06 barrier

---

④

영어는 우리말로, 우리말은 영어로 쓰세요.

01 component _____

02 vital _____

03 목적지, 행선지 _____

04 가라앉다, 침몰시키다 _____

다음 한글 문장을 읽고 영어 문장의 빈칸에 알맞은 단어를 쓰세요.

05 GPS 내비게이션 시스템은 운전자들에게 그들의 정확한 위치를 제공한다.

A GPS navigation system provides drivers with their _____ location.

06 가정 자동화는 당신의 라이프스타일을 향상시킬 수 있다.

Home automation can _____ your lifestyle.

정답 01 부품, 구성 요소 02 필수적인, 중요한; 생명에 관한 03 destination 04 sink 05 precise 06 enhance

1

영어는 우리말로, 우리말은 영어로 쓰세요.

01 greet _____   03 현장, 장면, 경치 _____

02 nest _____   04 포식자, 포식 동물 _____

다음 한글 문장을 읽고 영어 문장의 빈칸에 알맞은 단어를 쓰세요.

05 어떤 사람들은 숲에서 야생 버섯을 찾는 것을 즐긴다.

Some people enjoy searching for _____ mushrooms in the forest.

06 어떤 특정 꽃은 한 나라에서 특정한 의미를 가질 수 있다.

A particular flower may have a _____ meaning in one country.

- -

2

영어는 우리말로, 우리말은 영어로 쓰세요.

01 foster _____   03 참여하다, 관여하다 _____

02 fierce _____   04 (알을) 낳다 _____

다음 한글 문장을 읽고 영어 문장의 빈칸에 알맞은 단어를 쓰세요.

05 평균적인 식료품 상점은 1만개 이상의 물건을 갖추고 있다.

The average grocery _____ carries over 10,000 items.

06 그는 토마토가 신선하고 익었을 때 먹기를 원한다.

He wants to have tomatoes while they are fresh and _____.

3

영어는 우리말로, 우리말은 영어로 쓰세요.

01 contain _____

02 weigh _____

03 유혹하다, 끌어들이다 _____

04 특징, 특색 _____

다음 한글 문장을 읽고 영어 문장의 빈칸에 알맞은 단어를 쓰세요.

05 일반적으로, 모든 성공은 시도와 실수(시행착오)를 필요로 한다.

In general, every achievement requires _____ and error.

06 거북이는 자동 체온 조절 기능이 없다.

A turtle doesn't have _____ body temperature control.

4

영어는 우리말로, 우리말은 영어로 쓰세요.

01 fascinate _____

02 bury _____

03 게다가, 뿐만 아니라 _____

04 지름, 직경 _____

다음 한글 문장을 읽고 영어 문장의 빈칸에 알맞은 단어를 쓰세요.

05 해방군을 이끌었던 장군이 회의를 소집했다.

The _____ who had led the liberating forces called a meeting.

06 킹코브라는 길이가 6미터를 넘을 수 있다.

The king cobra can _____ six meters in length.

1

영어는 우리말로, 우리말은 영어로 쓰세요.

01 grand　＿＿＿＿＿＿＿＿＿＿＿

02 desert　＿＿＿＿＿＿＿＿＿＿＿

03 조수, 조류, 흐름　＿＿＿＿＿＿＿＿＿＿＿

04 주다, 인정하다, 승인하다　＿＿＿＿＿＿＿＿＿＿＿

다음 한글 문장을 읽고 영어 문장의 빈칸에 알맞은 단어를 쓰세요.

05 크든 작든, 단순하든 복잡하든, 어떤 생명체도 혼자 살지 않는다.

Whether large or small, simple or complex, no ＿＿＿＿＿＿＿＿＿ lives alone.

06 척왈라는 다 자랐을 때 무게가 약 1.5 킬로그램이다.

Chuckwallas weigh about 1.5 kilograms when ＿＿＿＿＿＿＿＿＿.

정답 01 웅장한, 위대한 02 사막, 불모지 03 tide 04 grant 05 creature 06 mature

---

2

영어는 우리말로, 우리말은 영어로 쓰세요.

01 horizon　＿＿＿＿＿＿＿＿＿＿＿

02 pile　＿＿＿＿＿＿＿＿＿＿＿

03 존재하다, 살아가다, 있다　＿＿＿＿＿＿＿＿＿＿＿

04 요소, 성분, 원소　＿＿＿＿＿＿＿＿＿＿＿

다음 한글 문장을 읽고 영어 문장의 빈칸에 알맞은 단어를 쓰세요.

05 전문가들은 나무가 모래를 막는 벽으로서의 역할을 한다고 설명한다.

Experts explain that the trees serve as a wall to ＿＿＿＿＿＿＿＿＿ the sand.

06 식물은 환경적 압박에 반응하는 것으로 알려져 있다.

Plants are known to ＿＿＿＿＿＿＿＿＿ to environmental pressures.

정답 01 수평선, 지평선 02 쌓다, 쌓아 올리다 03 exist 04 element 05 block 06 react

영어는 우리말로, 우리말은 영어로 쓰세요.

01 migrate _____

02 herd _____

03 친환경의, 환경친화적인 _____

04 치명적인, 극도의 _____

다음 한글 문장을 읽고 영어 문장의 빈칸에 알맞은 단어를 쓰세요.

05 나무는 여분의 물을 흡수함으로써 산사태로부터 보호해준다.

Trees protect against landslides by absorbing _____ water.

06 늪은 그곳으로 들어오는 물을 여과하는 것을 돕는다.

Swamps help _____ the water that enters them.

---

④

영어는 우리말로, 우리말은 영어로 쓰세요.

01 consist _____

02 diminish _____

03 흡수하다, 받아들이다 _____

04 놀라운, 훌륭한 _____

다음 한글 문장을 읽고 영어 문장의 빈칸에 알맞은 단어를 쓰세요.

05 그룹으로 일하는 것은 당신의 상상을 능가하는 결과를 낼 수 있다.

Working in groups can _____ results beyond your imagination.

06 나는 정말 그 산의 정상에 올라가고 싶었다.

I really wanted to go up to the _____ of the mountain.

1

영어는 우리말로, 우리말은 영어로 쓰세요.

01 average _____

03 익사시키다, 침수시키다 _____

02 geography _____

04 거친, 난폭한, 대강의 _____

다음 한글 문장을 읽고 영어 문장의 빈칸에 알맞은 단어를 쓰세요.

05 문제는 화석 연료를 태우는 것이 온실 효과를 일으킨다는 것이다.

The problem is that burning fossil fuels causes the greenhouse _____.

06 쓰나미는 종종 해저 지진으로 인해 발생한다.

Tsunamis often _____ because of undersea earthquakes.

정답 01 평균의, 보통의 02 지리학, 지리 03 drown 04 rough 05 effect 06 happen

---

2

영어는 우리말로, 우리말은 영어로 쓰세요.

01 predict _____

03 부족, 결핍 _____

02 due _____

04 알고 있는, 깨달은 _____

다음 한글 문장을 읽고 영어 문장의 빈칸에 알맞은 단어를 쓰세요.

05 그는 날개를 정확히 수평으로 하여 착륙해야 했다.

He needed to touch down with the wings exactly _____.

06 약 2년 전, 강당은 지진으로 훼손되었다.

About two years ago, the auditorium was damaged by a(n) _____.

정답 01 예측하다, 예보하다 02 ~으로 인한, ~ 때문인, 예정인 03 lack 04 aware 05 level 06 earthquake

③

영어는 우리말로, 우리말은 영어로 쓰세요.

01 cease   _____

02 plain   _____

03 좁은, 편협한   _____

04 예상하다, 추정하다   _____

다음 한글 문장을 읽고 영어 문장의 빈칸에 알맞은 단어를 쓰세요.

05 나무는 가뭄 동안 거의 조금도 자라지 않을 수도 있다.

Trees might hardly grow at all during a(n) _____.

06 삼림 벌채는 토양을 혹독한 날씨에 노출되게 했다.

Deforestation left the soil exposed to _____ weather.

---

④

영어는 우리말로, 우리말은 영어로 쓰세요.

01 continent   _____

02 forecast   _____

03 섬광, 번쩍임   _____

04 영토, 영역   _____

다음 한글 문장을 읽고 영어 문장의 빈칸에 알맞은 단어를 쓰세요.

05 짝수의 구성원을 갖춘 그룹은 반으로 나뉠 수 있다.

Groups with an even number of members can _____ into halves.

06 허리케인 같은 사건은 수백만 달러의 피해를 일으킬 수 있다.

An _____ like a hurricane can cause millions of dollars of damage.

1

영어는 우리말로, 우리말은 영어로 쓰세요.

01 essential _____

02 resource _____

03 설명, 해석, 해명 _____

04 핵의, 원자력의 _____

다음 한글 문장을 읽고 영어 문장의 빈칸에 알맞은 단어를 쓰세요.

05 불안은 정신적 (작업) 수행에 해로운 영향을 미친다.

Anxiety has a damaging effect on _____ performance.

06 굶주림은 18세기 유럽에서 일상생활의 흔한 부분이었다.

Hunger was a _____ part of everyday life in 18th century Europe.

정답 01 필수적인, 본질적인 02 자원, 재원, 수단 03 explanation 04 nuclear 05 mental 06 common

----

2

영어는 우리말로, 우리말은 영어로 쓰세요.

01 coal _____

02 benefit _____

03 생존하다, 견디다 _____

04 생산하다, 제조하다 _____

다음 한글 문장을 읽고 영어 문장의 빈칸에 알맞은 단어를 쓰세요.

05 물소는 인도의 주된 우유 공급원이다.

Water buffalos are the main _____ of milk in India.

06 전자 기기를 사용하지 않을 때는 플러그를 뽑으세요.

Unplug _____ devices when they're not in use.

정답 01 석탄 02 이점, 장점, 혜택 03 survive 04 produce 05 source 06 electronic

(3)

영어는 우리말로, 우리말은 영어로 쓰세요.

01 contact _____

02 renewable _____

03 잠재력, 가능성 _____

04 대표적인, 전형적인 _____

다음 한글 문장을 읽고 영어 문장의 빈칸에 알맞은 단어를 쓰세요.

05 각각의 사건은 더 넓은 역사적 맥락에서만 이해될 수 있다.

Individual events can only be understood in a broader historical _____.

06 알래스카에서, 토착민들은 혼합 경제 체제를 가지고 있다.

In Alaska, the _____ people have a mixed economic system.

- -

(4)

영어는 우리말로, 우리말은 영어로 쓰세요.

01 aspect _____

02 witness _____

03 가전제품, (가정용) 기기 _____

04 굶주리다, 갈망하다 _____

다음 한글 문장을 읽고 영어 문장의 빈칸에 알맞은 단어를 쓰세요.

05 농부들은 언제 농작물을 심어야 하는지 안다.

Farmers know when to _____ crops.

06 화석 연료에 대한 세계적인 규제는 대체 에너지에 활력을 불어넣었다.

The global _____ on fossil fuels gave a boost to alternative energy.

1

영어는 우리말로, 우리말은 영어로 쓰세요.

01 release ＿＿＿＿＿＿＿＿＿＿＿＿

02 occur ＿＿＿＿＿＿＿＿＿＿＿＿

03 파괴하다, 망치다 ＿＿＿＿＿＿＿＿＿＿＿＿

04 양, 수량, 다량 ＿＿＿＿＿＿＿＿＿＿＿＿

다음 한글 문장을 읽고 영어 문장의 빈칸에 알맞은 단어를 쓰세요.

05 핵 재난은 대량의 방사성 물질을 방출했다.

The nuclear ＿＿＿＿＿＿＿＿＿＿ released large amounts of radioactive material.

06 탁상용 램프는 당신의 업무 환경의 질을 향상시킨다.

A desk lamp improves the ＿＿＿＿＿＿＿＿＿＿ of your working environment.

정답 01 배출하다, 풀어주다 02 일어나다, 생기다 03 destroy 04 quantity 05 disaster 06 quality

2

영어는 우리말로, 우리말은 영어로 쓰세요.

01 intense ＿＿＿＿＿＿＿＿＿＿＿＿

02 loss ＿＿＿＿＿＿＿＿＿＿＿＿

03 해양의, 바다의 ＿＿＿＿＿＿＿＿＿＿＿＿

04 영구적인, 불변의 ＿＿＿＿＿＿＿＿＿＿＿＿

다음 한글 문장을 읽고 영어 문장의 빈칸에 알맞은 단어를 쓰세요.

05 화석 연료는 전기를 생산하기 위해 사용되어왔다.

Fossil fuels have been used to ＿＿＿＿＿＿＿＿＿＿ electricity.

06 나는 미세먼지가 심각한 문제라는 것에 동의한다.

I agree that ＿＿＿＿＿＿＿＿＿＿ dust is a serious problem.

정답 01 강렬한, 심한 02 손실, 유실, 분실 03 marine 04 permanent 05 generate 06 fine

REVIEW TEST

해커스 보카 고등 기본

③

영어는 우리말로, 우리말은 영어로 쓰세요.

01 responsible _____

02 delicate _____

03 살충제, 농약 _____

04 헌신하다, 전념하다 _____

다음 한글 문장을 읽고 영어 문장의 빈칸에 알맞은 단어를 쓰세요.

05 해초로 만들어진 병은 플라스틱 병의 대안이 될 수 있다.

The bottle made from seaweed can be an _____ to plastic bottles.

06 상쾌한 산책을 한 후에, 당신은 활기참과 편안해짐을 느낄 것이다.

After a _____ walk, you'll feel alive and relaxed.

---

④

영어는 우리말로, 우리말은 영어로 쓰세요.

01 interrupt _____

02 discard _____

03 직물, 천, 구조 _____

04 인정하다, 시인하다 _____

다음 한글 문장을 읽고 영어 문장의 빈칸에 알맞은 단어를 쓰세요.

05 스모그는 도시 내에 증가한 자동차 수의 결과이다.

Smog is a(n) _____ of the increased number of cars in the city.

06 광공해는 몇몇 동물들에게 심각한 문제가 될 수 있다.

Light pollution can be a serious _____ for some animals.

1

영어는 우리말로, 우리말은 영어로 쓰세요.

01　obey　_____

02　charge　_____

03　주의, 조심, 경고　_____

04　법률의, 합법적인　_____

다음 한글 문장을 읽고 영어 문장의 빈칸에 알맞은 단어를 쓰세요.

05　날달걀을 먹는 것은 세균으로 인해 사람을 아프게 할 수 있다.

Consuming _____ eggs can cause one to become sick from bacteria.

06　시장은 경찰에게 시위자들을 체포할 권한을 부여했다.

The mayor authorized the police to _____ the demonstrators.

정답　01 지키다, 순종하다　02 청구요금, 부과하다, 맡기다　03 caution　04 legal　05 raw　06 arrest

---

2

영어는 우리말로, 우리말은 영어로 쓰세요.

01　aid　_____

02　criminal　_____

03　비난하다, 고발하다　_____

04　의심하다, 짐작하다　_____

다음 한글 문장을 읽고 영어 문장의 빈칸에 알맞은 단어를 쓰세요.

05　그 국가의 새로운 법의 목적은 대기오염을 줄이는 것이다.

The _____ of the nation's new law is to reduce air pollution.

06　가우디는 어린 나이에 건축에 관심을 가졌다.

Gaudi took an _____ in architecture at a young age.

정답　01 돕다, 거들다　02 범죄자, 범인　03 accuse　04 suspect　05 aim　06 interest

③

영어는 우리말로, 우리말은 영어로 쓰세요.

01 contrast _____

02 organize _____

03 금지하다, 용납하지 않다 _____

04 오르다, 올라타다 _____

다음 한글 문장을 읽고 영어 문장의 빈칸에 알맞은 단어를 쓰세요.

05 어떤 사람이 유죄임을 입증하는 것은 법원의 책무이다.

It is the responsibility of the court to _____ that a person is guilty.

06 세계는 더 복잡해지고 점점 전문화되었다.

The world has become more _____ and increasingly specialized.

---

④

영어는 우리말로, 우리말은 영어로 쓰세요.

01 persuade _____

02 prohibit _____

03 게다가, 더욱이 _____

04 맞서다, 직면하다 _____

다음 한글 문장을 읽고 영어 문장의 빈칸에 알맞은 단어를 쓰세요.

05 유전자는 당신의 눈의 색깔과 얼굴 모양을 결정한다.

Genes _____ the color of your eyes and the shape of your face.

06 모든 시민은 개인 정보를 보호할 권리를 충분히 행사할 수 있다.

Every citizen can fully exercise the right to _____ private information.

1

영어는 우리말로, 우리말은 영어로 쓰세요.

01 official _____

02 candidate _____

03 제한, 한도, 한계 _____

04 시설, 기관, 설비 _____

다음 한글 문장을 읽고 영어 문장의 빈칸에 알맞은 단어를 쓰세요.

05 우승 디자인은 팬 투표를 통해 선정될 것이다.

The winning design will be chosen through a fan _____.

06 학교 공동체의 모든 구성원들은 자신들이 학교에 속한 것처럼 느낀다.

All members of the school community feel as if they _____ to the school.

2

영어는 우리말로, 우리말은 영어로 쓰세요.

01 profit _____

02 deny _____

03 도시의, 도회지의 _____

04 통지, 공고문 _____

다음 한글 문장을 읽고 영어 문장의 빈칸에 알맞은 단어를 쓰세요.

05 시골 지역의 시설은 개선되어야 한다.

Facilities in the _____ areas should be improved.

06 모든 사람이 같은 의견을 갖는 것은 불가능하다.

It's impossible for everyone to have the same _____.

3

영어는 우리말로, 우리말은 영어로 쓰세요.

01 accompany＿＿＿＿＿＿＿＿＿

02 primary ＿＿＿＿＿＿＿＿＿

03 부재, 결석 ＿＿＿＿＿＿＿＿＿

04 가구, 가정, 가족 ＿＿＿＿＿＿＿＿＿

다음 한글 문장을 읽고 영어 문장의 빈칸에 알맞은 단어를 쓰세요.

05 위원회는 사업 전략의 개요를 설명했다.

The ＿＿＿＿＿＿＿＿ outlined a business strategy.

06 캐나다 인구의 많은 비율이 미국 국경 근처에 거주한다.

A large ＿＿＿＿＿＿＿＿ of the Canadian population lives near the US border.

- -

4

영어는 우리말로, 우리말은 영어로 쓰세요.

01 reinforce ＿＿＿＿＿＿＿＿＿

02 resident ＿＿＿＿＿＿＿＿＿

03 교외, 시외 ＿＿＿＿＿＿＿＿＿

04 개념, 관념 ＿＿＿＿＿＿＿＿＿

다음 한글 문장을 읽고 영어 문장의 빈칸에 알맞은 단어를 쓰세요.

05 민주주의에서는, 시민들이 누가 국가를 통치할지 선택한다.

In a democracy, citizens choose who will ＿＿＿＿＿＿＿＿ the country.

06 등록은 학회 웹사이트에서만 가능하다.

Registration is only ＿＿＿＿＿＿＿＿ on the conference website.

1

영어는 우리말로, 우리말은 영어로 쓰세요.

01 economic _____

02 trade _____

03 몇몇의, 여러 가지의 _____

04 심각한, 극심한, 엄격한 _____

다음 한글 문장을 읽고 영어 문장의 빈칸에 알맞은 단어를 쓰세요.

05 우리는 당신이 적어도 10일 전에 취소하면 전액 환불을 제공한다.

We _____ full refunds if you cancel at least 10 days in advance.

06 고객들은 신용카드를 위한 자격을 얻으려면 정기적인 소득이 필요하다.

Clients need regular _____ to qualify for a credit card.

2

영어는 우리말로, 우리말은 영어로 쓰세요.

01 substitute _____

02 wealth _____

03 상인, 무역상 _____

04 신용, 신뢰 _____

다음 한글 문장을 읽고 영어 문장의 빈칸에 알맞은 단어를 쓰세요.

05 새 매니저는 재무 부서에서 일할 것이다.

The new manager will work in the _____ department.

06 기자들은 의료 개혁 법안에 대해 문제를 제기했다.

Journalists have raised issues with the healthcare reform _____.

(3)

영어는 우리말로, 우리말은 영어로 쓰세요.

01 assemble _____

02 precede _____

03 취소하다, 무효화하다 _____

04 회복하다, 되찾다 _____

다음 한글 문장을 읽고 영어 문장의 빈칸에 알맞은 단어를 쓰세요.

05 세계 경제의 어려움 가운데에서, 많은 사람들이 그들의 일자리를 잃는다.

In the middle of global economic _____, many people lose their jobs.

06 Fenway 은행은 Phoenix 지점의 새 매니저를 찾고 있다.

Fenway Bank is seeking a new manager for its Phoenix _____.

정답 01 모이다, 집합시키다, 조립하다 02 선행하다, 앞서다 03 cancel 04 recover 05 hardship 06 branch

---

(4)

영어는 우리말로, 우리말은 영어로 쓰세요.

01 challenge _____

02 independent _____

03 가속하다, 촉진시키다 _____

04 전반적인, 종합적인 _____

다음 한글 문장을 읽고 영어 문장의 빈칸에 알맞은 단어를 쓰세요.

05 촘스키의 이론들은 언어의 기원을 설명한다.

Chomsky's theories _____ for the origins of language.

06 우리 제품에 대한 수요는 휴일이 다가오면서 증가할 것이다.

Demand for our products should increase as the holidays _____.

정답 01 과제, 도전 02 독립적인, 자치적인 03 accelerate 04 overall 05 account 06 approach

1

영어는 우리말로, 우리말은 영어로 쓰세요.

01　policy　_____

02　depend　_____

03　변형시키다, 바꾸다　_____

04　국제의, 국제적인　_____

다음 한글 문장을 읽고 영어 문장의 빈칸에 알맞은 단어를 쓰세요.

05　상업 광고의 목적은 상품을 판매하는 것이다.

　　The objective of a _____ advertisement is to sell a product.

06　하이브리드 자동차의 판매는 아시아에서 계속 증가했다.

　　Hybrid car sales continued to _____ in Asia.

2

영어는 우리말로, 우리말은 영어로 쓰세요.

01　measure　_____

02　satisfy　_____

03　계획, 전략　_____

04　주장하다, 요구하다　_____

다음 한글 문장을 읽고 영어 문장의 빈칸에 알맞은 단어를 쓰세요.

05　나는 내 현재 직책과 임금에 만족한다.

　　I'm content with my _____ job position and wage.

06　우리는 10주년을 기념하기 위해 새로운 로고를 출시할 것이다.

　　We'll _____ a new logo to celebrate our 10th anniversary.

해커스 보카 고득점 기출

③

영어는 우리말로, 우리말은 영어로 쓰세요.

01 consult _____

02 compete _____

03 바꾸다, 변경하다 _____

04 제조하다, 생산하다 _____

다음 한글 문장을 읽고 영어 문장의 빈칸에 알맞은 단어를 쓰세요.

05 많은 소매 의류 체인점들이 유기농 면의 사용을 늘리고 있다.

Many retail clothing chains are increasing their use of _____ cotton.

06 Nick은 프로젝트를 완료하기 위해 모든 장애를 극복했다.

Nick overcame all obstacles to _____ the project.

정답 01 상담하다, 상의하다 02 경쟁하다, 겨루다 03 alter 04 manufacture 05 organic 06 complete

④

영어는 우리말로, 우리말은 영어로 쓰세요.

01 guarantee _____

02 imply _____

03 사라지다, 없어지다 _____

04 진보하다, 다가가다 _____

다음 한글 문장을 읽고 영어 문장의 빈칸에 알맞은 단어를 쓰세요.

05 부모는 아이들에게 안정적인 가정 생활을 제공해야 한다.

Parents should provide children with a stable _____ life.

06 정부의 주요한 관심사는 국가 경제를 개선시키는 것이다.

The government's _____ concern is to improve the nation's economy.

정답 01 보장하다, 약속하다 02 시사하다, 은근히 나타내다 03 disappear 04 advance 05 domestic 06 chief

1

영어는 우리말로, 우리말은 영어로 쓰세요.

01 article _____

02 explode _____

03 언론, 신문사 _____

04 전문가, 숙련가 _____

다음 한글 문장을 읽고 영어 문장의 빈칸에 알맞은 단어를 쓰세요.

05 언론 기관은 기업들이 그들의 제품을 광고하는 것을 도와야 한다.

The media agency must help businesses _____ their products.

06 유적지는 탐험하기에 흥미로운 지역이 될 수 있다.

Historical sites can be interesting areas to _____.

정답 01 기사, 글, 조항, 관사 02 (폭탄이) 터지다, 폭발하다 03 press 04 expert 05 advertise 06 explore

----

2

영어는 우리말로, 우리말은 영어로 쓰세요.

01 annoy _____

02 mention _____

03 분명한, 확실한 _____

04 갈등, 충돌 _____

다음 한글 문장을 읽고 영어 문장의 빈칸에 알맞은 단어를 쓰세요.

05 가장 재능 있는 가수들 중 몇몇이 당신을 즐겁게 할 것이다.

Some of the most talented singers will _____ you.

06 용의자는 결백하다고 판명되었고, 따라서 감옥에서 풀려났다.

The suspect was proven innocent and was _____ released from jail.

정답 01 짜증 나게 하다 02 언급하다, 말하다 03 obvious 04 conflict 05 entertain 06 thus

③

영어는 우리말로, 우리말은 영어로 쓰세요.

01 regard _____

02 demand _____

03 대본, 각본 _____

04 질문하다, 알아보다 _____

다음 한글 문장을 읽고 영어 문장의 빈칸에 알맞은 단어를 쓰세요.

05 정보와 관련된 맥락을 확인하는 것이 중요하다.

It is important to _____ context related to information.

06 젊은 사람들 사이에서, 신문을 읽는 습관은 쇠퇴해 가고 있다.

Amongst younger people, the habit of reading newspapers has been on the _____.

④

영어는 우리말로, 우리말은 영어로 쓰세요.

01 deceive _____

02 reputation _____

03 표준, 기준, 규범 _____

04 지키다, 방어하다, 변호하다 _____

다음 한글 문장을 읽고 영어 문장의 빈칸에 알맞은 단어를 쓰세요.

05 생각을 적어 보는 것이 그것들을 명확히 하는 데 도움이 될 수 있다.

Writing down thoughts might help to _____ them.

06 스마트폰으로, 기자들은 즉시 뉴스 기사를 올릴 수 있다.

With smartphones, reporters can post a news story _____.

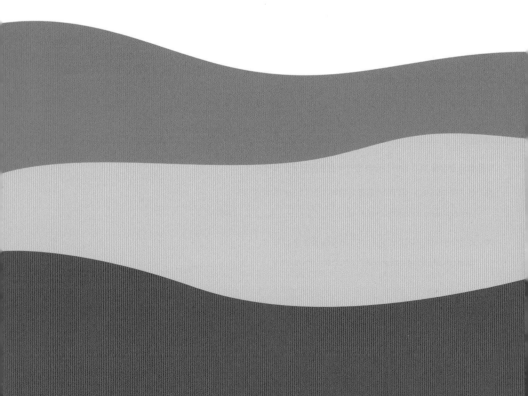

해커스북 중·고등

www.HackersBook.com

INDEX

A

해커스 보카 고등 기본

INDEX

해커스 보카 고등 기출

INDEX

해커스 보카 고등 기본

해커스 보카 고등 기본

INDEX

해커스 보카 고등 기본

INDEX

해커스 보카 고등 기본

해커스보카 고등기본

수능·내신 한 번에 잡는 고교 기본 영단어

해커스 보카 고등기본

초판 3쇄 발행 2024년 2월 5일

초판 1쇄 발행 2022년 10월 24일

지은이	해커스 어학연구소
펴낸곳	(주)해커스 어학연구소
펴낸이	해커스 어학연구소 출판팀

주소	서울특별시 서초구 강남대로61길 23 (주)해커스 어학연구소
고객센터	02-537-5000
교재 관련 문의	publishing@hackers.com
	해커스북 사이트(HackersBook.com) 고객센터 Q&A 게시판
동영상강의	HackersBook.com

ISBN	978-89-6542-523-6 (53740)
Serial Number	01-03-01

**한국 브랜드선호도 교육그룹 1위,
해커스북 HackersBook.com**

해커스북 중·고등

- 교재 어휘를 언제 어디서나 **들으면서 외우는 MP3**
- 전략적인 단어 암기를 돕는 **REVIEW TEST 및 나만의 단어장 양식**
- 실제 기출 문장으로 영작을 연습할 수 있는 **예문 영작테스트&필사노트**
- 단어 암기 훈련을 돕는 **무료 보카 암기 트레이너**

한경비즈니스 선정 2019 한국 브랜드선호도 교육(교육그룹) 부문 1위

해커스 보카
수능 숙어

미니 암기장

해커스 어학연구소

in (1)

01	get involved in	~에 연루되다, ~에 관계되다, ~에 몰두하다
02	step in	개입하다, 끼어들다
03	move in	이사 오다
04	get in	~ 안에 들어가다, ~을 타다
05	turn in	~을 제출하다, ~을 건네다
06	hand in	~을 제출하다
07	take in	~을 이해하다, ~을 받아들이다, ~을 섭취하다
08	come in	(~ 안으로) 들어오다
09	fit in	~ 안으로 꼭 맞게 들어가다, 어울리다, 어울려 지내다
10	be absorbed in	~에 몰두하다, ~에 열중하다
11	break in	(무단으로) 침입하다, 끼어들다, 방해하다
12	fill in	(서류 등을) 작성하다, (~의 자리를) 대신하다
13	give in (to)	(~에) 굴복하다, (~을) 마지못해 받아들이다
14	get in the way	방해가 되다
15	cut in line	(줄에) 새치기하다
16	fall in love with	~와 사랑에 빠지다, ~에게 반하다
17	be interested in	~에 대해 관심이 있다
18	major in	~을 전공하다
19	specialize in	~을 전문으로 하다, ~을 전공하다
20	take pride in	~에 자부심을 갖다, ~을 자랑하다
21	believe in	(~의 존재를) 믿다
22	deal in	(특정 상품을) 거래하다, 취급하다

01	**engage in**	~에 참여하다, ~에 관여하다
02	**participate in**	~에 참가하다, ~에 가담하다
03	**take part in**	~에 참여하다, ~에 가담하다
04	**lie in**	~에 달려 있다, ~에 (놓여) 있다
05	**stay in**	(밖으로 나가지 않고) 집에 있다
06	**keep ~ in mind**	~을 꼭 기억하다, ~을 명심하다
07	**have ~ in mind**	~을 생각하다, ~을 염두에 두다
08	**run in one's family**	~의 집안 내력이다, 유전되다
09	**stand in line**	줄을 서다
10	**in terms of**	~의 면에서는, ~에 관해서는
11	**in (the) face of**	(문제·어려움에) 직면해서도, ~에도 불구하고
12	**in case of**	~의 경우에는, ~의 경우에 대비하여
13	**in place**	제자리에 (있는), 적소에, 실행 중인, 준비가 된
14	**in place of**	~ 대신에
15	**in public**	사람들 앞에서, 공개적으로
16	**in the distance**	저 멀리(에서), 먼 곳에
17	**in line with**	~과 일치하는, ~에 따라
18	**in oneself**	그 자체로, 본질적으로
19	**in (the) light of**	~을 고려하면, ~에 비추어 보면
20	**in advance**	미리, 사전에
21	**in turn**	차례대로, 교대로, 결국
22	**in return (for)**	(~에 대한) 보답으로, (~에 대한) 응답으로
23	**in a row**	연이어, 계속해서
24	**in honor of**	~에게 경의를 표하며, ~을 기념하여

in (3)

01	result in	~을 초래하다
02	set in	시작되다
03	call in sick	전화로 병가를 내다
04	stay in shape	몸매를 유지하다, 건강을 유지하다
05	in person	직접, 몸소
06	in need	어려움에 처한, 빈곤한
07	in response to	~에 대응하여, ~에 대한 반응으로
08	in particular	특히
09	in detail	상세하게
10	in essence	본질적으로, 실질적으로
11	in charge (of)	(~을) 책임지는, (~을) 맡은
12	in contrast (to)	(~과) 대조적으로, (~에) 반해서
13	in the absence of	~이 없을 때
14	in stock	재고로, 비축되어
15	in general	일반적으로, 대체로
16	in effect	실제로는, 사실상, 시행 중인, 발효 중인
17	in favor of	~에 찬성하여, ~을 위해
18	in vain	소용없는, 헛된
19	in practice	실제로, 실행되는
20	in short	요약하면
21	in question	논의되고 있는, 해당하는, 불확실한, 의심스러운
22	in accordance with	~에 따라, ~과 일치하여
23	in full	전부
24	in progress	(현재) 진행 중인
25	in search of	~을 찾아서, ~을 추구하여

01	**look into**	~을 들여다보다, ~을 조사하다
02	**get into**	~에 들어가다, (~한 상태에) 처하다, (학교에) 입학하다, (집단·모임 등에) 들어가다
03	**be into**	~에 푹 빠져 있다, ~에 관심이 많다
04	**break into**	~에 침입하다, (웃음·울음 등을) 터뜨리다, 갑자기 ~하기 시작하다
05	**tap into**	~을 활용하다, ~을 이용하다
06	**inquire into**	~을 조사하다, ~을 탐구하다
07	**take ~ into account**	~을 고려하다, ~을 감안하다
08	**fall into place**	앞뒤가 맞다, 딱 맞아 떨어지다
09	**run into**	~와 마주치다
10	**crash into**	~에 충돌하다
11	**flood into**	~로 밀려들다
12	**venture into**	~에 과감히 발을 들이다
13	**bump into**	~과 부딪치다, ~와 마주치다
14	**grow into**	~으로 성장하다
15	**burst into**	(웃음·울음 등을) 터뜨리다, 갑자기 ~하기 시작하다
16	**turn into**	~으로 변하다, ~이 되다
17	**enter into**	(논의·처리·일 등을) 시작하다, ~에 들어가다, (관계·계약 등을) 맺다, (생각·감정 등에) 공감하다, 이해하다
18	**translate into**	~이라는 결과를 낳다
19	**come into play**	작동하기 시작하다, 활동하게 되다
20	**come into effect**	효력이 발생하다, 시행되다
21	**come into being**	탄생하다, 생기다, 출현하다
22	**call into question**	~에 이의를 제기하다, ~을 의심하다
23	**translate A into B**	A를 B로 번역하다
24	**talk A into B**	B하도록 A를 설득하다
25	**convert A into B**	A를 B로 전환하다, A를 B로 바꾸다
26	**divide A into B**	A를 B로 나누다, A를 B로 분류하다
27	**transform A into B**	A를 B로 탈바꿈시키다, A를 B로 바꾸다
28	**turn A into B**	A를 B로 바꾸다
29	**put ~ into action**	(계획 등을) 실행에 옮기다
30	**be brought into being**	~이 생기다

01	point out	~을 가리키다, ~을 지적하다, ~을 언급하다
02	check out	(도서관에서 책을) 대출하다, ~을 살펴보다, (호텔에서) 체크아웃하다
03	pick out	~을 고르다, ~을 선택하다
04	come out	나오다, 벗어나다, (성질이) 드러나다, 나오다
05	reach out	연락을 취하다, 접근하다, 손을 뻗다
06	stick out	~을 내밀다, ~을 튀어나오게 하다, 툭 튀어나오다, 눈에 띄다
07	throw out	~을 버리다
08	hand out	~을 나눠주다
09	lay out	~을 제시하다, ~을 펼치다, ~을 배치하다
10	speak out	(뜻을) 공개적으로 밝히다, (의견을) 분명하게 말하다
11	let out	(소리 등을) 내다, 지르다, (밖으로) 내보내다, 유출하다
12	pull out	~을 빼내다, ~을 꺼내다, (차량이나 운전자가) 빠져나가다
13	move out	(살던 집에서) 이사를 나가다
14	draw out	~을 이끌어내다, ~을 제거하다, (기운을 북돋워) ~가 말하게 만들다
15	call out	~를 불러내다, ~를 소집하다, (큰 소리로) ~을 외치다, ~을 부르다
16	go out	(밖으로) 나가다, 외출하다, (불 등이) 꺼지다, 나가다
17	pass out	~을 나눠주다, 의식을 잃다, 기절하다
18	take out	~을 밖으로 내다, ~을 없애다, ~를 데리고 나가다, ~을 가지고 나가다
19	leak out	새어 나오다, 유출되다, 누설되다
20	hold out	(손 등을) 내밀다, 뻗다, 버티다, 저항하다
21	give out	~을 나눠주다, ~을 발표하다, (소리·냄새·빛 등을) 내다, 방출하다
22	turn ~ inside out	(옷·호주머니 등을) 뒤집다
23	step out	나가다, 나오다
24	single out	~을 선발하다, ~을 선정하다
25	bring out	~을 끌어내다, ~을 발휘시키다, ~을 꺼내다
26	get out of	~에서 나오다, ~에서 벗어나다
27	cry out for	~을 간절히 바라다
28	look out for	~을 주의하다, ~를 보살피다

out (2)

01	turn out	~으로 드러나다, 결국은 ~이 되다, ~을 만들어 내다
02	work out	운동하다, (일 등이) 잘 풀리다, (문제 등을) 해결하다, (계획 등을) 생각해 내다
03	keep out	~을 안에 들이지 않다, ~을 막다
04	eat out	외식하다
05	hang out	어울리다, 시간을 보내다
06	sit out	밖에 놓여 있다, (연극·강연 등을) 끝까지 앉아 듣다
07	rule out	~을 제외시키다, ~을 배제하다
08	stand out	눈에 띄다, 두드러지다, 뛰어나다
09	leave out	~를 소외시키다, ~을 빼다, ~을 생략하다
10	fall out	떨어져 나오다, 빠지다
11	be knocked out	기절하다, 녹초가 되다
12	go out of business	폐업하다
13	go out of one's way	각별히 노력하다, 일부러 ~하다
14	out of control	통제할 수 없이
15	out of order	고장 난, 상태가 나쁜
16	out of sight	눈에 보이지 않는
17	out of fashion	유행에 뒤떨어진
18	out of date	시대에 뒤떨어진, 구식인
19	out of place	(장소·상황에) 어울리지 않는, 부적절한
20	out of tune	조화되지 않는, 일치하지 않는
21	out of the question	논외의, 불가능한
22	carry out	(약속·의무 등을) 이행하다, (실험·시험 등을) 수행하다
23	set out	~하려고 나서다, ~하려고 의도하다, 시작하다, 출발하다
24	burst out	(웃음·울음 등을) 터뜨리다
25	break out	(일·사고·재해가) 발생하다, (전쟁이) 발발하다, 벗어나다
26	grow out of	~에서 생기다, (성장하면서) ~에서 벗어나다, ~이 맞지 않을 정도로 너무 커지다
27	out of the blue	느닷없이, 갑자기
28	out of nowhere	뜬금없이, 불쑥, 갑자기

out (3)

01	put out	(불을) 끄다, (쓰레기 등을 집 밖으로) 내다 놓다, (힘 등을) 발휘하다, 내다
02	weed out	(불필요한 것을) 제거하다, 뽑아 버리다
03	wear out	닳다, 못 쓰게 되다
04	run out (of)	(~이) 다 떨어지다, (~을) 다 써 버리다
05	out of stock	(일시적으로) 품절된, 매진된
06	out of breath	숨이 찬, 숨이 가쁜
07	fill out	(문서·서류를) 작성하다, 기입하다
08	figure out	~을 이해하다, ~을 알아내다
09	find out	~을 알아내다, ~을 찾아내다
10	try out	~을 시험적으로 사용해 보다, ~을 테스트해 보다, (선발 등을 위한 경쟁에) 지원하다
11	die out	자취를 감추다, 멸종되다
12	smooth out	주름을 펴다, 매끄럽게 하다, (문제·장애 등을) 없애다, 해결하다
13	spread out	(널리) 퍼지다, 펼치다
14	cross out	(위에) 줄을 그어 지우다
15	cut out	~을 잘라 내다, ~을 오려내다, ~을 빼다, ~을 삭제하다
16	spell out	~을 생략하지 않고 전부 쓰다, ~을 자세히 설명하다
17	help out	도와주다, 거들다
18	be sold out	다 팔리다, 매진되다
19	dry out	~을 건조하게 하다, ~이 메말라지다
20	start out	(특히 사업·일을) 시작하다
21	sort out	~을 정리하다, ~을 분류하다, (문제 등을) 해결하다, 처리하다
22	wipe out	~을 없애다, ~을 완전히 파괴하다, ~을 닦아 내다
23	miss out on	~을 놓치다

on [1]

01	rest on	(시선 등이) ~에 머물다, ~에 놓여 있다, ~에 달려 있다, ~에 의지하다
02	step on	~을 (짓)밟다
03	put on	~을 착용하다, ~을 입다, ~을 (피부에) 바르다, ~을 무대에 올리다, ~을 공연하다
04	fall on	(날짜가) ~에 해당되다, (어떤 날이) ~에 있다
05	dwell on	~을 곱씹다, ~을 깊이 생각하다, ~에 얽매이다
06	try on	~을 입어보다, ~을 신어보다
07	press on	~을 누르다, (단호하게) 밀고 나아가다, 서둘러 나아가다
08	get on	(탈 것에) 타다
09	fall on hard times	힘든 시기를 보내다
10	fall on deaf ears	(요구 등이) 묵살되다, 무시되다
11	on the other hand	반면에, (다른) 한편으로는
12	on behalf of	~을 대표하여, ~을 대신하여, ~을 위해서
13	on the contrary	(이와) 반대로, 오히려
14	on the verge of	~하기 직전에, 막 ~하려고 하는
15	on time	제때에, 정각에
16	on board	승선한, 승차한, 탑승한
17	on top of	~ 외에도, ~뿐 아니라
18	on fire	불이 붙은, 불이 난, 잘 나가는, 성공한
19	on hand	수중에, (마침) 가지고 있어
20	on earth	(의문문에서) 도대체, 대체, 이 세상의, 이 세상에서
21	on the spot	현장에서, 즉각, 즉석에서
22	turn on	(TV·전기·가스·수도 등을) 켜다
23	go on	발생하다, 일어나다, 계속되다, 계속하다

on (2)

01	based on	~에 기반하여, ~에 근거하여
02	act on	~에 따라 행동하다, ~을 따르다, ~에 작용하다
03	live on	~을 먹고 살다, ~으로 살아가다, 계속 살아가다
04	run on	~으로 작동하다, 계속되다
05	turn on one's heels	휙 돌아서다, 발길을 돌리다
06	stand on one's own (two) feet	자립하다
07	on a daily basis	매일
08	on average	평균적으로, 대체로
09	on one's own	혼자서, 자기 스스로
10	on the basis of	~에 근거하여, ~을 기반으로
11	on demand	요구에 따라, 필요에 따라
12	on account of	~ 때문에
13	on purpose	고의로, 의도적으로
14	on one's part	~에 의한, ~로서는
15	carry on	~을 계속하다
16	move on	(다음 화제·목적지로) 넘어가다, 옮기다
17	look on	구경하다, 지켜보다
18	hold on	(전화를 끊지 않고) 기다리다, (위험·곤란한 상황을) 참아내다
19	pass on	~을 전하다, ~을 (물려)주다
20	hang on	기다리다, 견디다, 버티다
21	on and on	계속해서, 쉬지 않고
22	from now on	지금부터(는), 앞으로(는)
23	go on to	(다음 항목으로) 넘어가다, (대학에) 진학하다
24	on (the) alert	(방심하지 않고) 경계하는, 대기하는
25	on duty	근무 중인, 근무 중에

01	depend on	~에 의존하다, ~에 의지하다, ~에 달려 있다, ~에 의해 좌우되다
02	work on	~을 작업하다, (~을 해결하기 위해) 노력하다, ~에(게) 작용하다, ~를 설득하다
03	rely on	~에 의지하다, ~에 의존하다
04	keep an eye on	~을 계속 지켜보다, ~을 감시하다
05	draw on	~을 끌어내다, ~을 이용하다, 가까워지다
06	take on	(책임·일을) (떠)맡다, (특정한 특질·모습을) 띠다
07	reflect on	~을 숙고하다, ~을 반성하다
08	insist on	~을 주장하다, ~을 강요하다
09	concentrate on	~에 집중하다
10	be lost on	~에게 효과가 없다, ~에게 전혀 영향을 끼치지 못하다
11	count on	~를 믿다, ~에 의지하다
12	hit on	(생각을) 떠올리다
13	center on	~에 초점을 두다, ~에 집중하다
14	stumble on	~을 우연히 발견하다, ~를 우연히 만나다
15	decide on	~을 결정하다, ~으로 정하다
16	keep on	~을 (그대로) 계속하다
17	be hard on	~에게 엄격하다, ~를 심하게 대하다, ~에게 좋지 않다, ~에게 부당하다
18	call on	~에게 요청하다, ~에게 부탁하다
19	catch on	유행하다, 인기를 얻다, 알다, 이해하다
20	tell on	~를 일러바치다, ~를 나쁘게 말하다, ~에게 (안 좋은) 영향을 미치다
21	have a hold on	~을 지배하는 힘이 있다
22	have an effect on	~에 영향을 미치다

off [1]

01	drop off	(다른 곳에) ~을 갖다주다, (차에서) ~를 내려주다, 잠깐 잠들다, 줄어들다
02	show off	~을 뽐내다, ~을 자랑하다
03	fall off	(~에서) 떨어지다, 줄어들다, 쇠퇴하다
04	go off	떠나다, (알람·경보가) 울리다, (폭탄이) 폭발하다, (일이) 진행되다
05	set off	(알람·경보가) 울리다, (폭죽을) 터뜨리다, ~을 유발하다, 출발하다
06	take off	(항공기 등이) 이륙하다, (옷·모자 등을) 벗다
07	get off	(교통수단에서) 내리다, 출발하다, 떠나다
08	put off	~을 미루다, ~을 연기하다
09	head off	출발하다, 향하다
10	hold off	연기하다, 늦추다, ~을 막다, ~를 물리치다
11	run off	달아나다, 도망치다
12	give off	(냄새를) 풍기다, (열·빛을) 방출하다
13	kick off	~을 시작하다, ~의 막을 열다
14	start off	~을 시작하다, ~을 출발하다
15	see off	~를 배웅하다
16	keep off	~을 피하다, ~을 차단하다, ~을 막다
17	get off to a good start	좋은 출발을 하다, 출발이 순조롭다
18	off duty	근무 중이 아닌, 비번인
19	cut off	~을 잘라내다, ~을 베다, ~을 중단시키다, ~을 가로막다
20	block off	(시간을) 따로 떼어두다, (길·통로 등을) 막다, 차단하다
21	peel off	(껍질 등을) 벗기다, (표면이) 벗겨지다
22	come off	(붙어 있던 것이) 떨어지다
23	break off	분리되다, 갈라지다, 떨어져 나오다, (하던 것을) 갑자기 중단하다
24	shake off	(먼지 등을) 털어내다, (생각·느낌을) 떨쳐내다, (뒤쫓는 사람을) 따돌리다
25	lay off	~를 해고하다, ~을 그만 먹다, ~을 그만하다
26	tear off	~을 떼어내다, 옷을 벗어 던지다
27	take one's eyes off	~에서 눈을 떼다

off (2)

01	cool off	(더위·열기 등을) 식히다, 진정하다, ~를 진정하게 하다
02	cross off	(선을 그어) ~을 지우다
03	wipe off	~을 닦아내다
04	wear off	닳아서 없어지다, 차츰 없어지다
05	sell off	~을 (싸게) 팔아 치우다
06	laugh off	~을 웃어넘기다
07	doze off	졸다, 깜빡 잠이 들다
08	off balance	균형을 잃은
09	switch off	(스위치·전원 등을) 끄다, ~에 흥미를 잃다, ~에 기운이 없어지다
10	turn off	(TV·전기·가스·수도 등을) 끄다, 잠그다
11	take time off	휴식을 취하다, 휴가를 내다
12	shut off	~을 멈추다, ~을 차단하다, ~을 끄다
13	call off	~을 취소하다, ~을 철회하다, ~을 중지하다
14	leave off	중단하다, 멈추다
15	on and off	하다 말다가, 불규칙하게
16	pay off	(빚을) 갚다, 청산하다, 큰 벌이가 되다, 성과가 나다, 잘 되어가다
17	fight off	~을 퇴치하다, ~를 물리치다
18	close off	~을 폐쇄하다, ~을 차단하다
19	carry off	~을 잘 해내다, ~을 실어 나르다
20	pull off	~을 해내다, ~을 성공하다
21	work off	~을 해결하다, ~을 해소하다
22	be well off	잘 살다, 부유하게 살다
23	be badly off	넉넉지 못하다, 가난하다, (상황·상태가) 나쁘다, 난처하다

01	at hand	(시간·거리상으로) 가까이(에 있는)
02	at the bottom of	~의 밑바닥에, ~의 하단에
03	at a distance	(시간·공간상으로) 멀리서, 멀리 떨어져
04	at the age of	~의 나이에
05	at the end of	~의 끝에, ~의 말에
06	at risk	위험한 상태에 있는, 위험에 처한
07	at the expense of	~을 희생해가며, ~의 대가로
08	at a glance	한눈에, 즉시
09	at (the) sight of	~을 보고
10	at best	기껏해야, 잘해야
11	at length	마침내, 드디어, 상세히, 길게
12	at variance with	~과 일치하지 않는, ~과 상충하는
13	at an angle	기울어져, 비스듬히
14	at (one's) ease	편안하게, 안심하고
15	at random	임의로, 무작위로, 마구잡이로
16	at all cost(s)	무슨 수를 써서라도, 반드시
17	at a loss	당황한, 어쩔 줄을 모르는
18	at stake	위험에 처한, 성패가 달린
19	at one's disposal	~의 마음대로 사용할 수 있는
20	be good at	~을 잘하다, ~에 능숙하다
21	take a look at	~을 (한 번) 보다
22	stare at	(가만히) ~을 바라보다, ~을 응시하다
23	gaze at	(가만히) ~을 바라보다, ~을 응시하다
24	point at	~을 가리키다, ~을 겨누다
25	laugh at	~을 비웃다, ~를 놀리다, ~을 듣고 웃다, ~을 보고 웃다
26	be aimed at	~을 목표로 하다, ~을 대상으로 하다

DAY 14 · over

음성 바로 듣기

01	take over	(기업·책임을) 이어받다, 인수하다, ~을 차지하다, ~을 장악하다
02	pull over	(길 한쪽에) 차를 세우다
03	get over	~을 극복하다
04	hand over	~을 넘겨주다, ~을 양도하다
05	call over	(이름·명단을) 부르다
06	run over	(차가) ~를 치다, (시간·비용 등이 예상을) 초과하다
07	fall over	(~에 걸려) 넘어지다
08	move over	비키다, 자리를 옮기다
09	give oneself over to	~에 몰두하다, ~에 빠지다
10	come over (to)	(~로) 오다
11	go over	~을 복습하다, ~을 검토하다, ~을 점검하다, ~을 조사하다, (건너)가다
12	over and over	반복해서, 여러 번 되풀이하여
13	be over	끝나다
14	have control over	~을 통제하다
15	look over	~을 훑어보다, ~을 살펴보다
16	think over	~을 곰곰이 생각하다
17	argue over	~을 두고 언쟁을 벌이다, ~에 대해 논의하다
18	creep over	~을 엄습하다, ~에 살금살금 다가가다
19	spread over	~에 퍼지다, ~을 뒤덮다
20	all over the world	전 세계에(서)
21	over time	오랜 시간에 걸쳐, 시간이 흐르면서
22	turn over	~을 뒤집다, (통제권 등을) 넘기다
23	switch over (to)	(~으로) 바꾸다, (~으로) 전환하다
24	turn ~ over in one's mind	~을 곰곰이 생각하다
25	turn over a new leaf	개과천선하다, 새 사람이 되다

01	pick up	~을 집다, ~을 줍다, ~을 들어 올리다, (맡겨두거나 산 것을) 찾다, 찾아오다, (차에) ~를 태우다, (어떤 정보를) 알게 되다, (습관·재주 등을) 익히다
02	set up	~을 설치하다, ~을 설립하다, ~을 수립하다
03	put up	~을 내붙이다, ~을 게시하다, ~을 세우다, ~을 짓다
04	hang up	~을 걸다, (전화를) 끊다
05	bring up	(화제를) 꺼내다, (의견을) 내놓다, (아이를) 기르다, 양육하다
06	build up	~을 더 높이다, ~을 증진시키다, ~이 쌓이다, ~을 쌓다
07	pile up	~이 쌓이다, ~을 쌓다
08	get up	일어서다, 일어나다
09	cheer up	기운을 내다, ~의 기운을 북돋아 주다
10	throw up	토하다
11	lift up	~을 들어 올리다, ~에게 행복감을 주다
12	wake up	깨다, 깨우다
13	well up	샘솟다, 복받치다
14	pull up	(차·사람 등을) 세우다, 멈추다
15	dig up	~을 땅에서 파내다, ~을 발굴하다, ~에 대해 알아내다, ~을 입수하다
16	fill up	~을 가득 채우다, 가득 차다
17	stand up	일어서다
18	stand up for	~을 지지하다, ~을 옹호하다
19	stand up to	~에 맞서다
20	put up with	~을 견디다, ~을 참다
21	look up to	~를 존경하다
22	stay up late	늦게까지 깨어 있다
23	up and down	위아래로, 이리저리

up [2]

01	**go up**	올라가다, 오르다, 늘다, (가까이) 가다
02	**light up**	~을 환하게 만들다, ~이 환해지다
03	**warm up**	준비 운동을 하다, 몸을 풀다, ~을 따뜻하게 하다, ~을 데우다, ~을 따뜻하게 대하다
04	**grow up**	자라다, 성장하다
05	**speed up**	속도를 높이다
06	**speak up**	큰 소리로 말하다, 거리낌없이 이야기하다
07	**work one's way up**	출세하다, 승진하다
08	**come up**	발생하다, 생기다
09	**show up**	나타나다
10	**turn up**	(뜻밖에) 나타나다, (소리·온도 등을) 올리다, 상승하다
11	**point up**	~을 강조하다, ~을 눈에 띄게 하다
12	**think up**	~을 생각해내다, ~을 고안하다
13	**spring up**	갑자기 생겨나다, 휙 나타나다
14	**come up with**	~을 생각해내다, ~을 내놓다, ~을 제안하다
15	**step up**	다가가다, 나서다, ~을 올리다, ~이 올라가다
16	**sneak up**	살금살금 다가가다, 몰래 다가가다
17	**come up to**	~에게 다가오다
18	**live up to**	~에 맞추다, ~에 부응하다
19	**add up to**	결국 ~이 되다
20	**end up -ing**	결국 ~하게 되다
21	**up to**	(특정한 수·정도)까지, (특정한 위치·시점)까지, ~에(게) 달려 있는
22	**up-to-date**	(정보가) 최근의, 최신의, 첨단적인

01	**blow up**	~을 폭발시키다, 폭발하다, 터지다, (풍선 등에) 공기를 주입하다
02	**take up**	(시간·공간을) 차지하다, (취미·일·이야기를) 시작하다, 배우다
03	**make up**	~을 구성하다, ~을 이루다, (사실이 아닌 것을) 지어내다
04	**look up**	(정보를) 찾아보다, 올려다 보다, 쳐다보다
05	**use up**	~을 다 써 버리다, ~을 소모하다
06	**cover up**	~을 숨기다, ~을 은폐하다, ~을 완전히 가리다
07	**soak up**	~을 빨아들이다, ~을 흡수하다
08	**dry up**	바싹 마르다, 줄어들다, 고갈되다, 바닥나다
09	**burn up**	~을 태우다, ~을 연소시키다, 몹시 열이 나다, ~을 소모하다
10	**gobble up**	~을 게걸스럽게 먹어 치우다
11	**keep up**	~을 유지하다, ~을 계속하다
12	**wrap up**	~을 마무리하다, ~을 포장하다, ~을 싸다
13	**lock up**	(문을) 잠그다, 문단속을 하다, ~를 수감하다, ~를 투옥시키다
14	**clear up**	사라지다, 맑아지다, (~을) 깨끗이 치우다, ~을 해결하다
15	**line up**	~을 일렬로 세우다, 준비하다, 마련하다
16	**back up**	(주장이나 의견 등을) 뒷받침하다, (파일 등을) 백업하다, 뒤로 물러서다, 후진하다
17	**mess up**	~을 엉망으로 만들다, ~을 다 망치다
18	**clean up**	~을 치우다, ~을 청소하다
19	**dress up**	(옷을) 차려입다, (보기 좋게) ~을 꾸미다
20	**break up**	헤어지다, 흩어지다
21	**mix up**	~을 섞다, ~을 혼동하다
22	**straighten up**	~을 똑바로 하다, ~을 바로잡다, ~을 정돈하다
23	**sum up**	요약하다
24	**catch up with**	(수준을) 따라잡다, (~의 근황을) 따라잡다
25	**give up (on)**	(~을) 포기하다, (~을) 단념하다
26	**make up with**	~와 화해하다
27	**make up for**	~을 보충하다, ~을 만회하다, ~을 보상하다
28	**sign up (for)**	(~을) 신청하다, (~에) 가입하다

down

01	write down	~을 적어두다, ~을 기록하다
02	settle down	정착하다, 마음을 가라앉히다, 진정되다
03	let down	~의 기대를 저버리다, ~를 실망시키다
04	hand down	(후세에) ~을 전하다, ~을 물려주다
05	fall down	넘어지다, 쓰러지다
06	turn down	~을 거절하다, ~을 거부하다, ~을 약하게 하다, ~을 낮추다
07	turn ~ upside down	~을 거꾸로 뒤집어 놓다, ~을 엉망으로 만들다
08	hold down	~을 억제하다, ~을 억압하다, ~을 꽉 누르다
09	put down	~을 내려놓다, ~를 깎아내리다, ~를 바보로 만들다, ~을 적다, ~을 적어두다
10	kneel down	무릎을 꿇다, 무릎을 꿇고 앉다
11	weigh down	(마음·기분을) 압박하다, 괴롭히다
12	calm down	~을 진정시키다, ~이 잠잠해지다
13	knock down	~을 쳐서 쓰러뜨리다
14	take down	~을 치우다, ~을 철거하다, ~을 적다, ~을 기록하다
15	sit down	앉다
16	look down on	~를 무시하다, ~을 경시하다
17	slow down	(속도를) 늦추다, 느긋해지다
18	come down	(처음보다) 가격을 내리다, 내려오다, 오다
19	bring down	~을 내리다, ~을 떨어뜨리다, ~을 파멸시키다, ~을 붕괴시키다
20	die down	사그라들다, 약해지다
21	call down	~를 꾸짖다, ~를 혼내다
22	cut down (on)	(~을) 줄이다, (~을) 절감하다
23	come down with	(병에) 걸리다
24	narrow A down to B	A를 B로 줄이다
25	break down	(기계가) 고장 나다, (체계가) 실패하다, ~이 부서지다, ~이 분해되다
26	track down	~를 바짝 쫓다, ~를 따라잡다, ~를 추적하다
27	tear down	(건물·담 등을) 허물다, 해체하다
28	boil down to	핵심이 ~이다, 결국 ~이 되다, ~으로 요약하다

01	sit back	편안히 앉다, 가만히 있다
02	fall back	물러나다, 뒤처지다
03	step back from	~에서 물러나다
04	push back against	~을 밀쳐내다, ~에 대해 반발하다
05	back and forth	앞뒤로, 왔다 갔다 하며
06	come back	돌아오다
07	bounce back	회복하다, 되살아나다
08	put back	~을 되돌려 놓다, ~을 다시 제자리에 갖다 놓다
09	pay back	(돈을) 갚다, 보상하다, 상환하다
10	bring back	~을 상기시키다, ~을 다시 가져다 주다, ~을 돌려 주다
11	give back	(되)돌려주다
12	turn back	(원래 상태로) 되돌리다, (원래 있던 곳으로) 되돌아가다
13	write back	답장을 써서 보내다
14	talk back	말대답하다, 말대꾸하다
15	call back	~에게 다시 전화하다
16	take back	(샀던 상품을) 반품하다, (했던 말을) 취소하다
17	go back	(되)돌아가다, 거슬러 올라가다
18	get back (to)	(~으로) 돌아오다, 돌아가다, (~에게) 다시 연락하다
19	look back (on)	(~을) 되돌아보다
20	date back to	~로 거슬러 올라가다
21	bring ~ back to life	~를 다시 살려내다, ~가 의식을 되찾게 하다
22	think back to	~을 돌이켜 생각해 보다, ~을 회상하다
23	hold back	~을 막다, ~을 억제하다, ~을 참다, ~의 발전을 방해하다
24	cut back (on)	(~을) 줄이다, (~을) 감축하다

away

01	**throw away**	~을 버리다
02	**take away**	~을 없애다, ~을 빼앗다
03	**drive away**	~을 쫓아내다, (차를 타고) 떠나다
04	**put away**	~을 치우다
05	**give away**	~을 기부하다, ~을 무료로 주다, ~을 누설하다
06	**blow away**	~을 날려 버리다, ~을 압도하다
07	**carry away**	~을 가져가 버리다, ~을 운반해 가다, ~를 흥분시키다, ~가 넋을 잃게 만들다
08	**turn away**	외면하다, 거부하다, ~를 돌려보내다, ~를 쫓아 보내다
09	**shy away from**	~을 피하다
10	**keep away from**	~을 가까이하지 않다, ~을 멀리하다
11	**pass away**	돌아가시다, 사망하다
12	**right away**	곧바로, 즉시
13	**get away with**	~에 관해 처벌을 면하다, ~을 그냥 넘어가다
14	**run away (from)**	(~에서) 도망치다
15	**get away (from)**	(~에서) 벗어나다
16	**look away (from)**	(~에서) 눈길을 돌리다
17	**melt away**	녹아서 사라지다, 차츰 사라지다
18	**wipe away**	~을 닦다, ~을 없애다
19	**fade away**	(서서히) 사라지다, 없어지다
20	**wash away**	~을 (씻어) 없애다, ~을 쓸어버리다
21	**go away**	(문제·고통 등이) 사라지다, 없어지다, 가 버리다, (떠나) 가다
22	**idle away**	(시간을) 헛되이 보내다, 허비하다
23	**do away with**	~을 없애다, ~을 폐지하다, ~을 끝내다

from

음성 바로 듣기

01	come from	~에서 비롯되다, ~에서 나오다
02	be derived from	~에서 유래하다, ~에서 나오다, ~에서 파생되다
03	stem from	~에서 기인하다, ~에서 유래하다
04	spring from	~에서 비롯되다, ~에서 야기되다
05	graduate from	~을 졸업하다
06	benefit from	~의 혜택을 받다, ~의 덕을 보다
07	be descended from	~의 후손이다, ~의 자손이다
08	hear from	~에게서 소식을 듣다, ~에게서 연락을 받다
09	withdraw from	~에서 손을 떼다, ~을 중단하다, ~을 취소하다
10	emerge from	~에서 나오다, ~에서 나타나다
11	judge from	~으로 판단하다, ~으로 미루어 보다
12	be made from	~으로 만들어지다
13	escape from	~에서 벗어나다, ~에서 도피하다
14	break free from	~에서 벗어나다, ~을 탈피하다
15	free from	~에서 벗어난, ~이 없는, ~을 면한
16	range from A to B	(범위가) A에서 B까지 이르다
17	prevent A from B	A가 B하는 것을 막다
18	separate A from B	A를 B에서 분리하다
19	from scratch	맨 처음부터, 아무것도 없이
20	from hand to mouth	하루살이 생활로, 하루 벌어 하루 먹는 식으로
21	suffer from	~으로 고통 받다, ~으로 시달리다
22	die from	~으로 죽다
23	result from	~의 결과로 생기다, ~에 기인하다
24	differ from	~과 다르다
25	aside from	~뿐만 아니라, ~ 외에도, ~을 제외하고, ~ 외에는
26	apart from	~을 제외하고, ~을 벗어나, ~ 외에도, ~뿐만 아니라
27	distinguish A from B	A를 B와 구별하다, ~이 A와 B의 차이를 나타내다

01	contribute to	~에 기여하다, ~에 기부하다
02	refer to	~을 언급하다, ~과 관련 있다, ~을 나타내다, ~을 참조하다, ~을 참고하다
03	apply to	~에 적용되다, ~에 해당되다
04	appeal to	~의 마음을 끌다, ~에(게) 호소하다
05	belong to	~에 속하다, ~의 소유이다
06	yield to	~에게 양보하다, ~에 굴복하다
07	give rise to	~을 일으키다, ~이 생기게 하다
08	be subject to	~의 대상이다, ~을 받다
09	be confined to	~에 갇혀 있다, ~에 틀어박혀 있다
10	thanks to	~ 덕분에, ~ 때문에
11	as opposed to	~과 반대로, ~과 대조적으로
12	contrary to	~과 반대로, ~에 어긋나서
13	relevant to	~에 관련된
14	owing to	~ 덕분에, ~ 때문에
15	turn to	~에(게) 의지하다, ~에 의존하다, ~으로 변하다, ~이 되다
16	occur to	~에게 생각이 떠오르다
17	respond to	~에 대응하다, ~에 응답하다
18	attend to	~을 처리하다, ~의 시중을 들다, ~에 주의를 기울이다
19	give birth to	~를 탄생시키다, ~를 낳다, ~을 발생시키다, ~을 일으키다
20	give way to	~으로 대체되다, ~으로 바뀌다, ~에 굴복하다, ~에 양보하다
21	be dedicated to	~에 전념하다, ~에 헌신하다
22	be attached to	~에 애착을 느끼다, ~에 소속감을 느끼다, ~에 붙어 있다
23	owe A to B	A를 B에게 빚지다

01	**look forward to**	~을 기대하다, ~을 고대하다
02	**lead to**	~으로 이어지다, ~을 초래하다
03	**resort to**	(다른 대안이 없어서) ~에 의지하다
04	**point to**	~를 가리키다, ~을 나타내다, ~을 이유로 들다, ~을 증거로 들다
05	**attribute A to B**	A를 B 때문으로 여기다, A를 B의 탓으로 돌리다
06	**lead A to B**	A를 B로 이끌다
07	**get to**	~에 도달하다, ~에 도착하다
08	**amount to**	(합계가) ~에 달하다, ~에 이르다, ~에 해당하다
09	**come to light**	밝혀지다, 알려지다
10	**to the core**	뼛속까지, 철저하게
11	**stick to**	~을 고수하다, ~을 지키다
12	**cling to**	~을 고수하다
13	**be committed to**	~에 전념하다, ~에 헌신하다
14	**devote oneself to**	~에 헌신하다, ~에 몸을 바치다
15	**adhere to**	~을 고수하다, ~을 충실히 지키다
16	**prior to**	~보다 이전에, ~에 앞서
17	**superior to**	~보다 우수한, ~보다 우월한
18	**prefer A to B**	B보다 A를 선호하다
19	**according to**	~에 따르면, ~에 의하면
20	**adjust to**	~에 적응하다
21	**adapt to**	~에 적응하다, ~에 적응시키다
22	**correspond to**	~과 일치하다, ~에 해당하다
23	**conform to**	~에 맞추다, ~에 따르다, ~에 부합하다
24	**be accustomed to**	~에 익숙해지다, ~에 익숙하다
25	**to one's advantage**	자신에게 유리하게

01	**along with**	~과 함께, ~에 더하여
02	**go with**	~에 딸려 나오다, ~에 포함되다, ~과 어울리다, ~을 고르다, ~을 선택하다
03	**keep pace with**	~에 따라가다, ~과 보조를 맞추다
04	**get in touch with**	~에게 연락을 취하다, ~와 연락하다
05	**get along with**	~와 잘 지내다
06	**go well with**	~과 잘 어울리다
07	**be consistent with**	~과 일치하다, ~과 모순되지 않다
08	**correspond with**	~과 일치하다, ~에 부합하다, ~와 소식을 주고받다
09	**make friends with**	~와 친구가 되다, ~와 친해지다
10	**associate A with B**	A를 B와 연관시켜 생각하다
11	**combine A with B**	A를 B와 결합하다
12	**compare A with B**	A를 B와 비교하다, A를 B와 대조하다
13	**confuse A with B**	A를 B와 혼동하다
14	**provide A with B**	A에게 B를 제공하다
15	**be filled with**	~으로 가득 차다
16	**be loaded with**	~으로 가득 차다, ~이 충분히 있다
17	**be equipped with**	(장비 등을) 갖추다, (시설 등이) 구비되다
18	**be covered with**	~으로 덮여 있다, ~으로 싸여 있다
19	**be credited with**	~으로 공로를 인정받다
20	**be packed with**	~으로 꽉 차다, ~으로 미어터지다
21	**be occupied with**	~으로 바쁘다
22	**be crowded with**	~으로 붐비다, ~으로 복잡하다
23	**replace A with B**	A를 B로 바꾸다, A를 B로 대체하다
24	**with respect to**	~에 관해(서는)
25	**with ease**	쉽게, 간단히

01	**deal with**	~에 대처하다, ~을 다루다
02	**interfere with**	~에 지장을 주다, ~을 방해하다, ~에 개입하다
03	**struggle with**	~에 대해 고심하다, ~과 싸우다
04	**cope with**	~에 대처하다, ~을 처리하다
05	**go along with**	~에 따르다, ~에 찬성하다
06	**keep up with**	~에 따라가다, ~에 뒤처지지 않다, ~에 정통하다, ~을 알다
07	**agree with**	~에 동의하다, ~에게 적합하다, ~에게 맞다
08	**have trouble with**	~에 어려움을 겪다
09	**have (something) to do with**	~과 관련이 있다
10	**be done with**	~을 끝내다, ~을 마치다, ~와 절교하다
11	**be content with**	~에 만족하다
12	**be faced with**	~에 직면하다, ~에 처하다
13	**be concerned with**	~에 관심이 있다, ~에 신경 쓰다, ~과 관련이 있다
14	**be impressed with**	~에 감명 받다, ~에 감동 받다
15	**be familiar with**	~에 익숙하다, ~을 아주 잘 알다
16	**be fed up with**	~에 질리다
17	**be through with**	~을 끝내다, ~와 관계를 끊다
18	**be obsessed with**	~에 집착하다
19	**comply with**	~을 따르다, ~을 준수하다
20	**reason with**	~를 설득하다
21	**compete with**	~와 경쟁하다, ~와 겨루다
22	**dispense with**	~을 없애다, ~을 생략하다
23	**proceed with**	~을 계속하다

01	stop by	(~에) 잠시 들르다
02	stand by	~의 옆에 서 있다, ~의 곁을 지키다, ~를 지지하다
03	pass by	(장소) 옆을 지나가다, 지나치다, (시간이) 지나다, 흐르다
04	drop by	(~에) 잠깐 들르다, (~에) 불시에 찾아가다
05	go by	(시간이) 지나다, (~라는 이름으로) 통하다, 알려지다
06	get by	그럭저럭 살아나가다
07	come by	(~에) 잠깐 들르다, ~을 얻다, ~을 구하다
08	be accompanied by	~를 동반하다
09	be followed by	~이 뒤따르다
10	side by side	나란히, 함께
11	by and large	대체로, 전반적으로
12	by the way	그런데, 그건 그렇고, 어쨌든
13	by oneself	혼자서
14	by contrast	대조적으로
15	by chance	우연히, 혹시
16	by no means	결코 ~이 아닌
17	by comparison	그에 비해
18	by nature	천성적으로, 본래
19	by accident	우연히, 사고로
20	by the same token	같은 이유로, 마찬가지로
21	by leaps and bounds	급속히, 대폭
22	by means of	~을 사용해서, ~의 도움으로, ~에 의하여
23	one by one	하나하나씩, 차례차례
24	step by step	차근차근, 조금씩

01	apply for	(목표를 위해) ~에 지원하다
02	run for	~에 출마하다, ~에 입후보하다
03	prepare for	~을 준비하다
04	search for	~을 찾다
05	wait for	~을 기다리다
06	strive for	~을 얻으려고 노력하다
07	fight for	~을 (얻기) 위해 싸우다
08	long for	~을 갈망하다
09	wish for	~을 원하다
10	yearn for	~을 동경하다, ~을 갈망하다
11	work for	~을 위해 일하다, ~에서 일하다, ~에(게) 효과가 있다
12	set the stage for	~을 위한 무대를 마련하다, ~을 위한 환경을 조성하다
13	make way for	~에(게) 길을 비켜주다, ~에(게) 자리를 내주다
14	exchange A for B	A를 B로 교환하다
15	for the sake of	~을 (얻기) 위해
16	for the benefit of	~의 이익을 위해, ~을 위해
17	for sale	판매하는
18	for oneself	직접, 스스로
19	leave for	~로 떠나다, ~로 출발하다
20	go for	~을 선택하다, ~을 하러 가다
21	stand for	~을 상징하다, ~을 의미하다
22	head for	~로 향하다
23	reach (out) for	~을 잡으려고 손을 뻗다, ~에 도달하려고 애쓰다
24	be famous for	~으로 유명하다
25	be known for	~으로 유명하다
26	be noted for	~으로 유명하다

for (2)

01	**ask for**	~을 요청하다, ~을 해달라고 부탁하다
02	**account for**	~을 차지하다, ~을 설명하다
03	**as for**	~에 대해 말하자면
04	**compensate for**	~을 보충하다, ~을 보상하다
05	**root for**	~를 응원하다
06	**care for**	~를 돌보다, ~를 보살피다, ~를 (대단히) 좋아하다
07	**vote for**	~에 (찬성) 투표하다
08	**responsible for**	~에 책임이 있는, ~에 대해 원인이 되는
09	**pay for**	~에 돈을 내다
10	**call for**	~을 요구하다, ~을 요청하다
11	**make for**	~에 도움이 되다, ~에 기여하다, ~로 향하다, ~에 접근하다
12	**apologize for**	~에 대해 사과하다
13	**be suited for**	~에 적합하다
14	**give A credit for B**	A에게 B에 대한 공로를 인정하다
15	**look to A for B**	A에게 B를 기대하다
16	**pass for**	~으로(서) 통하다, ~으로(서) 받아들여지다
17	**mistake A for B**	A를 B로 착각하다
18	**take ~ for granted**	~을 당연하게 여기다
19	**for instance**	예를 들어
20	**for free**	무료로, 공짜로
21	**for sure**	확실히, 틀림없이
22	**for good**	영원히, 영구히
23	**for the first time**	처음으로
24	**for the time being**	당분간은, 우선

01	**take care of**	~를 돌보다, ~을 신경 쓰다, ~을 처리하다
02	**be capable of**	~을 할 수 있다
03	**keep track of**	~에 대해 계속 파악하고 있다, ~을 추적하다
04	**make fun of**	~를 웃음거리로 만들다, ~를 조롱하다
05	**get the hang of**	~에 익숙해지다, ~을 이해하다
06	**conceive of**	~을 상상하다, ~을 생각해 내다
07	**take hold of**	~을 잡다
08	**be aware of**	~을 인식하다, ~을 알고 있다
09	**make use of**	~을 이용하다
10	**make a fool of**	~를 웃음거리로 만들다, ~를 놀리다
11	**speak of**	~에 대해 말하다, ~에 대해 평하다
12	**approve of**	~을 인정하다, ~을 찬성하다
13	**think of**	~을 생각하다, ~을 고려하다
14	**be fond of**	~을 좋아하다, (좋아서) ~을 따르다
15	**be true of**	~에(게) 적용되다, ~에(게) 해당되다
16	**be conscious of**	~을 의식하다, ~을 알고 있다
17	**be ignorant of**	~에 무지하다, ~을 모르다
18	**be suspicious of**	~을 의심하다, ~에 의구심이 들다
19	**be ashamed of**	~을 부끄러워하다
20	**take charge of**	~의 책임을 지다, ~을 담당하다
21	**take notice of**	~에 주목하다
22	**avail oneself of**	~을 이용하다, ~을 틈타다
23	**take control of**	~을 통제하다, ~을 지배하다
24	**speak highly of**	~을 높이 평가하다, ~을 칭찬하다
25	**ahead of**	~의 앞에, ~보다 앞서서
26	**remind A of B**	A에게 B를 상기시키다
27	**inform A of B**	A에게 B를 알리다

01	consist of	~으로 이루어지다, ~으로 구성되다
02	be made (up) of	~으로 구성되다
03	be comprised of	~으로 구성되다
04	be composed of	~으로 구성되다
05	be full of	~으로 가득 차 있다
06	take advantage of	~을 이용하다, ~을 활용하다
07	take the place of	~를 대체하다, ~를 대신하다
08	make the most of	~을 최대한 활용하다
09	be worthy of	~의 가치가 있다, ~을 받을 만하다
10	first of all	우선, 다른 무엇보다도
11	most of all	다른 무엇보다도
12	die of	~으로 죽다, ~으로 사망하다
13	be accused of	~으로 기소되다, ~라는 비난을 받다
14	regardless of	~에 상관없이, ~을 막론하고
15	get rid of	~을 없애다, ~을 처리하다, ~을 제거하다
16	lose track of	~을 놓치다, ~을 잊어버리다
17	irrespective of	~과 상관없이, ~을 불문하고
18	dispose of	~을 처리하다, ~을 버리다
19	be short of	~이 부족하다, ~에 못 미치다
20	be devoid of	~이 없다
21	lose sight of	~을 못 보고 놓치다, ~을 망각하다
22	stay clear of	~을 멀리하다, ~을 피하다
23	free of charge	무료로, 무상으로
24	deprive A of B	A에게서 B를 빼앗다
25	rob A of B	A에게서 B를 빼앗다

수량·정도

01	more than	~보다 많은, ~ 이상(의)
02	a variety of	여러 가지의, 다양한
03	a number of	다수의, 많은
04	a great deal of	다량의, 많은
05	a pair of	한 쌍의, 한 짝의, 한 켤레의
06	a (wide) range of	광범위한, 다양한
07	a host of	다수의, 많은
08	an array of	다양한, 다수의, 일련의
09	a couple of	두서너 개의, 몇 개의
10	a multitude of	다수의, 수많은
11	a set of	한 세트의, 일련의
12	plenty of	풍부한 (양의), 충분한 (양의)
13	quite a few	상당히 많은
14	no more than	~ 이하(의), 기껏해야, ~일 뿐
15	at least	최소한, 적어도
16	at (the) most	기껏해야, 많아 봐야
17	more or less	거의, 대략
18	for the most part	대개, 보통
19	as a whole	전체적으로, 대체로
20	as much (as)	~만큼 (많이), ~ 못지 않게 (많이)
21	to the point (of)	~할 정도로
22	to some degree	어느 정도는
23	to a large extent	크게, 대부분, 대단히
24	on a large scale	대규모로
25	next to nothing	없는 것과 다름 없는, 아주 약간
26	by far	훨씬, 단연코

01	**at the same time**	동시에
02	**at once**	한 번에, 동시에, 즉시, 지체 없이
03	**at a time**	한 번에, 동시에
04	**at the moment**	지금(은)
05	**for a while**	잠시 동안, 잠깐
06	**all of a sudden**	갑자기, 불시에, 문득
07	**in the long term**	장기적으로 (보면)
08	**day after day**	하루하루, 날마다
09	**no sooner A than B**	A하자마자 B하다
10	**in time**	알맞은 때에, 시간 맞춰
11	**in no time**	곧, 당장에
12	**before long**	머지않아, 곧
13	**sooner or later**	조만간, 곧, 언젠가는
14	**no later than**	늦어도 ~까지는
15	**after a while**	잠시 후에, 얼마 후에
16	**for ages**	오랫동안
17	**in the course of time**	시간이 지남에 따라
18	**in the meantime**	(두 가지 시점·사건) 그 사이에, 그동안에
19	**once upon a time**	옛날 옛적에
20	**around the corner**	(거리·시간적으로) 아주 가까운, 임박한
21	**more often than not**	자주, 대개
22	**all the time**	항상, 늘, 내내
23	**at times**	가끔, 때로는
24	**at all times**	언제든(지), 항상
25	**from time to time**	때때로, 가끔, 이따금
26	**(every) once in a while**	가끔, 이따금

감정·태도

01	**be stressed out**	스트레스를 받다
02	**be concerned about**	~에 대해 걱정하다
03	**be tired of**	~에 싫증이 나다
04	**be afraid of**	~을 무서워하다
05	**see red**	화가 나다
06	**feel like -ing**	~하고 싶다, ~할 마음이 나다
07	**out of curiosity**	호기심에서, 궁금해서
08	**make sure**	~을 확실하게 하다, 반드시 ~하도록 하다
09	**be proud of**	~을 자랑스러워하다
10	**be willing to**+동사원형	기꺼이 ~하려 하다
11	**feel free to**+동사원형	거리낌 없이 ~하다, 마음대로 ~하다
12	**be eager to**+동사원형	~하기를 열망하다
13	**be determined to**+동사원형	~하기로 결심하다
14	**be reluctant to**+동사원형	~하기를 꺼리다, ~하기를 주저하다
15	**would like to**+동사원형	~하고 싶다
16	**seem to**+동사원형	~처럼 보이다, ~인 것 같다
17	**hold one's horses**	서두르지 않다, 침착하다
18	**take it easy**	마음 편하게 생각하다, (일을) 쉬엄쉬엄 하다, 진정하다
19	**think nothing of**	~을 아무렇지 않게 생각하다, ~을 경시하다
20	**see A as B**	A를 B로(서) 여기다
21	**give a second thought**	다시 생각하다, 재고하다
22	**make a point of -ing**	반드시 ~하다
23	**refrain from -ing**	~하는 것을 삼가다
24	**as if**	마치 ~처럼

01	make it	(바라던 일을) 해내다, 성공하다, (시간 맞추어) 가다, 참석하다
02	make a fortune	돈을 많이 벌다, 부자가 되다
03	make money	(많은) 돈을 벌다
04	manage to + 동사원형	간신히 ~하다, 어떻게든 ~하다
05	come true	이루어지다, 실현되다
06	take the lead	선두에 서다, 앞장서다
07	get ahead	앞서가다, 출세하다, 성공하다
08	break new ground	새 분야를 개척하다
09	break the record	기록을 깨다
10	set a record	기록을 세우다
11	make one's way	출세하다, 성공하다, (길을) 가다, 나아가다
12	take place	개최되다, 일어나다
13	bring about	~을 일으키다, ~을 초래하다
14	shut down	(공장·사업체 등을) 폐쇄하다, (기계 등을) 멈추다, 끄다
15	make a difference	변화를 가져오다, 영향을 미치다
16	make a decision	결정을 내리다
17	call forth	~을 불러일으키다, ~을 끌어내다
18	come about	생기다, 나타나다
19	come through	~을 통과하다, ~을 통해 들어오다, 겉으로 나타나다
20	come to an end	끝나다, 막이 내리다
21	finish off	~을 다 마치다
22	end up with	결국 ~을 갖게 되다, 결국 ~와 함께 하게 되다
23	only to + 동사원형	(그 결과는) ~뿐인

01	go wrong	(일 등이) 잘못되다, (기계·차 등이) 망가지다
02	go through	(고생·절차 등을) 겪다, 거치다, 경험하다, ~을 검토하다, ~을 살펴보다, (~을 찾기 위해) 뒤지다
03	make a mistake	실수하다, 잘못하다
04	break apart	산산이 부서지다, 분리되다
05	fall apart	부서지다, 허물어지다
06	fall through (the cracks)	(부주의로) 빠지다, 간과되다
07	fall behind	뒤떨어지다, 뒤처지다
08	get nowhere	아무 성과도 얻지 못하다, 아무런 진전이 없다
09	drop out (of)	(참여하던 것에서) 빠지다, 중퇴하다
10	turn against	~에게 등을 돌리다, ~를 배반하다
11	do harm (to)	(~에게) 해를 입히다
12	fall victim to	~에 희생되다, ~의 피해자가 되다
13	have trouble (in) -ing	~하는 데 어려움을 겪다
14	have difficulty (in) -ing	~하는 데 어려움을 겪다
15	run late	(예정보다) 늦어지다, 지연되다
16	get through	(고비나 위기 등을) 헤쳐 나가다
17	care about	~에 신경 쓰다, ~에 관심을 가지다
18	take action	조치를 취하다
19	take steps	조치를 취하다
20	make an effort	노력하다
21	go without	~ 없이 견디다, ~ 없이 지내다
22	go the extra mile	한층 더 노력하다
23	do one's best	최선을 다하다
24	root out	~을 뿌리째 뽑다, ~을 근절하다
25	break the habit of	~의 습관을 버리다
26	in an effort to + 동사원형	~하기 위한 노력으로

01	be supposed to + 동사원형	~하기로 되어 있다
02	be about to + 동사원형	막 ~하려는 참이다
03	be scheduled to + 동사원형	~할 예정이다
04	aim to + 동사원형	~하는 것을 목표로 하다
05	in order to + 동사원형	~하기 위해
06	set a goal	목표를 세우다
07	make a plan	계획을 세우다, 계획하다
08	give ~ a hand	~에게 도움을 주다, ~를 거들어 주다
09	put together	(부품·조각 등을) 조립하다, ~을 만들다, ~을 준비하다, ~을 합치다, ~을 합하다
10	turn around	돌(리)다, (~을) 뒤돌아보다, 호전되다, (~을) 호전시키다
11	hang around	서성거리다, 배회하다
12	look through	~을 살펴보다, ~을 검토하다
13	take apart	~을 분해하다
14	bring together	~을 (긁어)모으다, ~을 합치다, ~를 화합시키다, ~를 화해시키다
15	give a speech	연설하다
16	set ~ free	~를 자유롭게 하다, ~를 풀어주다
17	set aside	~을 따로 떼어두다, ~을 확보하다, (하던 일을) 제쳐놓다
18	go after	~을 뒤쫓다, ~을 추구하다
19	give it a try	한 번 해보다, 시도하다
20	hold on to	~을 꼭 잡다, ~에 매달리다, ~을 고수하다, ~을 지키다
21	phase out	~을 단계적으로 폐지하다, ~을 단계적으로 중단하다
22	leave behind	~을 뒤로 하다, ~을 영원히 떠나다
23	discourage ~ from -ing	~가 -하는 것을 막다
24	keep ~ from -ing	~가 -하는 것을 막다
25	keep on -ing	계속해서 ~하다

01	stay tuned	채널을 고정하다
02	keep a diary	일기를 쓰다
03	get dressed	옷을 입다
04	set the table	식탁을 차리다, 밥상을 차리다
05	take a break	휴식을 취하다, 쉬다
06	take notes	필기하다
07	take a course	강의를 듣다
08	look around	(~을) 둘러보다, (~을) 구경하다
09	go around	(이곳저곳을) 돌아다니다
10	get around	(~를) 돌아다니다
11	give ~ a ride	~를 태워주다
12	go -ing	~하러 가다
13	make a reservation	예약하다
14	come along	함께 가다, 나타나다, 생기다, (순조롭게) 진행되다, 진보하다
15	come across	~를 우연히 만나다, ~을 우연히 발견하다, (특정한) 인상을 주다
16	get together	모이다, 합쳐지다, ~을 모으다
17	make an appointment	(만날) 약속을 하다, 예약하다
18	show A around B	A에게 B를 구경시켜 주다
19	face-to-face	서로 얼굴을 맞대고, 면대면으로
20	look after	~를 돌보다, ~을 살피다
21	pass through	~을 (거쳐) 통과하다
22	take a deep breath	숨을 깊게 들이마시다
23	take turns	돌아가면서 ~을 하다, 교대로 ~을 하다
24	spend ~ (on) -ing	(시간이나 돈을) ~하는 데에 쓰다
25	break a bill	지폐를 잔돈으로 바꾸다

01	**tend to + 동사원형**	~하는 경향이 있다
02	**be likely to + 동사원형**	~하기 쉽다, ~할 가능성이 있다
03	**be able to + 동사원형**	~할 수 있다
04	**be inclined to + 동사원형**	~하는 경향이 있다
05	**be apt to + 동사원형**	~하기 쉽다
06	**be bound to + 동사원형**	~할 의무가 있다
07	**be obliged to + 동사원형**	~할 의무가 있다
08	**in one's own right**	자기 자체로, 자기 능력으로, 남을 의지하지 않고
09	**one of a kind**	독특한, 유일한
10	**behind the times**	시대에 뒤떨어진, 구식의
11	**in the middle of**	~의 중앙에, ~의 (도)중에
12	**be named after**	~의 이름을 따서 지어지다
13	**be worth -ing**	~할 가치가 있다
14	**go beyond**	(범위·권한 등을) 넘어서다, ~을 능가하다
15	**make sense**	앞뒤가 맞다, 말이 되다
16	**make sense of**	~을 이해하다
17	**have no idea**	전혀 모르다
18	**set ~ apart**	~을 구별되게 하다, ~을 눈에 띄게 하다
19	**tell ~ apart**	~을 구별하다, ~을 분간하다
20	**tell from**	~을 통해 알다
21	**put forward**	(안건·의견을) 내다, 제기하다
22	**object to**	~에 반대하다, ~에 이의를 제기하다
23	**come to mind**	생각이 떠오르다, 생각나다
24	**point of view**	의견, 관점
25	**in my opinion**	내 의견으로는, 내 생각에는

일상생활 [3]

01	break the news	소식을 전하다
02	break the ice	서먹서먹한 분위기를 깨다
03	fall out of touch	연락이 끊기다
04	get used to	~에 익숙해지다
05	used to + 동사원형	~하곤 했다
06	follow suit	따라 하다, 선례를 따르다
07	put aside	~을 제쳐두다, ~을 따로 챙겨두다, ~을 저축하다
08	have nothing to do with	~과(는) 관련이 없다
09	have no choice but to + 동사원형	~할 수밖에 없다
10	afford to + 동사원형	~할 형편이 되다
11	make it a rule to + 동사원형	~하는 것을 규칙으로 삼다
12	there is no room for	~을 위한 자리가 없다, ~을 위한 여지가 없다
13	do without	~ 없이 지내다, ~ 없이 견디다
14	cannot help -ing	~할 수밖에 없다
15	be busy -ing	~을 하느라 바쁘다
16	stand little chance	가능성이 거의 없다
17	in the same way	같은 방법으로, 마찬가지로
18	here and there	여기저기에, 곳곳에
19	speak of the devil	호랑이도 제 말 하면 온다더니
20	no matter how	아무리 ~해도
21	due to	때문에, ~으로 인해
22	with the exception of	~을 제외하고
23	no wonder	놀랍지도 않은

01	strictly speaking	엄밀히 말하면
02	not A but B	A가 아니라 B인
03	not only A but (also) B	A뿐만 아니라 B도
04	not so much A as B	A라기보다는 B인
05	in the long run	결국에는, 장기적으로 보면
06	no doubt	의심의 여지 없이, 확실히
07	be sure to + 동사원형	반드시 ~하도록 하다
08	in sum	요약하자면, 말하자면, 결국
09	in the end	결국, 마침내
10	at last	마침내, 드디어
11	to make matters worse	설상가상으로
12	last but not least	마지막으로, 마지막으로 덧붙일 중요한 말은
13	it goes without saying that	~은 말할 것도 없다
14	to say nothing of	~은 말할 것도 없고
15	nothing but	오직, 그저 ~만
16	so to speak	말하자면, 이를테면
17	for the moment	지금은, 일단은, 우선
18	at first	처음에는, 애초에
19	given that	~을 고려하면, ~을 감안하면
20	let alone	~은 말할 것도 없이, ~은 물론이고
21	not to mention	~은 말할 것도 없고
22	on the whole	전반적으로
23	generally speaking	일반적으로 말하면, 대개
24	to be frank (with you)	(당신에게) 솔직히 말하자면
25	when it comes to	~에 관해서라면
26	no longer	더 이상 ~이 아닌
27	not necessarily	반드시 ~은 아닌
28	neither A nor B	A도 B도 아닌

MEMO

MEMO

MEMO